Andresen, Karl G

Ueber die Sprache Jacob Grimms

Andresen, Karl Gustaf

Ueber die Sprache Jacob Grimms

Inktank publishing, 2018

www.inktank-publishing.com

ISBN/EAN: 9783750122758

ÜBER DIE

SPRACHE JACOB GRIMMS.

VON

KARL GUSTAF ANDRESEN.

LEIPZIG,
DRUCK UND VERLAG VON B. G. TEUBNER.
1869.

VORREDE.

Mit den vorarbeiten zur anfertigung des registers, welches
ich zu Jacob Grimms deutscher grammatik veröffentlicht habe
(Göttingen bei Dietrich 1865), waren aufzeichnungen zahl-
reicher und mannigfacher beispiele, durch welche die hervorragenden und charakteristischen eigenschaften der eigenen
sprache und schreibung des meisters nachgewiesen werden
könnten, hand in hand gegangen. Abgesehen von einer reihe
kleinerer in wißenschaftlichen zeitschriften abgedruckten aufsätze, die sich überwiegend mit syntaktischen erscheinungen
des grimmschen stils beschäftigen, ist von mir als probe jener
samlungen eine schrift über J. Grimms orthographie (Göttingen 1867) herausgegeben worden. Sowol dieses büchlein
als jene aufsätze habe ich zwar, wie es natürlich ist und sich
namentlich mit beziehung auf den vorrat gesammelter belege
von selbst versteht, für das gegenwärtige größere werk von
neuem berücksichtigt und benutzt, zugleich jedoch vielfache
änderungen und hoffentlich verbeßerungen eintreten laßen,
hier gestrichen und dort hinzugefügt, in mehreren abschnitten
das material dergestalt verarbeitet, daß nicht einmal dem
inhalte, geschweige der form nach eine übereinstimmung
erkennbar bleibt.

Die anordnung der einzelnen teile des bereit liegenden
stoffes hat nicht geringe schwierigkeiten hervorgebracht; sie
ist auch schließlich, wie ich fühle und bekenne, nicht der
im geiste haftenden vorstellung gemäß ausgefallen. Sowol
das eifrige bestreben wiederholungen zu vermeiden als der
billige wunsch die zahl der verweisungen auf vorhergehende
oder nachfolgende erörterungen möglichst zu beschränken,
dann auch der mehrmals, z. b. bei der syntax des infinitivs
und des pronomens, angestellte und durchgeführte versuch
einer vereinigung aller bemerkenswerten erscheinungen, bei
denen der in der überschrift genannte gegenstand wesentlich

beteiligt ist: diese und noch einige andere bei zweifelhafter
wahl vielleicht wider gewohnheit vorgezogene rücksichten
mögen hie und da eine zusammenstellung veranlaßt haben,
gegen die sich mit fug streiten läßt. Das kapitel vom pronomen z. b. begreift nicht bloß das meiste von dem, was
man von auslaßung oder überfluß desselben zu bemerken und
unter ellipse und pleonasmus zu bringen pflegt, sondern auch
den reichhaltigen abschnitt von den relativsätzen, deren eigene
abhandlung demnach hat unterbleiben müßen. Ueberhaupt
aber kann ohne allen zweifel bisweilen die gerechteste ungewisheit darüber herschen, ob ein gegenstand, den man ungern zweimal behandeln möchte, richtiger an der einen oder
richtiger an der andern stelle dargelegt werde. Ja selbst
formenlehre und satzlehre dürfen um den besitz streiten. Die
starke und schwache flexion z. b. der adjektive und adjektivischen wörter habe ich dem gebiete der deklination überwiesen,
während Grimm diese recht eigentlich charakteristischen verhältnisse umständlich erst in der syntax vorführt. Es kommt
dabei begreiflich auch auf das übergewicht der einen oder
der andern beziehung an. Wie hätte namentlich dem artikel,
dessen formen gar nichts merkwürdiges darzubieten vermögen,
ein anderer platz als innerhalb der syntax gebührt? Die vielleicht auffällige trennung der interpunktion von dem eigentlichen stoffe der orthographie und ihre überweisung an den
schluß der syntax ist deswegen geschehen, weil es angemeßen
erscheinen muß das wesen und die gewohnheit der deutschen
zeichensetzung völlig auf dem logischen grunde der sätze und
satzverhältnisse anzuschauen und zu beurteilen.

In denjenigen fällen, wo ein gegenstand von zwei verschiedenen seiten hat betrachtet werden müßen, ist möglichst
dafür gesorgt worden, daß keinerlei unbequeme wiederholung
bereits gegebener beispiele stattfinde. Ueberhaupt aber wird
man nur selten eine belegstelle, auch wenn sie in mehr als
einer hinsicht zur erläuterung dienen konnte, mehr als einmal angeführt finden. Es gab der beweise in der regel so
viele, daß diese leichte mühe der abwechselung vorteilhaft
übernommen werden konnte. Aufmerksame leser werden in
jedem einzelnen falle neben dem, was in rede steht und durch
das beispiel nachgewiesen wird, aller übrigen beachtenswerten
erscheinungen desselben gewahr.

Wie früher ist auch jetzt wieder sowol von der geschichte
der deutschen sprache die 1. ausgabe, deren seitenzahl bekanntlich in der 2. nebenherläuft, benutzt, als in der mythologie
die 2. ausgabe von der 1. durch angabe der bände I und II
unterschieden worden. Einiger zwar großenteils von Grimm
selbst ausgegangenen und innerhalb eines engeren kreises
germanistischer fachgenoßen gebräuchlichen titelverkürzungen
habe ich mich enthalten; unstreitig dürfen z. b. die bezeichnungen „Märch." und „Gesch."*) im allgemeinen auf deutlichkeit größeren anspruch erheben und nehmen kaum mehr raum
ein als „KM" und „GDS".

Bei der in den anmerkungen enthaltenen verweisung auf
diejenigen unter bekannteren lehrbüchern der deutschen sprache,
welche regel und gebrauch nur zu oft nachteilig miteinander
vermengen, erscheinungen, die sich der systematik abstrakter
lehrsätze nicht fügen wollen, insgemein mit feindlichem auge
betrachten und vorschnell richten, bin ich in erster linie auf
fälle bedacht gewesen, in denen jene bücher einen gebrauch
angreifen, welcher in den schriften Grimms mehr oder weniger charakteristisch vertreten ist. Die mancherlei innerhalb des
textes befindlichen, der erläuterung dienenden hinweisungen
auf Grimms grammatik, wörterbuch oder andere schriften, auf
den vorgang der älteren sprache sowie auf dialektische und
volkstümliche ausdrücke wird man nicht überflüßig finden, da
sie zu einer richtigen erkenntnis und würdigung der individualität des grimmschen stils förderlich sein können.

Es war meine absicht ein möglichst vollständiges und
genaues, chronologisch und systematisch geordnetes verzeichnis alles dessen, was aus Grimms feder geflossen und dem
druck überliefert worden ist, in dieses buch aufzunehmen.
Die ausführung ist unterblieben, weil von einer andern seite,
der ich grund habe auch auf diesem engen gebiete mehr
bibliographische kunde als mir selbst zuzutrauen, demnächst
(möchte es nicht lange dauern!) für denselben zweck gesorgt
werden wird. Mit zwei gewissermaßen urkundlichen und
grundlegenden verzeichnissen der schriften Grimms kann dem
publikum, zumal wenn es sic kurz nacheinander entgegen-

---

*) Diese letztere hat erst stätigkeit erlangt, nachdem zu anfang
der vollere titel gesetzt worden war; ebenso verhält es sich in anderen
fällen, z. b. Urspr. Reinh. Pfeiff. Schulze.

nehmen soll, nicht gedient sein; für ergänzungen oder berich-
tigungen, falls es deren, was doch wenig wahrscheinlich ist,
bedürfen sollte, ist leicht rat zu schaffen. Ob es mir geglückt
ist in jedes einzelne, was Grimm geschrieben hat, einsicht
zu gewinnen, vermag ich zur zeit selber am wenigsten zu
beurteilen; gestrebt habe ich nach allem, wißentlich nichts
bei seite gelaßen, und noch zuletzt, als schon der druck begonnen hatte, bin ich in der willkommenen lage gewesen
einige freilich nicht sehr empfindliche lücken meiner verzeich-
nisse, deren ich mir längst bewust gewesen war, ausfüllen
zu dürfen. Was noch zu benutzen möglich war, ist dieser
schrift eingefügt worden; einzelnem nuste entsagt werden.
Passend hätte ich, wenns nicht zu spät gewesen wäre, beim
abschnitt von den großen anfangsbuchstaben (s. 69) der rücksicht erwähnt, welche von der redaktion der Antiq. Tidskrift
(1845 s. 67 fg.) einem dänisch geschriebenen beitrage Grimms
insofern gewidmet worden ist, als sie ihm die bei Dänen sonst
ungebräuchliche minuskel gelaßen hat.

Von weit größerer bedeutung würde es sein, wenn mir
erhebliche erscheinungen der grimmschen sprache überhaupt
oder eine größere zahl besonders lehrreicher und interessanter
belege entgangen wären. In der letzteren hinsicht bedaure
ich, daß eine syntaktisch höchst merkwürdige stelle durch
ein versehen von meiner seite ausgeblieben ist. In der ak.
abh. üb. das gebet (Kl. schr. 11, 452) heißt es: „was frommt
die günstigste form, sobald sie nicht anwendend in volles
licht gesetzt wird?" Die erklärung, das aktive partizip habe
wie in einigen anderen fällen passive bedeutung, halte ich
für verfehlt; mir scheint das part. mit dem in der passivform
des prädikats liegenden logischen subjekt der tätigkeit, als
wenn es zugleich das grammatische wäre, übereinzustimmen.
Die abhandlung hat ähnliches der art vorgeführt; insbesondere
dürfte der durch zahlreiche beispiele ausgezeichnete gebrauch
des reflexiven pronomens beim unpersönlichen passiv (s. 147)
verglichen werden.

Anfangs schien es schicklicher zu sein anstatt der buch-
stäblichen anführung einer menge von bildern und gleichnissen
vielmehr ihre indirekte darstellung walten zu laßen und dem
leser genauere vergleiche anheimzustellen. Allerdings wäre
dadurch ziemlich viel raum gespart worden; von der andern

seite aber bleibt auch unbestritten, daß solche bilder nicht
allein mit beziehung auf den eigentlichen kern oder inhalt der
vergleichung vorgeführt, sondern auch als ein formell geglie-
dertes und begrenztes, ausdrucksvolles ganzes behalten zu
werden verdienen, abgesehen von der bequemlichkeit, welche
durch die art der mitteilung für die anschauung gewonnen
wird. Unter diesen umständen durfte auch nur nach einem
gewissen grad allgemeiner vollständigkeit am allerwenigsten
getrachtet werden; wie man sieht, sind die der grammatik
vorhergehenden älteren schriften, deren sprache vielleicht einzelnes brauchbare geliefert hätte, ganz unberücksichtigt geblieben. Irre ich nicht, so reichen zahl und beschaffenheit
der verzeichneten bilder und gleichnisse für eine sorgsame
betrachtung und erkenntnis dieses anziehenden teiles der
sprache J. Grimms vollkommen aus.

BERLIN, im september 1869.

Andresen.

INHALT.

Einleitung.

Wol selten hat sich auf die schreibweise und den stil
eines schriftstellers von seiten seiner leser eine solche verschiedenheit der beurteilung und namentlich des individuellen geschmacks gerichtet, als den schriften des schöpfers und
meisters der deutschen sprachwißenschaft widerfahren ist
und noch heute widerfährt. Während die einen der sprache
Grimms, die sie mit recht unvergleichlich nennen, preis und
bewunderung zollen, werden von anderen in erster linie
wesentliche bedingungen des guten und korrekten stils vermist, mängel und unregelmäßigkeiten im einzelnen nachgewiesen. Abgesehen von der weitaus größeren menge derjenigen, welche ihr urteil in keiner weise als maßgebend betrachtet wißen wollen, scheinen überwiegend zweierlei kreise
hervorzutreten, aus denen diese abweichenden und namentlich mit beziehung auf das entscheidende endurteil charakteristisch einander entgegenstehenden ansichten entspringen:
der kreis der gelehrten fachmänner und die lehrer der deutschen grammatik und aufsätze*). Allein in der art und weise,
wie so mishellige anschauungen teilnahme und geltung zu
erwerben suchen, offenbart sich zum guten glücke ein sehr
bedeutender und ohne zweifel erfolgreicher unterschied. Männer der wißenschaft an deutschen hochschulen haben in reden
zum gedächtnisse des „sprachgewaltigen" mannes, den auch
sie ihren meister nennen, neben den höheren eigenschaften
des geistes und gemütes auch den reichtum und die kraft,
die schönheit und den adel, den zauber und die anmut
seiner rede vor aller ohren gepriesen und sind dadurch vie-

---

*) Da wo jene zugleich diesem und diese jenem kreise angehören,
ändert sich natürlich das verhältnis.

len eine stütze für eigene erkenntnis geworden; dahingegen
ist kleinliche hervorhebung jener sprachlichen mängel und
unebenheiten, deren die schreibweise Grimms eine menge aufweisen soll, einseitiger nachweis der als wenig gefällig und
kaum mundgerecht bezeichneten darstellung insbesondere der
grammatik, welche rastlos und ohne deutlich erkennbare
unterschiede anhäufe, forschung und ergebnis durch einander
werfe u. s. w., an die volle öffentlichkeit im ganzen selten,
in kreisen, wo ein gesprochenes wort zum teil zwar leicht
verschallt andernteils aber grade sehr fest haftet, häufig genug
an den tag getreten*).

Wenn für den berühmten vergleich des menschen mit
seinem stil nach treffenden und schlagenden beispielen gesucht wird, so mag sich Jacob Grimm in erste linie stellen.
Alle hochachtbaren und liebenswürdigen eigenschaften seines
innern liegen treu und offen ausgeprägt in seinem stil, ebenso
aber auch diejenigen eigenheiten, welche in verbindung mit
jenen tugenden das charakteristische ausmachen, dessen leicht
erkennbare grundzüge viele kürzere, dem orte und der zeit
angemeßene darlegungen, namentlich aber eine längere, um-
sichtige, gelehrte und gedankenreiche würdigung**) hervorgerufen haben.

Der erforschung der älteren deutschen poesie, insonderheit dem studium der dichterischen sagen hatte Grimm seine
früheste und hauptsächlichste neigung zugewandt; liebe zur
naturpoesie***) und zu poetischer deutung ist ihm auch in
der zeit, als ihn vorwiegend die deutsche grammatik be-
schäftigte, nicht abhanden gekommen, hat vielmehr diese in
mehreren ihrer anziehendsten stücke wesentlich und erfolg-

---

*) Ausdrücklich sei hier des bündigen urteils gedacht, welches
über J. Grimms darstellung von einem deutschen sprachforscher gefällt
worden ist, der strenge und schonungslos, bisweilen auch ungerecht,
doch selten ohne einsicht ausdruck und stil vieler schriftsteller verfolgt
hat, Götzinger in seinem buche von der deutschen sprache I, VI: „wer
könnte einfacher, deutlicher und schöner schreiben als er?" Aber
ein Franzose meint, wenn man Grimms stil „à la française" beurteilen
wollte, „on le trouverait plus d'une fois negligé, lourd et diffus" (Baudry,
Revue germanique T. 28 p. 317).

**) von Wilhelm Scherer in Wien (Berlin 1865).

***) „ein lebendiges buch, wahrer geschichte voll" (Meistergesang, s. G).

reich befruchtet; diese angeborne und früh gepflegte neigung ist endlich auch seines alters treue begleiterin geblieben*). In dem innigsten zusammenhange damit stand die zartheit seiner ansichten von der natur, die kindlich teilnehmende liebe zu ihr und vorzugsweise zum pflanzenleben, das er zu anfang eine zeitlang sogar als hauptgegenstand seines studiums betrachten wollte. Ueberall galt ihm das natürliche, unvermittelte am meisten, und die lebhaftigkeit und wärme seiner empfindung für die ursprünglichkeit der mannigfaltigen erscheinungen im leben wie in der geschichte der völker und ihrer sprachen ließ ihn am liebsten da verweilen und aufschlüße suchen, wo von einem schwachen und vielleicht zweifelhaften lichte auf den vollkommenen glanz unverrückter wahrheit hingewiesen werden mochte. Daher war sein ganzer sinn dem altertum zugewandt, zunächst aber und sehr weit überwiegend, in gewisser hinsicht beinahe ausschließlich dem deutschen: die blicke, welche er auf alte zustände der sprache und des lebens anderer völker warf, verfolgten insgemein den zweck der erhellung und verdeutlichung desjenigen, was die durchdringende schärfe und feinheit seiner beobachtungs- und kombinationsgabe, verbunden mit aller unbefangenheit und freiheit der bewegung und des urteils, innerhalb der verhältnisse des ungemein geliebten vaterlandes, dem er mit seinem vollen wesen angehörte, gefunden hatte, des deutschen volkes, dessen wahren und edeln lebensgrund, wie „ein rüstiger, kundiger, frommer bergmann" gold und edelgestein, er aus dem schutt der vergangenheit rein ans reine licht zu fördern trachtete. Ausgerüstet mit einer ungewöhnlichen stärke des geistes und durchdrungen von den hochherzigsten gefühlen der angebornen freiheit und sittlichen ehre, besaß er mit den edelsten mut unerschütterlicher wahrheitsliebe und überzeugungstreue, und obwol durch und durch anspruchslos und bescheiden im bereiche eigenes verdienstes und jedem echten fremden

---

*) Welch hohe empfänglichkeit für jeden, auch den leisesten geistigen anhauch des bloßen wortes spricht aus dem schlußwerke, dem wunderbar eingerichteten und fesselnden wörterbuche! Man betritt an des meisters hand, der gleich einem priester „die weihe des göttlichen in der sprache verkündet, den heiligen hain, hört die wipfel rauschen und labt sich an dem frischen duft".

1*

gegenüber, hatte er doch auch das erhebende bewustsein
seiner kräfte, welche in rechter und schöner weise zu ver-
wenden er sich unabläßig und mit liebevoller hingebung
befließen zeigte. In einem gewissen gegensatze zu den forschungen seiner vorgänger sowol als mehrerer seiner zeit-
genoßen waren seine bemühungen auf den verschiedenen
gebieten des deutschen altertums von der höchsten und reinsten ehrfurcht vor der geschichte eingegeben, deren un-
verletzlichkeit und notwendigkeit ihn mit heiliger scheu erfüllte. Hier immer neu zu lernen war von anfang her und
blieb alle zeiten seines langen lebens hindurch fort und fort
seine erste und liebste aufgabe. „Beßer gelernt als gelehrt‘‘
nannte er seinen spruch noch im höchsten alter*) und bekannte frei und offen, daß er von einem triebe zu lehren
nicht eigentlich geleitet werde**). Und dieser von wißens-
durst und lernbegier erfüllte, in rastlosem fleiße wißenschaftlichen forschungen eifrigst ergebene mann, der gelehr-
testen aller zeiten und nationen einer, war voll inniger, kind-
licher gemütlichkeit***) und konnte jeder stufe wahrer empfindung auch da ausdruck geben, wo unnatur und verbildung
keinen laut zu erheben versteht. Er hatte den liebenswürdigen sinn sich des einzelnen und kleinen, das er mit ernst
und lust beobachtete, anzunehmen und still zu freuen, „ein
verkrochenes wiesenblümchen zu brechen, nach dem andere
sich nicht niederbücken würden‘‘†). Diesem sinne entsprechend war es sein grundsatz in der wißenschaft mit allem
einzelnen sorgfältig zu beginnen, damit dadurch der aufbau
des ganzen, dem er gleichwol nicht immer mit demselben
eifer zuzustreben pflegte, allmählich gefördert werde. Nichts
was des menschen geist oder gemüt irgendwie zu feßeln
vermag, oder worin keine höherer wirksamkeit zu schlum-
mern, spuren großer begebenheiten verborgen zu liegen

---

*) Kl. schr. I, 175.

**) in einem briefe an Regnier (Revue german. T. 28 p. 345); vgl.
Gr. I¹, V, wo er seiner unüberwindlichen neigung zu untersuchen gedenkt, ferner I¹, XXII: „man kann die sprache nicht lehren sondern
nur daran lernen‘‘.

***) Ueber den herzlichen ton, der in einigen vorreden waltet, findet
sich eine warme anerkennung in den Münch. anz. 1837 no. 206.

†) Vorrede zur gesch. d. d. spr. VIII.

scheinen, mochte er für unbedeutend ausgeben, und weil er
das kleine und einzelne in rechter weise zu betrachten ver-
stand, ist ihm auch das große und ganze zu entdecken ge-
lungen. Vorzüglich bemerkenswert, zumal bei den schwie-
rigeren untersuchungen an die er mit großer kühnheit seine
kraft legte, ist seine weise alles was an vermutung oder
zweifel sich ihm aufdrängte frei zu äußern und somit sich
selbst oder andern weitere forschung vorzubehalten und den
trieb dazu zu nähren*). —

Kommt es nunmehr darauf an den in wirklich seltenem
grade innigen zusammenhang wahrzunehmen, in welchem
mit den inneren eigenschaften des wesens die kennzeichen
des stils und der schreibweise stehen, so würde gleichwol
ein, wie es scheint, unnötiges maß in anspruch zu nehmen
sein, wenn jedes einzelne aus dem einzelnen erklärt, jede
eigenschaft des stils und der sprache an einer geistigen
eigenschaft des schriftstellers gemeßen und erkannt werden
sollte. Es darf vielmehr ausreichen und wird ansprechender
erscheinen ein gesamtbild vor augen zu haben, welches zum
vergleiche mit dem voraufgehenden entwurfe auffordert; hieraus wird sich leicht und von selbst dasjenige ergeben, was
zu empfinden und bei sich zu herbergen eine viel größere
freude gewährt als ordnungsmäßig eingeteilt und bewiesen
zu sehen.

Zuvor jedoch ist die frage zu beantworten, ob sich bei
dem langen, mehr denn ein halbes jahrhundert befaßenden
schriftstellerischen leben Grimms unterschiede seiner sprache
und schreibweise offenbaren, die entweder mit anderen und
mehr äußerlichen verhältnissen in verbindung stehn oder
etwa auf unterschiede seiner eigenen geistigen beschaffenheit
und der formen, in denen sich seine tätigkeit bewegte, zurückzuführen sind. Was auf natürlichem wege den meisten
und vielleicht allen schriftstellern, denen ein langes reiches
leben vergönnt ist, widerfährt, mit beziehung auf den ihm
vielfältig verwandten Göthe von Grimm ausdrücklich angemerkt wird**), erleidet auch auf diesen selbst anwendung,
daß nemlich frühere und spätere zeiten mehrfach von ein-

---

*) vgl. Haupt im vorwort zu seiner zeitschr. (I, VII).
**) Wörterb. I, XIX.

ander abweichen. Allein dies beschränkt sich fast ganz auf
einzelheiten der formen, wörter, ausdrücke und anderer vorwiegend äußerlichen verhältnisse, darf nicht eigentlich vom
großen und ganzen der grimmschen darstellung verstanden
werden, insofern es als ein treues, unwandelbares bild des
eigensten inneren wesens wahrgenommen worden ist. In
allen perioden seiner schriftstellerischen wirksamkeit, wenn
man dergleichen, sei es zu bequemerer übersicht oder für
den zweck einer lehrreichen charakteristik des ganges und
verlaufs seiner forschungen, aufstellen will, bietet Grimms
stil dieselbe haupteigenschaft der übereinstimmung mit dem
denkenden und empfindenden geiste: er ist das unmittelbare
produkt seiner individualität. Auf unterschiede jener perioden wird in den nachfolgenden untersuchungen zwar bei
vielen gelegenheiten aufmerksam zu machen sein, jedoch
mehr durch andeutungen, da die zeit der einzelnen schriften
bekannt ist oder erforderlichenfalls angegeben werden kann,
als mit einem aufwande von worten, die obendrein sich oft
sehr unvorteilhaft wiederholen müsten.

Welcherlei charakteristische eigenschaften, vorerst in
allgemeiner übersicht genommen, sind nun an der sprache
Grimms, deren grundwesen bezeichnet worden ist, erkennbar?

Aus der unmittelbarkeit der empfindung entspringen
natürlichkeit und frische, deutlichkeit und einfachheit des
ausdrucks, dem das sinnliche element dergestalt überwiegt,
daß auch da, wo abstraktionen am platze sind, durch bilder
und vergleiche, durch bildliche ausdrücke und redensarten
jeden augenblick die einkehr in die sinnenwelt vermittelt
wird. Diese neigung zu gleichnissen, erzeugt und gepflegt
von der lebhaftigkeit poesievoller anschauung der natur und
des lebens, des altertums und der sprache, tritt bei Grimm
in ungewöhnlichem grade hervor und verleibt seinem stil
einen schönen und anmutigen wechsel. Zugleich hält sich
die individuelle eingebung nicht bloß von der „durchdachten
answahl kunstreicher worte", sowie von allem schmuck des
rhetorischen fern, sondern nicht selten entbehrt sie auch
jener streng logischen folge der gedanken, welche als ein
haupterfordernis der darstellung bezeichnet zu werden pflegt,
und weigert sich dem methodischen gange der untersuchung

und entwickelung. Gemäß dem urteile, daß die sprache
ihrem innersten wesen nach haushältig sei und was sie mit
geringen mitteln erreichen könne jederzeit größerem aufwande vorziehe*), offenbart der stil Grimms eine sehr bemerkenswerte kürze, knappheit und gedrungenheit, welche
nur da etwa dem ungeübten verständnis hinderlich sein mag,
wo es sich um begriffsbestimmungen und erläuterungen auf
einem gebiete handelt, dem er allein den boden gelegt und
geebnet hat. Andererseits ist er sich selbst auf ebendemselben gebiete einer gewissen breite der forschung bewust
und bekennt frei, daß seine grammatik oft zu weitläufig,
nicht selten zu kurz vorschreite**). In der kürze bewegen
sich mark und kraft des ausdrucks, jenes gewicht der bezeichnung, welches in der sprache Grimms an allen enden
hervortritt; auch derbheit ist erkennbar und bisweilen eine
gewisse härte***), nirgends roheit. Aus seinem innersten
wesen entsprang der grundsatz, daß jedes wort der sprache,
jede ihr angehörige form gleich allen übrigen an sich berufen sei und zu rechter zeit und an rechtem orte aufgeführt
und angewandt zu werden verdiene. Dazu nötigte ihn vornemlich seine unendlich vorwiegende neigung zum altertume,
auf welches, wie er schreibt†), fast sein ganzes leben gerichtet war. Der alten deutschen sprache kraft und herlich-
keit war ihm gegenwärtig; er lebte in ihr und war sich
bescheiden einer gewissen daraus entspringenden einseitigkeit bewust. Mit geschickter hand griff er in den vollen
reichtum des sprachschatzes und oftmals zurück in entlegene
zeiten; manche für verschollen geltende bedeutsame wörter
und ausdrücke versuchte er kühn und bisweilen rücksichts-
los mit neuem klange zu versehen, namentlich liebte er es
alte verlaßene konstruktionen wieder vorzuführen. Abweichungen von sogenannten regeln des heutigen gebrauches,
zumal denjenigen welche nicht eigentlich aus der sprache

---

*) Gr. I¹, XXX. Gesch. d. d. spr. s. 864.

**) brieflich an Hahn (Pfeiff. German. XII, 1, 117). Freilich sind
forschung und darstellung lange nicht dasselbe.

***) Wtb. I, II wird Wilhelms weicherer feder, II, I seiner über-
legenheit in milder, gefallender darstellung gedacht.

†) an Michelet (Revue german. T. 28 p. 342).

selbst sondern vielmehr aus willkürlicher oder nur halbbe-
wuster und pedantischer gestaltung derselben geschöpft sind,
hat er sich in großer anzahl gestattet, selten jedoch ohne
irgend einmal gelegentlich ihre berechtigung auf das tiefer
liegende bedürfnis der menschlichen natur zu gründen. „Die
mannigfalten gänge und ausschreitungen des sprachgenius
zu belauschen und zu erforschen"*) war seine freude.

Man sollte erwarten und es scheint fast zu folgen, daß
aus der fülle des wortvorrates, welche seinem erstaunlichen
wißen zu gebote stand, zugleich ein ungewöhnlicher reichtum der abwechselung entspringe, dergestalt daß je nach
individueller anschauung oder stimmung der charakter bald
der älteren bald der neueren sprache hervortrete. Allein in
wirklichkeit überwiegt ihm die neigung ins altertum zurück-
zugreifen in solchem grade, daß sie zugleich veranlaßung
gibt manche herkömmliche und fast überall gebräuchliche
wörter, bezeichnungen und strukturen so gut wie ganz zu
versehmähen, auch die untauglichkeit einiger hie und da
aufzudecken. Dies dürfte jedoch weniger von jenen herrlichen aufsätzen, reden und vorreden gelten, deren genialer
und seelenvoller gehalt zumeist persönliche verhältnisse betrifft, sei es auf dem allgemeineren gebiete des lebens oder
dem besonderen der wißenschaft: der eigentümlich und
wunderbar feßelnde, von wahrer und herzlicher empfindung
getragene und genährte stil dieser schriften gewährt dem
mitfühlenden leser das vermögen die meisten und tiefsten
blicke in die innere werkstatt eines mannes zu richten, den
er zu lieben und zu verehren weiß. Hier werden kraft und
strenge von milde und zartheit, pracht und zauberischer
glanz von schlichter einfachheit und natürlichkeit woltätig
und erfreulich abgelöst; hier bewegt sich auch die sprache
gleichmäßiger in den bahnen der unmittelbarsten objektiven
faßung und verständlichkeit.

Bei dem fortwährend gegenwärtigen und lebendigen
bewustsein von der schönheit und dem reichtum der heimischen sprache und bei der ihm tief inne wohnenden vaterländischen gesinnung konnte Grimm zu fremden wörtern in

*) Kl. schr. III, 359. Ueber regel und ausnahme vgl. treffliche
bemerkungen Kl. schr. I, 328. 329. Ber. d. ak. 1850 s. 77.

deutscher rede eine eigentliche neigung zu keiner zeit bei
sich beherbergen; er war aber weise genug einen sehr großen
unterschied aufzustellen und festzuhalten und konnte aus
mancherlei wahrnehmungen, die ihm sein jahrhundert bot,
grund genug schöpfen sich viel nachdrücklicher gegen den
blinden eifer des purismus auszusprechen, welcher ihm
ärgerlich war gleich der philosophischen sprachkünstelei und
deuterei, als der freieren richtung, die von den meisten
schriftstellern beobachtet wird, in den weg zu treten. Im
ganzen darf man seiner eigenen praxis zwar eine mittlere
stellung anweisen, jedoch in dem sinne, daß fort und fort
die nicht bloß weit vorwiegende sondern beinahe ausschließ-
liche liebe zu den wörtern und formen des deutschen sprachschatzes unverhüllt bleibe *).

Für die beurteilung der schreibweise Grimms bleibt
noch ein umstand zurück, dessen grund wenn auch nicht in
unmittelbar notwendigem, so doch in leicht vereinbarem zusammenhange mit vorher genannten eigenschaften seines
charakters zu liegen scheint. Er schrieb in der regel gleich
für den druck, entzog sich also dadurch die möglichkeit
oder bequemlichkeit nachträglicher beßerungen; das „saepe
stilum vertas", dessen andre bedürfen, wird er als vorschrift
für sich selten oder nie betrachtet haben, sie mochte ihn
langweilig dünken. Welchen einfluß aber eine solche beschränkung auszuüben vermag, braucht nur angedeutet zu
werden; auch dem begabtesten und gewandtesten muß es
widerfahren, daß versehen und unfolgerichtigkeiten mit un-
terlaufen. Wie von dieser gewohnheit der bereits wahrge-
nommene mangel an strong logischer gedankenfolge und an
dem methodischen gange der untersuchung nicht unabhängig
zu stehen scheint; so dürften jene ungleichheiten, ungenauigkeiten, oder wie die hervorgehobenen gebrechen sonst heißen
mögen, zum großen teile ebendarin ihren grund haben. Manches freilich, namentlich aus der ersten zeit, beruht auf
einer mehr oder minder bewusten eigenheit und angewöhnung des ausdrucks, für die sich aus der alten sprache
nicht immer eine stütze finden läßt; einzelnes geht durch
alle perioden hindurch.

*) Heimische wörter haben einen positiven, absoluten wert, frem-
den kann ein negativer, relativer beiwohnen.

Unter den unebenheiten der schreibung nehmen diejenigen, welche sich auf die bloße wahl der buchstaben und anderen schriftzeichen beziehen, einen verhältnismäßig sehr großen raum ein. Viel wichtiger und lehrreicher jedoch als ihre samlung und vergleichung ist der von jener eben wahrgenommenen gewohnheit sofortiger aufzeichnung des gedankens eigentlich unabhängige, auf dem tiefsten, innersten grunde bewuster anschauung und erkenntnis ruhende positive charakter der grimmschen orthographie. Dieser charakter offenbart in seinen theoretischen zügen, auf die es zunächst ankommt, die allergröste übereinstimmung mit der nicht genug hervorzuhebenden besonderen und unwandelbaren stellung, welche Grimm zu dem altertume der deutschen sprache einnahm. Die tiefe und fülle seiner kenntnisse und gelehrsamkeit zeigten ihm alle abwege, auf welche die behandlung der deutschen sprache und ihrer schreibung geraten war; aber die hohe liebe und verehrung der alten naturgemäßen zustände, die edelste begeisterung für schönheit und reinheit, für eine ungetrübte fortentwickelung der formen waren der vornehmere grund, daß er in jene überwiegend ernst und strenge gehaltenen, bisweilen aber mit einem anflug von spott und schadenfreude untermischten bemerkungen über die ausartung und verwilderung der heutigen schreibung ausbrach, von denen seine schriften namentlich der zweiten und dritten periode und bis zuletzt erfüllt sind. Doch fühlte sich Grimm auf diesem wie auf jedem deutschen gebiete an die löbliche vorstellung von der notwendigen gemeinsamkeit aller hauptfragen und interessen so sehr gebunden, daß er aus einmal gezogenen oder für gezogen geltenden kreisen tatsächlich herauszutreten im ganzen bedenken trug und sich insgemein eher herbeiließ wißentlich den irrtum der menge zu befolgen als die grenzen zu überspringen und einen sonderweg einzuschlagen, auf dem voraussichtlich nur wenige seiner weisung würden nachgehen mögen. Wenn man diese selbstbeschränkung mit dem namen vorsicht bezeichnen will, so ist damit eigentlich zu wenig gesagt: keine klugheitsregel der gewöhnlichen art tritt entgegen, vielmehr ein ungleich höheres, in der vaterlandsliebe, die sich nicht bloß zum handeln berufen fühlt, sondern auch zu dulden und auszuharren vermag, wurzelndes bewustsein. Unterdessen kommen hier sehr auffallende gegensätze zur schau, welche auch ihrerseits von jener ungemein stark hervortretenden neigung Grimms zeugnis geben der augenblicklichen eingebung und stimmung unmittelbare folge zu leisten. Zu so entgegenstehenden äußerungen individueller empfindung erleichtert sich die berechtigung um so mehr, je unsicherer und schwankender das gebiet ist, auf dem sie sich bewegen. Dabei üben mancherlei äußere umstände, welche überall, wo die orthographie nicht zu den eigentlichen gewißenssachen gerechnet wird, wirksam zu sein pflegen, größeren oder geringeren einfluß aus. Wenn endlich noch der ansehnliche umfang schriftstellerischer tätigkeit nach seinen chronologischen verhältnissen hinzutritt, so läßt sich die schon einmal*) aufgestellte behauptung wiederholen, daß es im ganzen genommen kaum ein einziges als nicht durchaus unzweifelhaft selbst für die weitesten kreise geltendes wort gibt, das von Grimm jederzeit auf eine und dieselbe weise geschrieben worden wäre. Die äußersten grenzen finden sich vertreten, wobei natürlich verschiedene richtungen zu überwiegen scheinen: in der ersten zeit werden herkommen und gewohnheit bei weitem vorgezogen; die mittlere namentlich in ihren anfängen stellt das historische prinzip überall an die spitze; ebendemselben wird auch in der späteren zeit mit deutlichem bewustsein gehuldigt, doch so daß konventionelle und bisweilen phonetische rücksichten hindurchdringen. Nur in zwei punkten ist sich Grimm die über 40 letzten und wichtigsten jahre seines lebens hindurch ganz gleich geblieben, in der verbannung der großen buchstaben vom anlaut der substantive und in der herstellung der älteren runden schrift. Bekanntlich hat der schöpfer und meister der deutschen sprachwißenschaft lange zeit für den ersten und angesehensten vertreter der von ihm recht eigentlich wo nicht geschaffenen, so doch neu begründeten historischen richtung in allem, was orthographie anbelangt, gegolten; erst in neuerer zeit hat man von verschiedenen seiten her, veranlaßt oder unterstützt durch die unvollständigkeit und sehr mannigfalte ungleichheit der theoretischen mitteilungen sowol als der praktischen ergebnisse seiner

*) Üb. deutsche orthographie s. 9.

schriften, ihm in einigen stücken, insbesondere aber in einer der allerwichtigsten und jedesfalls von allen der schwierigsten frage eine abneigung gegen früher nachdrücklich aufgestellte und verfochtene grundsätze nachzuweisen versucht. Es wird sich später schicklichere gelegenheit bieten in dieser hinsicht schein und wahrheit gegen einander abzuwägen; vorläufig genüge der satz, daß in wirklichkeit, alles in allem sorgfältig betrachtet, niemand vorzüglicher als Grimm selbst geeignet ist als wortführer und wegweiser des historischen prinzips in deutscher orthographie bezeichnet zu werden.

Die folgende abhandlung wird der natürlichsten anordnung gemäß aus zwei hauptstücken bestehen, welche sich im allgemeinen an die bekannte einteilung der grammatik in formenlehre und satzlehre anschließen. Manches was innerhalb dieser beiden und vorzüglich innerhalb der formenlehre zwar an und für sich ganz unterschiedenen und selbständigen beurteilungen anheimfällt, obgleich es denselben namen, insbesondere denselben redeteil an der spitze trägt, muß hier, wo es sich nicht um grammatische aufstellungen, viel weniger um eine planmäßige anordnung bekannter kategorien handelt, sondern wo charakteristische eigenschaften der sprache eines einzelnen schriftstellers wahrgenommen werden sollen, sowol der übersichtlichkeit zu gefallen als um viele lästige und schwerfällige wiederholungen zu vermeiden, unter denselben abschnitt gebracht werden. Mit der aufgabe im nächsten zusammenhange steht aber zugleich auch, daß diejenigen an dem stile Grimms vorzüglich bemerkenswerten erscheinungen und äußerungen seiner individualität, welche nicht ohne den allergrößten zwang dem eigentlichen bereiche der abhandlung könnten überwiesen werden, ein eigenes gebiet der betrachtung auszumachen haben.

Lautverhältnisse und schreibung.

Während in den lehrbüchern der deutschen schriftsprache die abhandlung der laut- und buchstabenverhältnisse und die mit ihr aufs allerengste zusammenhangende erörterung der ergebnisse und grundsätze der schreibung getrennt von einander dargestellt zu werden pflegen, läßt Grimm in seiner grammatik beide insofern gemischt auftreten, als ihm der abschnitt von den neuhochdeutschen buchstaben gelegenheit gibt den geschichtlichen nachweis der mannigfachen veränderungen mit teils ausführlicheren bemerkungen teils kurzen andeutungen, welche gröstenteils negativ gehalten sind, zu begleiten. Dieselbe mischung eignet sich für den zweck der gegenwärtigen schrift, aber in umgekehrter richtung: Grimms eigene praxis in der schreibung und gelegentlich angemeßene hinweisungen auf beschaffenheit und entwickelung der für dieselbe giltigen lautverhältnisse. Ferner wird einiges von dem, was an und für sich der flexion oder der ableitung anheimfällt, wenn es sich innerhalb der grenzen orthographischer berechtigung findet, je nach umständen und bedürfnis schon hier vorweggenommen werden dürfen.

Vokale.

Den hauptcharakter der heutigen schreibung im gegensatze zu der früheren reinheit und einfachheit des lautstandes bezeichnen die gebräuchlichen dehnmittel. Abweichungen von der herkömmlichen weise sind in den frühesten schriften Grimms verhältnismäßig nur in geringem umfange wahrzunehmen. Vokalverdoppelung zeigt sich nach der noch jetzt vorherschenden gewohnheit, tritt sogar bisweilen über dieselbe hinaus, wie Sag. II, 41. 82. 283 schaam, 314 saamen, I, 325 seegen, Ir. elf. 214 queer. Häufig um diese zeit stößt man auf s c e l i g, aber auch noch viel später, z. b. Kl. schr. I, 2. 3. 4. 5. Gramm. I², III. Myth. I, 312. 313. Neben maß, loß, schoß begegnen maas und maaß Gramm. I¹, 392. 551. Schmidts zeitschr. f. gesch. II, 271, loos Lat. ged. 73. Andr. und El. VI. X. 93 (125 g e -lost). Gr. IV, 263. Sendschr. an Lachm. 70. Jornand. 54, schoos Märch. II, 494. 495. 496. Fast regelmäßig trifft man waare, z. b. Wörterb. I, 1677. III, 1638. 1696. IV, 46, selten ware (III, 1449). Vereinzelt und auffällig steht graal Ged. d. mitt. 30. Kl. schr. II, 89 (359 graI), ferner haal*) Kl. schr. II, 65, looser Myth. I, XIV. Häufiger wechsel findet statt zwischen s p e e r (Gesch. d. d. spr. 43. 127. 136. 141. Bericht d. akad. v. j. 1851 s. 111) und s p e r (Gesch. 17. 220. Ber. d. ak. 1851 s. 110. Kl. schr. II, 320. Wtb. III, 1804), heerd (Gr. I³, 215. Kl. schr. II, 65 viermal) u. herd (Wtb. I, LXIV), h e e r d e (Gesch. 123. Gr. I³, 215. IV, 722) u. h e r d e (Gesch. 2. 18. Kl. schr. II, 106. 248), boot u. bot (Edda 123. 127. Kl. schr. II, 91. 92); dagegen scheint sich nirgends t h e r zu zeigen, sondern zu der dehnung des niederd. und niederl., wohin die form gehört, sowie zum herschenden gebrauche stimmend, bloß t h e e r**), z. b. Myth. I, 582. Wtb. III, 1638. Schon Märch. II, 341. 420 sieht man m o s geschrieben, ferner z. b. Gesch. 207. Wtb. III, 749. 1632. Für aas (Gesch. 1010) tritt Reinh. F. XXII und mehrmals CCLXXXII, auch Myth. II, 637 die ungewöhnliche form as auf; ebenso verhält sich a l (Wtb. III, 1496) f. aal (vgl. Wtb. I, 5): dem gebrauche nicht viel weniger zuwider***) ist s a l (Wtb. I, XXXIV), während Märch. II, 466 die schreibung a u s s a t am meisten mit rücksicht auf das buch, in dem sie steht, befremdet. Die vereinfachte form A c h e n (Wtb. III, 369) empfiehlt sich der allgemeinsten nachahmung, desgleichen k a f f e (Wtb. III, 1598. 1631), letztere auch wegen der in den meisten gegenden vorherschenden betonung. Neben b a a r, das überhaupt und namentlich in der grammatik unzählige male vor-

---

*) mhd. hâhel, der keßelhaken auf dem herde; also f. hahl, wenn das wort noch heute gelten soll (s. Vilmar Idiot. v. Kurhessen s. 143. Schambach niederd. wtb. 79).

**) d. h. t e e r, im älteren hochd. zehr (vgl. Vilmar Idiot. 466).

***) trotz Becker gr. III, 27.

kommt, findet sich späterhin gar nicht selten bar geschrieben, z. b. Urspr. d. spr. 30. Kl. schr. II, 402. III, 428.
Wtb. I vorrede; in der Schillerrede steht paren als nomen,
paaren als verb (Kl. schr. 1, 379 u. 385). Durchaus ansprechend wird die historisch vollkommen richtige schreibung star sowol für den vogel (Urspr. 19) wie für die
augenkrankheit (Gr. II, 557. 683. Wtb. III, 1495. 1499)
angewendet.

Mehr läßt sich vom dehnenden *h* sagen, für dessen
gänzliche beseitigung Grimm grundsätzlich aufgetreten*), in
eigener praxis gleichwol, wie in anderen fällen, nicht hinreichend wirksam gewesen ist. Begreiflich zeigen seine
älteren schriften die mehrzahl solcher *h*, unter denen einzelne, deren sich auch die allgemeinere sitte überhoben zu
fühlen pflegt, ihm auch noch in viel späterer zeit nicht ungeläufig gewesen zu sein scheinen. Was jetzt niemand mehr
schreibt, steht in den sagen und elfenmärchen, öhl und die
auf besonderem grunde ruhende form ehle (olle); Gr. I¹,
606 und öfter begegnet Pohlen, Edda 201 huth, in Schlegels mus. I, 396 das prät. both. Ebenda findet sich mährchen, während auf der folgenden und einer kurz vorhergehenden seite desselben aufsatzes die später zahllos vertretene reine form gezeigt wird; Meisterges. 186 hat mährlein neben mären. Außer Sag. II, V und an andern orten
jener zeit sieht man gebähren noch Gr. III, 377. Andr.
u. El. 127, gebährden Reinh. VIII. Pfeiffers Germ. XI,
388, gebehrden Arm. Heinr. 125; ferner gebohren im
Ber. d. ak. 1839 s. 256, verlohren bei Pfeiffer XI, 381.
Bemerkenswert ist der namentlich in der gramm. stark hervortretende wechsel von holen und hohlen, überhaupt
aber diese letztere heutzutage allgemein gemiedene schreibung; man vgl. Gr. I¹, 589. I², VIII. 91. 179. 836. 843.
II, XI. 116. 400. 404. 665. 748. 797. III, 514. IV, 627
(daselbst auch ohne *h*). I³, 153. Nicht geringere beachtung
verdient, zumal da zugleich ein theoretischer grund offen

---

*) Man vergleiche außer den bekannteren erklärungen in der
gramm. und im wörterb. jetzt insbesondere den in der Zeitschr. f. deutsche philol. von Höpfner und Zacher veröffentlichten brief „an die berühmte Weidmann'sche Buchhandlung" vom april 1849 (I, 2, 228).

liegt, daß Grimm die dem jetzigen gebrauch bekannte und
beliebte, im unterrichte fast überall nachdrücklich empfohlene
vorschrift, malen (pingere, mhd. mâlen) und mahlen (molere, mhd. maln) zu sondern, grade umzukehren geneigt ist.
Die einfache schreibung bedarf der nachweise nicht; mahlen, mahler, gemählde finden sich außer an vielen anderen stellen z. b. Gr. III, 355. 546. IV, 773. Myth. 285.
Kl. schr. I, 30. 72. 74. Wtb. I, LIV. 1183. Gesch. d. d.
spr. öfters. Damit stimmt auch das *h* in dem nahe verwandten mahl und dessen zusammensetzungen (damahls,
zumahl, denkmahl) überein; vgl. Gr. I², VI. VII. VIII.
X. XII: doch ist es in den folgenden teilen der grammatik
fast ganz wieder gewichen, weil der gebrauch allzu sehr
widerstreben mochte. Als ausnahmen dürfen betrachtet werden: willkühr Arm. II. 146. Gr. I², 135. Vuk, serb.
gr. X, nahme Altd. w. I, 125. Myth. 90, prophezeihen
Myth. 640, alphabeth Gr. I², 46, rothwelsch Wtb. III,
1576 (ohne *h* 1819. 1820. 1822). Wol nur die märchen
haben gahr als adj., im unterschiede vom adv.*), z. b. I,
459. II, 26. Nahe bei einander, wie man an den beweisstellen sieht, schwanken blüthe (Ir. elf. 200. Gr. I², XII)
und blüte (Ir. elf. 209. Gr. I², V), welches letztere bald
zur alleinigen herschaft gelangt. Gewöhnlich schreibt Grimm,
worüber man sich wundern dürfte wenns der theorie gelten
sollte, draht (Wtb. I, 1663. III, 148. 287. 369. 1699), seltener
drath (Gr. III, 453. Myth. II, 794) und drat (Wtb. III,
1392. Myth. II, 1036); zu draht stimmt naht (Sag. II, 242.
Wtb. I, 1168. III, 354), nähterin (Wtb. III, 448).

Einen beachtenswerten gegensatz bildet nun die sehr
weit ausgedehnte fortlaßung des vom allgemeinen gebrauche
begünstigten dehnzeichens. So liest man stelen Wtb. III,
1441, stilt Volksmärch. d. Serb. XI, gestolen Gr. I²,
XVII. Sag. I, 135 (neben stehlen), verstolen Kl. schr.
I, 75. II, 49. 866. III, 293, diebstal Gr. III, 474. Sendschr.
71 (wieder neben stehlen). Sparsamer begegnet helen
z. b. Kl. schr. I, 72, auffallend Gr. IV, 65 „verholen,
was gehehlt wird"**). Zu der oben wahrgenommenen

*) vgl. deutsche orthogr. 19.
**) als stünde der gegenwärtig beinahe verklungenen, nur noch

schreibung malen (molere) paßt die form müle, welche
Grimm in jüngeren zeiten mit vorliebe gezeigt hat, z. b.
Gesch. 21. Myth. II, 753. Haupts zeitschr. IV, 512. Kl.
schr. II, 88. 89 (hier neben mühle); dagegen scheint ihm
bei mehl nicht die gleiche vereinfachung in die feder, vielleicht nicht in den sinn geraten zu sein. Eigentümlich verhält sich dem vorhin verzeichneten hohlen gegenüber der
gleich ungebräuchliche mangel des dehnzeichens in hol,
höle, hölen, welche formen z. b. Gr. IV, 729. 752. Gesch.
16. Myth. 36. 243. I, 611. Kl. schr. I, 121. II, 257. 426.
III, 384. Haupt IV, 504. Wtb. I, 1161 angetroffen werden;
auf diese trennung übt nicht etwa, wie bei mälen und mahn,
ein ursprünglicher unterschied der quantität den einfluß aus,
da das o im mhd. beidemal kurz ist*). Auf derselben seite
stehn Kl. schr. III, 417 vernemen und vernehmen, Andr.
u. El. XVI erzälen und erzählung, Myth. II. 996 aus-
fahren und ausfarten, Gesch. 495 und 2. ausg. 346 pfabl
und pfal, Kl. schr. III, 273 unfläter und unflath.
Gleichen schritt ungefähr mit der sonst allein gangbaren
gedehnten form hält in vielen schriften die schreibung stul,
die sich findet z. b. Gr. IV, 775. 901. Myth. 97. Kl. schr.
I, 162. Zeitschr. f. hess. gesch. II, 148. Reinh. F. IX. Wtb.
I, 744. II und III wiederholt. Aehnlich steht es nur strahl
und stral, nur daß hier dem gebrauche mehr freiheit eingeräumt sein dürfte. Häufiger als man erwarten sollte hat
Grimm han und hun geschrieben, z. b. Rechtsalt. 362. 584.
588. Reinh. CIII. Sendschr. 71. Gesch. 125. Wtb. III, 1754,
hünchen Gr. IV, 757, rebhun Sendschr. 105; in Savignys
zeitschr. II, 81 spricht er vom „hahn, der bei den hünern
gewacht"**). Verschiedentlich zeigt sich hankrat, hane-
krat (beides mhd.), z. b. Myth. 354. Kl. schr. II, 71. 72.
Ziemlich vereinzelt stehende schreibungen sind: frönen
Rechtsalt. 355, erdrönte Märch. II, 343. 380 (dröhnte
449), kolschwarz Myth. 529. 531, gewonheit Gr. IV,

---

etwa im adjektivischen partizip erhaltenen organisch starken form der
reine vokal, der später eingedrungenen schwachen das mißbräuchliche
dehnzeichen beßer an.

*) vgl. Schleicher deutsche spr. 167.

**) dieselbe verbindung Rechtsalt. 127, hier aber „hühnern" ge-
schrieben; vgl. Reinh. CXXXI bahn und zehn hüner.

820, verwarlosung Kl. schr. III, 314. Neben froh, das
natürlich durchsteht, begegnet frölich Reinh. CCX; bule,
buler liest man Wtb. II, 172*). Kl. schr. II, 321. Von
einem unterschiede zwischen wohl und wol, dem die philosophischen grammatiker, Becker an der spitze, so sehr
geneigt sind, melden Grimms schriften nichts; die einfache
schreibung überwiegt in solchem grade, daß beispiele der
dehnung, abgesehen von der älteren und zum teil auch der
mittleren zeit, als ausnahmen betrachtet werden dürfen.
Folgerichtig wird daher auch wollant, wolklang (Gr.
IV, V. 268), woltätig (Urspr. 23) u. s. w. geschrieben.
Selten ist vornehmlich (D. beid. ält. d. ged. 14), regelmäßig entweder vornemlich oder vornämlich. — Einer
überaus großen beschränkung hat Grimm das *th* überwiesen,
dessen gänzliche beseitigung (für organisches *t*) von ihm
bald gewünscht bald verlangt wird. Daß er bei Haupt
VIII, 412 schreibt: „guter rat theuer", wird mit einer
gewohnheit zusammenhangen, welche zwar weniger ihm
selbst als einigen seiner anhänger zur aufstellung einer vor-
läufigen regel anlaß oder stütze gegeben zu haben scheint.
In wirklichkeit nemlich hat sich auch Grimm und mehr
noch als andere gescheut, was er Wtb. I, LVIII als allein
richtig bezeichnet, „tal, teil, tor, tat" zu schreiben, während
er im auslaute der vereinfachung ziemlich freien lauf läßt;
vgl. wut, wüten (fast durchstehend, schon Gr. I¹, 551),
rute Wtb. I, 746. Myth. XII. I, 103, mut, gemüt, de-
mut, anmut, vermuten, mutmaßen zahllos vertreten,
rat, gerät Wtb. II, 169 (neben geräth), rätsel Kl. schr.
II, 153, hausrat Wtb. II, 168, vorrat Urspr. 47, zierrat
Gesch. 17. Myth. 284. 318, ratschlag Wtb. I, 724, geraten Urspr. 49, heiraten Gr. IV, 61. 694, verraten Urspr.
44, aufs geratewol Haupt VIII, 112. Armut (Gr. I³, 22.
IV, 64) erfreut sich als ableitung des allgemeineren beifalls,
Gr. I⁷, XIII. XIV. III, 67 steht noch heimath. Wegen
der vokalkürze gilt wirt (Gr. II, 925. IV, 337. Kl. schr. II,
31. 177. 178) seit längerer zeit für besonders empfehlenswert.

    In betreff des organischen *h*, das begreiflich der histori-
ker, wenn auch einige verluste nicht zu ersetzen sind, mit

---

*) an den alphabetischen stellen nur mit dem *h*.

allen kräften festzuhalten bemüht ist, dürfte mit einer einzigen berühmten ausnahme nichts sonderliches mitzuteilen sein*). Sie bezieht sich auf das wort allmählich, das ehedem auch Grimm, obgleich er darüber sich nicht geäußert hat, von „mal" abgeleitet zu haben scheint. Nachdem er schon vorher den richtigen ursprung aus „allgemæhlich" offenbart hatte (in Schmidts zeitschr. f. gesch. II, 271), heißt es zugleich und noch bestimmter im wörterbuche: „die schreibung allmählich ist genauer als allmälich, doch ganz falsch allmählig, allmälig". Von den beiden zuletzt genannten formen hat sich Grimm nach 1822 kaum mehr der zweiten bedient, wol aber der ersten; während die beiden ersten schreibungen einander im ganzen ungefähr das gleichgewicht halten und nur im wörterbuche, das grade so bündige rechenschaft ablegt, oder hier doch vorzugsweise die weniger genaue ziemlich auffallend allein zu herschen scheint**). Allmälig findet sich z. b. Altd. w. I, 125. März. II, 196. Gr. I¹, IV. IX, allmählig Arm. II. 151. Altd. w. II, 154. 156. 157. März. II, 448. Gr. I², VIII. IX. 7. 447. 1022. 1053. 1057. II, 8. 31. 60. 166. 305. 651. Kl. schr. I, 189 (v. j. 1860), allmälich Gr. III, 8. 12. 13. 19. 23. 27 u. s. f. IV, 3. I³, 8. 27. 32. 46. Rechtsalt. 304. 316. 330. 358. Gesch. 913. 917. 934. 935. 946. 947. Urspr. 8. 10. 22. 34. Kl. schr. I, 67. 72. 194. II, 444. Wtb. I, 5. 8. 10. 169. 251. 268. 725 u. s. w. II u. III, allmählich Sag. I, 73²***). Gr. I², 89. 184. 345. 1042. 1046. 1051. II, 96. III, 104. 452. 605. IV, 741. 921. I³, 34. 121. Rechtsalt. 242. 297. 300. 439. 557. Kl. schr. II, 453. Gesch. 898. Haupt II, 2. Lange nicht alle schriften, wie man sieht, sind hier verglichen worden, was überhaupt in keinem falle nötig scheint; dagegen liegt die verschiedenheit der zeiten vor und innerhalb der meisten ziemlich viel ungleichheit.

Der weit umfaßenden, zu einer hauptregel der üblichen schreibung gediehenen verwendung des das kurze i dehnenden e hat Grimms praxis nur in einzelnen fällen, von all-

---

*) In einem briefe bei Pfeiffer XII, 126 steht abgedruckt: „Sie haben mich auf weinachten mit weihnachtsstolen beschenkt".

**) Wie soll man aber darüber urteilen, daß Wtb. III, 398 bemerkt steht, in mälich sei eins der beiden aneinander stoßenden l gewichen?

***) ungewöhnlich um jene zeit; doch vgl. mahl.

gemein gebräuchlichen beschränkungen abgesehen, die anerkennung versagt*). Im einklange mit der einfachheit in
gib, gibt zieht er es vor zu schreiben: ergibig (Andr.
u. El. III. Gesch. 756. 829. Urspr. 10. 55. Kl. schr. I, 377.
II, 196. 379. 383. III, 277. Gr. I³, 7. 569. Weistüm. I, IV.
III, III. IV, V. Wtb. I, XXX. LXVIII. 179. 868), nach-
gibig (Gr. I³, XV. 229. Gesch. V. 439. Urspr. 52. Wtb.
I, LXIII. 1198), ausgibig (Gr. I³, XIII. Gesch. 1034.
Wtb. I, 875). Mit der schreibung giebt, auf die man namentlich in älteren schriften, doch bisweilen auch noch
später stößt (Arm. II. 142. 153. 155. Märch. I, XXV. 2.
18 u. s. w. Ir. elf. LXXXV. D. beid. ält. d. ged. 19. 20.
26. Kl. schr. III, 399. Gr. IV, 32), einigen sich ergiebig,
nachgiebig (Gr. I², V. 282. Gesch. 197. Kl. schr. III,
372. Wtb. I, 1432); mit gib, gibt andrerseits die echt
mhd., heute jedoch ungewöhnlichen formen schir (Gr. III,
536), schirt (Reinh. LXXV), stilt (Volksmärch. d. Serb.
XI). Obschon Grimm dem eingeführten abstande zwischen
wider und wieder, den er gleichwol als im grunde nicht
gerechtfertigt oder geradezu untauglich bezeichnet hat (vgl.
Gr. II, 796. 874. Zeitschr. f. deutsche phil. 1, 2, 230), zu jeder
zeit gefolgt ist, so kommt doch auch, wo man ihn nicht erwarten sollte, der einfache vokal vor, z. b. Abh. d. ak.
1845 s. 221. Kl. schr. I, 301 widerum, Myth. I, X. Gesch.
V unwiderbringlich; mehr dürfte bei wiederfahren
(Märch. II, 22. Ir. elf. XXX) das umgekehrte verhältnis auffallen. Vereinzelt steht Wtb. III, 1677 gibel, Kl. schr. I,
233 niderschlag, 328 mit stumpf und stil. Es wechseln
wie bei andern schriftstellern schmid (Gr. II, 452. 456.
524. Gesch. 145. Wtb. III, 1901) und schmied (Gr. I²,
695. I³, 306. Gesch. 347. Myth. 252. 317. 536. 697), auf
derselben seite (Myth. 221) schmid und schmiedelehr-
ling; selten ist die hauptform des eigennamens, schmidt
(D. beid. ält. d. ged. 77). Das wörterbuch führt unter dem
ratikel augenlied, augenlieder auf, aber I, 788. III,

---

*) Wie sich nach der in der gramm. wahrnehmbaren unentschie-
denheit im verlaufe seine theorie gestaltet hat, der er im wörterb. gern
gefolgt wäre, ist durch den erwähnten brief an die weidmannsche buchhandlung bekannt geworden.

1618 und anderswo trifft man augenlider. Während Reinh.
CCLXXIII zweimal die schreibung des fremdworts tieger
überrascht, scheint paradis (Kuhns zeitschr. I, 79. Urspr.
22. 37. Reinh. CIV. CXXI. Myth. II, 767. 781. 782. 783
u. öfter, aber 858 mit ie), mag dazu der älteste ursprung
oder die mhd. form paradis*) verglichen werden, sehr wol
berechtigt zu sein. — Dem gemeinen gebrauche widerstre-
bende kürzungen des organischen ie in i werden bei Grimm
nicht leicht gefunden: es ließe sich das vereinzelt stehende
hifhorn (Myth. 881) dahin rechnen, wenn nicht die bekannte form hifthorn (Sag. 1, 398) schon jene kürzung
enthielte. Wol etwas anders ist zu beurteilen, daß ihm ein
paarmal, z. b. Gesch. 124. Wtb. I, 187, die schreibung
dinstag, welche der üblicheren („mit unrecht": Wtb. II,
1120) von einigen vorgezogen wird, in die feder geraten ist.
— Gegenüber der kürzung verdient die rettung des echten
diphthongen in zwei hauptfällen, wo er dem bloßen i zu
unterliegen nahe daran oder bereits unterlegen war und auch
heute immer noch mit diesem um die herschaft streiten muß,
besonders hervorgehoben zu werden. Der erste fall betrifft
die alten prät. fieng, gieng, hieng, deren gekürzte aussprache die mangelhafte schreibung fing, ging, hing nach
sich gezogen hat (s. Gr. I³, 372. Gesch. 870), welche von
Grimm selbst in früheren zeiten und einzeln auch später
zugelaßen worden ist, z. b. durchstehend Arn. II. und Sag.,
außerdem fing Meisterges. 28. Märch. II, 9. Myth. 309.
575, ging Altd. w. I, 165. 173. III, 39. 191. Meisterges.
28. Andr. u. Fl. 108 (115 u. öfter gieng). Myth. 308. Gr.
I³, 363. Kl. schr. II, 206. III, 422. Rechtsalt. 908, hing
Altd. w. II, 45. III, 284. Märch. I, 483. II, 5. 122 (123
hiengen). Gesch. 22. Der zweite fall hat es mit der endung -ieren zu tun, der man ebenfalls das e zu entziehen
gewust hat und sich von vielen seiten fortwährend bemüht
zeigt (vgl. Kl. schr. I, 369 in der abh. üb. d. pedantische).
Grimm schrieb noch -iren Altd. w. und Gr. I³, folgerichtig mithin auch regiren (Altd. w. III, 208. Irmenstr. 62.
Gr. I¹, 641); Meisterges. 15 steht regiere, aber 3 excer-

---

*) Das entsprechende „paradeis" ist aus dem gewöhnlichen leben
geschwunden.

piren, 4 citiren; Vuk 16 mouilliert, 19 mouillirt;
Kl. schr. II, 105 personificirt, 109 personificirt;
Wien. jahrb. 32, 249 diktirt und excerpierten, 251
etymologisiert, 252 existiren; Kuhn I, 206 compo-
nirt, 217 glossiert; Kl. schr. II, 330 identificiren,
III, 5 construirten. Die gramm. hat von I² an, wie es
scheint, regelmäßig -ieren, an einzelnen ausnahmen (I²,
180. 721. 791. II, 83. 409. 959. I³, 487) gebricht es dabei
nicht. Kräftiges bewustsein organischer lauterkeit hat Gr.
I³, 564 die schreibung liechterlohe hervorgerufen*). Dehnung des kurzen _i_ und kürzung des ursprünglichen doppel-
lauts bilden einen gegensatz, weshalb sie hier nacheinander
besprochen worden sind. —

    Fragt es sich nach den nhd. umlauten _e_ und _ä_ (mhd.
bloß _e_), so ist Grimms entschiedene neigung zum _e_ hervor-
zuhoben. Er schreibt nicht allein dem fast allgemeinen gebrauche gemäß eltern (Sag. II, 298. Kl. schr. I, 1. 2
ältern), ermel (Sag. II, 265 ärmel), ernte, hering (Ir.
elf. 212 häring), sondern auch mit augenfälliger vorliebe,
was mit dem eigennamen übereinstimmt, becker, z. b. Lat.
ged. 109. Rechtsalt. XIV. 811. Myth. 390. 541. 704. Wtb.
I, 11. 98. 264. 907. 958. 1215. 1216. III, 1708, ferner merz
Rechtsalt. 798. 824. Myth. 158. 180. 447. Kl. schr. III, 400.
Wtb. I, LXVIII, lerm, lermen Myth. 172. 238. 293. 402
und anderswo; bei weitem lieber als gränze, das beinahe
nur in ältern schriften begegnet (Sag. II, 19. Märch. I,
XXVI. Gr. I², 74), setzt er grenze z. b. Gr. I², VIII.
166. II, IX. I³, 4. Gesch. 12. Kl. schr. II unzähligemal und
regelmäßig in der abh. von den deutschen grenzaltertümern,
vermutlich durchweg Italiener, italienisch. Obgleich
in der ersten und mittleren periode nämlich ziemlich oft
begegnet (Gr. I², 10. 222. 282. 331. D. beid. alt. d. ged.
25. Kl. schr. I, 87), ist doch im ganzen nemlich die weit
bevorzugte, zuletzt allein herschende form. Schwanken findet statt bei schlägel (Wtb. II, 279) und schlegel (Wtb.
II, 393. 582), schämel (Myth. 636. II, 995) und schemel
(Myth. II, 1033), überschwänklich (Myth. II, XLVI.
Wtb. III, 751) und überschwenklich (Gött. gel. anz.

---

*) vgl. Zeitschr. f. deutsche philol. I, 2, 228.

1828 s. 546). Kefich steht Rechtsalt. 726. Reinh. XLVII geschrieben, bermutter (mhd. bermuoter) Myth. II, 1132, scherfe (frz. écharpe) Wtb. III, 1480, merzen Gesch. 698; dagegen gehäge (mhd. gehege) Wtb. II, 225.

Diejenigen fälle der verwandlung des mhd. *ae* in *e*, welche der gebrauch bestimmt festgesetzt hat (dracjen, laere: drehen, leer), gelten auch Grimm als unantastbar; sind sie nicht vollkommen gesichert, so läßt er wol das ursprüngliche zeichen, d. h. *ä* für *ae**), stehen. Regelmäßig schreibt er gebärde, selten (z. b. Kl. schr. I, 200) geberde; Wtb. II, 308 begegnet wildbrät (mhd. wiltbraete). Ob das *ä* in vornämlich (Gr. I², 27. 232. II, 406), woneben auch vornemlich (Gr. I³, 421) und vornehmlich (oben s. 18) angetroffen werden, dem *ae* in vürnaeme, vornaeme entsprechen soll, bleibt dahingestellt. Die schreibung gäng und gebe (Heidelb. jahrb. 1816 s. 308. Gr. I³, 47. Ber. d. ak. 1854 s. 698. Andr. u. El. 136), welche auch von andern gebraucht wird, kehrt die beiden organischen vokale grade um (mhd. genge und gaebe); indessen kommt auch gäbe vor (Gesch. 625. Kl. schr. III, 227. Andr. u. El. XL. Zeitschr. f. hess. gesch. II, 144), doch wol nirgends „geng". Ueber stots und stäts ist Gr. III, 92 zu vergleichen; stet, stetigkeit begegnen Gr. II, 81. 850. Kl. schr. I, 165. II, 420, stät, unstätigkeit Sag. II, 95. 141. Gr. II, 679. 920. Kl. schr. I, 75. Gesch. 21.

Das aus älterem *ê* hervorgegangene *ä* des heutigen gebrauches wird von Grimm in einzelnen wörtern nicht jedesmal beibehalten, z. b. hehor Myth. 393, bescheler Gr. III, 325 (Merkels lex. sal. XXIX. Wtb. III, 1338 beschäler); dagegen hat er einst (Sag. und Gr. I¹) sonderbarerweise oft bäten, gebät geschrieben. — Die vorwerfliche form ächt für echt zeigt sich lediglich zu einer zeit,

---

*) Die für den langen umlaut zur unterscheidung vom kurzen nach mhd. vorgange von einigen neueren aufgenommenen zeichen *ae*, *oe*, *ue* gehören nicht in das gebiet der grimmschen schreibung. Sogar in dem namen Goethe, obgleich sich der dichter selbst so geschrieben hat, fand die nebeneinanderstellung keine duldung (s. Schmidts zeitschr. f. gesch. II, 271). Von anderer art sind die anlautenden *Ae*, *Oe*, *Ue*, deren sich Grimm aus demselben grunde wie die meisten schreibenden bedient; doch vgl. Äsop an vielen stellen im Reinh. F.

als die ableitung noch im dunkel lag*), vorherschend Gr.
I¹, ferner z. b. Meisterges. 7. 180. Gr. I², 205. Anstatt
zehe (mhd. zêhe) liest man Irmenstr. 63 zähe.

Organischem *e* zur seite stehendes *ö* bleibt, wo die gebildete aussprache nicht schwankt, im ganzen unangefochten; mit ergötzen, ergötzlich (Meisterges. 31. Andr. u.
El. 138. Lat. ged. 382. Gesch. 47) wechseln wie bei Göthe
und andern ergetzen, ergetzlich (Lat. ged. 321. Gesch.
17. Wtb. I, 1148). Für wolfe oder (sächs.) welpe (Kl.
schr. II, 109) steht Sag. II, 292 wölpe, dagegen für
schöffe Rechtsalt. 140. 381 scheffe.

In dem gleichfalls durch dialektische trübung erzeugten
verhältnis von *i* zu *u* und umgekehrt ist mehrerlei wahrzunehmen. Sehr umfangreiche schwankungen sind hilfe und
hülfe, giltig und gültig unterworfen; doch scheint einer-
seits hilfe, andrerseits gültig vorzuwiegen. Der verkeh-
rung von sprichwort in sprüchwort hat Grimm keinen
raum gegeben; jene form findet sich z. b. Gr. II, 679. IV,
131. 132. Rechtsalt. 717. Wtb. I, 274, diese ausnahmsweise
Rechtsalt. 36. Mit unverkennbarer absicht wird die dem
umgedeuteten sündflut zu grunde liegende form sinflut
vor augen gestellt (Myth. I, XIV. XXXIV. 526. 538. 539.
541 fg. II, 935. Gesch. 635. 684. Kl. schr. II, 98. 460.
Wtb. I, 1807); doch kommt auch das entstellte wort vor,
z. b. Gr. II, 554 (vgl. 223). Myth. 473. Die ganz unbe-
rechtigte und zugleich unüblich gewordene schreibung ge-
bürge tragen nur ältere schriften (Sag., Ir. ell.). Obgleich
dem allgemeinen gebrauche heute nur wirken, wirklich
angemeßen ist, nicht würken, würklich, wie die aussprache mancher gegenden und leute hören läßt; so ist doch
an sich *u* reichlich so begründet als *i* (vgl. Gr. I³, 221. 549.
Schmidts zeitschr. f. gesch. II, 271), daher denn auch Grimm
jenem vokal keineswegs immer ausgewichen ist, z. b. Arm.
H. 185. Gr. III, 771. Haupt. I, 5. II, 2. 268. V, 72 und
viel öfter**). Aehnlich ist das verhältnis von Wirzburg
und Würzburg (vgl. Gr. I³, 222 gegen I², 413), jedoch
mit rücksicht auf den gebrauch in umgekehrter richtung;

---

*) vgl. W. Wackernagel bei Haupt II, 556.
**) Vielleicht hat sich dabei des herausgebers gewohnheit beteiligt.

mit *i* steht der name geschrieben Kl. schr. III, 9. 21. 102.
Myth. 177. Gr. IV, 258. I², 5. 222, mit *ü* Gesch. 330 und
anderswo. Häufiger als s p r i t z e n (Märch. II, 197) wird
s p r ü t z e n anzntreffen sein, z. b. Gr. II, 487. Myth. 214.
316. 353. 605. Wtb. I, 1712. Zu der bemerkung im wörterbuche, daß heute fast die schreibung f ü n d l i n g überwiege,
stimmt Grimms eigene gewohnheit (Märch. I, 181. Rechtsalt.
456. 460. Kl. schr. I, 225), doch kommt auch f i n d l i n g
vor; s p i t z f ü n d i g *) liest man Gr. I², 558. Wtb. I, 61,
s p i t z f i n d i g Wtb. I, 1424, a u s f ü n d i g Kl. schr. III, 44,
a u s f i n d i g Gr. III, 278. 591. IV, 962. I², 35. Einigen
wörtern, deren älteres *ü* entstellung in *i* erlitten hat, ist der
reine vokal zurückgegeben worden. Dies gilt insbesondere
von k n ü t t e l (Märch. II, 364. 365**). Myth. 605. Wtb. I,
61. III, 1384), wofür nicht leicht k n i t t e l angetroffen wird,
wogegen man bald k ü s s e n (Rechtsalt. 242. Myth. II,
1156. 1227), bald k i s s e n (Andr. u. El. 123. Myth. 632.
Kl. schr. II, 290. Wtb. I, 559. 560. 1198) geschrieben findet***). Für trügen, b e t r ü g e n hat es Grimm namentl-
lich in der letzteren zeit, während sich zu anfang mehrere
wechsel zeigen (vgl. Edda 199 und 226, doch auch Gesch.
446. 765 u. 347. 741), t r i e g e n, b e t r i e g e n zu schreiben
vorgezogen (z. b. Andr. u. El. 129. 155. 168. Kl. schr. I,
242. Ged. d. mitt. 46. 53. Myth. 518), welche letztere formen im wörterb. wol allein herschen; b e t r i e g e r, u n t r i e g-
l i c h (Myth. 394. 531. 586) folgen gleicherweise. Außer
der echten und edelsten form h i e f h o r n (Myth. 521. Wtb.
III, 1883) und dem *s.* 21 neben h i f h o r n aufgeführten
h i f t h o r n kommt auch das umgedeutete h ü f t h o r n vor
(Märch. I, 68. 69, in den Sagen Hüft=Horn geschrieben),
so daß im ganzen vier unterschiedene klänge und noch mehr
schreibungen eines und desselben wortes entgegentreten.

Dem heutzutage überhaupt vorwiegenden grundsatze,
daß dem fremden *y* kein platz in deutschen wörtern gestattet werde, hat Grimm seit Gr. II in seiner schreibung

---

*) s. Schleicher deutsche spr. 176.
**) hier auch mehrmals die nebenform k n ü p p e l, s. b. I, 188. 447.
II, 179; vgl. k n ü p p e l w e g Gr. III, 396.
***) Sehr ausführlich berichtet über beide formen Hildebrand in
Grimms wtb. V, 852.

entsprochen. Aeltere schriften, zu denen auch die bei Pfeiffer
XI abgedruckten briefe an Hoffmann von Fallersleben gehören, zeigen regelmäßig den inf. seyn, desgleichen noch
Gr. I²; dagegen wird Gr. II zu s. 530, wo seyn geschrieben steht, sogar auf einen druckfehler aufmerksam gemacht.
In ähnlicher lage befinden sich andere wörter mit ey, z. b.
bey, meynung (Altd. w. II, 42), zwey, zweyerley
(Irmenstr. 44), während Gr. II, 168 zweyter der beßerung
entgangen zu sein scheint (vgl. 166. 173 zweiter). Ge-
rechte abneigung gegen das fremde zeichen hat im verlauf
auch in deutschen geographischen namen i gefordert, z. b.
Baiern, Tirol; wozu stimmt, daß sich Myth. II, 892. 905
selbst die ganz ungewöhnliche form Kifhäuser geschrieben
findet. Unter den fremdwörtern*) gibt es einige, denen anstatt des heute vorherschenden i von Grimm ehedem y verlichen worden ist, andere mit allgemein gebräuchlichem y,
wofür er nach älterem vorgange später i gesetzt hat. In
der ersten gattung steht styl obenan (Ir. elf. Arm. II. 143.
D. beid. alt. d. ged. 41. Wien. jahrb. 32 s. 255), woran sich
zunächst sylbe fügt (Vuk 16. Wien. jahrb. 28 s. 33, kaum
mehr Gr. I²); aber in beiden wörtern, denen noch in der
gegenwart von sehr vielen schreibenden aus liebhaberei das
fremde zeichen zugemutet wird, läßt sich zu derselben zeit
auch schon i blicken, z. b. Altd. w. II, 42. Meisterges. mehrmals. Dem mhd. entsprechend schreibt Grimm Kl. schr. I,
378. Myth. II, 925. Gesch. 718. Wtb. III, 364. 369. 1856
kristall (Wtb. I, 439. III, 1803 krystall), Sag. II, 63
stößt man auf Babilonia. Sonderbarer macht sich in
deutscher sprache das völlig englisch aussehende scenery
(Reinh. CXLIII. CLXIX); für Sibyllen steht Myth. 540
umgedreht Sybillen, nicht mehr II, 913.

Anlangend das verhältnis der beiden diphthongen ei und
ai (vgl. Gr. I³, 223. Wtb. I, 199) stellt sich heraus, daß
von Grimm jenes an und für sich beßere und reinere zeichen teils nicht immer, wo ihm der gebrauch die wahl ließ,
vorgezogen, teils in einigen wörtern zuweilen gegen den

———

*) Die Gr. I³, 222 über die aussprache des y in den fremden wör-
tern syntax, system gemachte bemerkung widerstreitet zum großen
teils der erfahrung.

gebrauch gesetzt worden ist. Lästige schwankungen offenbaren sich bei getreide (Haupt VIII, 403. Wtb. III, 1536. 1675. 1676) und getraide (Gr. III, 370. 371. IV, 793. Kl. schr. II, 88. 234. 383. III, 129. Myth. II, 1114. Kuhn I, 206. II, 600. Wtb. III, 1140. 1638. Gesch. 54. 62. 63), weizen und waizen, welche Sag. I, 325 und Gr. III, 461 gar auf einer seite beide stehn (vgl. Rechtsalt. 673. 675. 676); für heide begegnet Myth. II, 1114 haide. Dagegen ist Grimm für die sehr ungewöhnliche schreibung leib (mhd. leip, brot) eingenommen gewesen (Gr. IV, 422. 722. Wtb. II, 13. 585), hat ferner Kl. schr. II, 325. III, 273. Wtb. III, 1398. 1795 papagei (Ged. d. mitt. 89 umgekehrt papegai) und Wtb. III, 1207 lakei geschrieben. — Regelmäßig findet man bei ihm die organische form eilf, nicht deren übliche niederd. kürzung in elf (vgl. Wtb. III, 109).

Von ei und eu ist nur wenig zu sagen. Der an sich nicht unberechtigten nebenform heurat gedenkt Gr. I³, 97. 226. 371 (vgl. Wtb. III, 1190), angewandt ist sie Sag. II, 87. 258. Die unrichtige schreibung renter findet sich Sag. II, 88, ebendas. 87 u. 89 das dialektische heunt (mhd. hinte; vgl. Gr. III, 139), Ir. clf. 217 kräusel f. kreisel (Kl. schr. I, 305), aber schwerlich irgendwo das noch lange nicht hinreichend überwundene fehlerhafte gescheut f. gescheid oder geschoit (mhd. geschide), so wenig wie umgekehrt statt ereignen, ereignis die an sich richtigen schreibungen eräugnen, eräugnis, mit welchen neuere gegen den strom schwimmen (Wtb. III, 699).

Die umlaute eu und äu (vgl. Wtb. I, 598. III, 1189. 1190) verhalten sich ähnlich wie e und ä. Mancher herkömmlichen ziemlich gleichmäßigen schwankungen enthält sich Grimm so gut wie ganz, andere, die dem gebrauche fast unbekannt sind, hat er eigentümlich; in einigen wörtern zieht er eu dem üblicheren äu vor. Regelmäßig schreibt er leugnen und verleumden (Reinh. LIX verläumden), wenigstens in späterer zeit wahrt er die richtige form greulich (Sag. I, 260 gräulich). Dagegen findet sich bis zur stelle im wörterbuche (II, 111), wo bleuen allein zu gelten scheint, auffallend oft bläuen geschrieben, z. b. Gr. I³, 92. II, 219. Rechtsalt. 703. Sendschr. 72. Wtb. I, 14, aber in der grammatik neben bläuel (II, 219) auch bleuel (III, 470).

An der seit langer zeit bis auf die gegenwart weit überwiegenden form täuschen hat zwar auch Grimm mehrmals festgehalten (Märch. I, XIV. Myth. XII. 206), sehr viel häufiger jedoch teuschen gesetzt (Lat. ged. 85. 95. Andr. u. El. XXVIII. 168. Gr. I³, 76. 226. IV, 216. Gesch. 415. 763. 931. Pfeiffer 1, 32. Kl. schr. I, 49. II, 199. III, 423. Wtb. I, 806. 1098. 1680. II, 11. 106). Besondere beachtung erfordert, zumal da die nachahmung lange nicht hinreichend erfolgt, vielleicht ihr verdienst nicht richtig erkannt worden ist, die von Grimm erneuerte schreibung seule (Gr. II, 528. III, 430. Myth. 14. 20. 77. 83. 209. 333. Kl. schr. II, 442 fg. III, 384. Wtb. I, 1097. 1169). Früher schrieb auch er der herschenden sitte gemäß säule (Sag., Irmenstr.), und bisweilen zeigt sich diess äu auch später noch, zum teil in ebengenannten schriften (Gr. I², 700. Myth. 317. Kl. schr. II, 403. 405. 412. 418. Wtb. I, 13). Zwar dürfte ein gleicher sprachlicher grund auch zu der form knouel (mhd. kliuwel) leiten, doch scheint es Grimm bei knäuel (Myth. II, 952. Kl. schr. II, 109. 278) belaßen zu haben; Wtb. III, 1619 steht steupe, steupen. Vor Gr. I² findet sich oft das misbräuchliche präs. deucht (Altd. w. II, 152. 160. Gr. I', L. Sag. II, 344) oder däucht (Gr. I', XXV. Edda 7. Sag.); das richtige prät. und part. wird däuchte, gedäucht geschrieben, nicht deuchte (wol aber dauchte), gedeucht.

Konsonanten.

Auf denselben hauptgrund wie die vokaldehnung ist die gleichfalls dem vokal dienende verdoppelung des konsonanten zurückzuführen. Findet dieser vorgang vor einem zunächst folgenden vokal statt, so hat er insgemein seine natürliche berechtigung und wird meistenteils schon durch die alte sprache selbst bestimmt. Wo diese die doppelung meidet, sieht sich bisweilen auch Grimm veranlaßt den einfachen konsonant zu setzen. Sehr bekannt ist seine schreibung manigfach, manigfalt, zugleich aber, wenn man sich zu vergleichen herbeilaßen will, überraschender vielleicht als irgendeine andere schwankung der wechsel, den er sich zu derselben zeit mit der andern, den gebrauch beherschenden form gestattet. Bloß in der grammatik haben

diese wörter einfaches *n* z. b. I², 54. 83. 592. II, 239. 395.
545. 547. 586. 610. 665. 678. 819. 843. III, 160. 300. 356.
694. IV, 3. 12. 85. 145. 368. 394. 422. 436. 460. 552. 553.
581. 771. 802. 862. I³, XIV. 10. 21. 31. 164. 210. 213. 228.
325. 379. 429. 484. 534. 559. 577; mannigfach, mannig-
falt dagegen findet man I², X. XII. 3. II, 4. 8. 67. 77.
83. 656. III, VIII. 23. 122. 344. 345. 425. 704. 764. 782.
IV, VI. 262. 766. 918. I³, XII. 121. Mag die schreibung
zusamentrift (Gesch. 932) vielleicht vereinzelt dasteben,
so scheint sie doch nicht auf einem bloßen druckfehler, vielmehr auf einer augenblicklich und etwa zufällig stark vor-
waltenden stimmung zu beruhen*). Die einfachheit in wapen
(Gött. anz. 1836 s. 656. Gesch. 640. Wtb. I, 1097. 1241)
erinnert daran, daß dieser nebenform von wâfen eigentlich
langer vokal gebürt (vgl. d. niederd.). In dem der schriftsprache wenig geläufigen worte abschrappen (Wtb. I, 109)
kann die doppelung denjenigen auffallen, welche „schrapen"
zu sprechen und zu hören gewohnt sind. Weil *ck* und *tz*
die doppelkonsonanz von *k* und *z* vertreten, so schließt sich
ihr verhältnis zum einfachen buchstab hier an. Grimm
schreibt am liebsten blöken, wie sogar das wörterb. allein
anführt (Gesch. 34 blöcken), quaken (Rechtsalt. 356.
Urspr. 15; er wechselt mit haken, häkeln (Rechtsalt. 699.
Gr. I³, 463. 519. Wtb. I, 53. 102. 111) und hacken,
häckeln (Ir. elf. 154. Gr. I², 4. 21. 196. IV, 467. Kl. schr.
III, 281). Die wörter lucke (Haupt II, 263), zaunstacken
(Wtb. I, 981) sind in Niederdeutschland auch den hochdeutsch redenden als „luke, zaunstaken" bekannt und genehm.
Der vom wörterbuche verworfenen schreibung eckel begegnet man mehrmals und namentlich in der von allen zuletzt verfaßten, mindestens veröffentlichten schrift (Gött. anz.
1863 s. 1377). Gegen die doppelung in perücke (Kl. schr.
I, 351. Wtb. I, 596. 1181), quäcker (Ir. elf. 212) ließe
sich etwas einwenden. Darf der einfache konsonant in aus-
drüken, trokenen (Irmenstr. 59. 63), sizen (Reinh. LXII)
für baaren druckfehler ausgegeben werden? Von den beiden
wie schon im mhd. so auch noch heute gebräuchlichen formen duzen und dutzen verwendet Grimm in der regel die

---

*) Die alte sprache zeigt regelmäßig einfaches *z*.

erste, unzähligemal namentlich in den historischen erörterungen des gebrauches, die andere z. b. Reinh. CXI. CXII
mehrmals (vgl. Gr. IV, 304 dutzen, 305 duzen). Während das wörterbuch dutzend schreibt, wird Sendschr. 9
und sonst der dem fremdworte passendere einfache buchstab
angetroffen; in Dorows denkm. I, XXIV bietet ein beitrag
Grimms die bedenkliche schreibung novitzen, desgl. in W.
Müllers Askania I, 155. 157 chronicken. Unwillkürlich
entschlüpft scheint in einem briefe v. j. 1856 (Pfeiff. XII, 121)·
die dem lat. ursprunge allzu nahe stehende form numern.

Die verdoppelung auslautender konsonanten hat in
Grimms schriften nicht völlig den umfang, welcher den
gegenwärtigen gebrauch beherscht. Anfangs folgte er
nicht bloß dem herkommen, sondern erlaubte sich mitunter
auch doppelungen, welche teils schon damals nicht vorgeschrieben waren, teils bald für unerlaubt oder unpassend
galten und heute unterlaßen werden, z. b. Irmenstr. 53
$\mathfrak{H}$el$\mathfrak{d}$inn und $\mathfrak{R}$ie$\mathfrak{f}$inn, Sag. II, 344. 348 $\mathfrak{H}$err$\mathfrak{m}$ann. Aus
den schreibungen $\mathfrak{B}$if$\mathfrak{c}$ö$\mathfrak{f}$fen, $\mathfrak{E}$r$\mathfrak{z}$bif$\mathfrak{c}$of$\mathfrak{f}$e (Vuk VI),
$\mathfrak{P}$il$\mathfrak{g}$rimmen (Sag. II, 377) darf zwar nicht notwendig die
doppelung auch für den unflektierten nomin. sing. geschloßen
werden, obgleich dieso zu gewissen zeiten nicht ganz ungebräuchlich gewesen ist; der gedoppelte buchstab ist aber in
beiden fällen unangebracht. Wie bei andern älteren schriftstellern begegnen bei Grimm in früherer zeit die schreibungen allmosen (Sag. I, 185), dollmetscher (Gr. I¹, LX.
LXXII), welche auf zusammensetzung dieser wörter hin-
zudeuten scheinen. Gegen die nicht übliche form ellboge
(Kl. schr. III, 112; vgl. Wtb. III, 403) läßt sich genau erwogen nichts wesentliches einwenden, mehr vielleicht gegen
elenn (Liebrechts Pentam. XX), d. i. elentier (Kl. schr.
II, 90. 100). Nach dem mhd., obschon die nhd. analogie
sowol wie aussprache durchaus widerstreitet, könnte die
vokalkürze in erschrack (Reinh. CCXCII. Myth. I, 925)
gerechtfertigt erscheinen, der plural erschraecken (Ir. elf.
95. Märch. II, 518. Reinh. CCXCII. Kl. schr. I, 118) ist aber
weder dem mhd. noch dem nhd. angemeßen. Außer Märch.
I, 441 stößt man auch in einem briefe an Pfeiffer (Germ.
XI) auf das prät. stack, welches sich orthographisch genau
wie erschrack verhält; in nebenliegenden zeilen begegnen

Reinh. CLXXVII rostoker und rostocker, Kl. schr. I, 64
Lübek, Reinh. CLXIV Lübeck. Da nach langen vokalen
und diphthongen der kons. nicht verdoppelt wird, also auch
ck und *tz* nicht eintreten dürfen, so erregen folgende zahlreiche, großenteils zwar ältere schreibungen verwunderung:
kreutz (D. beid. üh. d. ged. 63. 85. Gr. I², 412), reitz
(Schlegels mus. I, 394) und reitzen (Sag. II, 321. Altd.
w. II, 107. Meisterges. 30. Gr. I², VII. 414), Schweitz
(Gr. III, 326. 327. 342. 766), waitzen oder weitzen (Ir.
elf. XC. 39. Gr. I², 165. 414), ehrgeitz (Pfeiffer XI, 386)
u. geitzig (Sag. I, 185. Altd. w. III, 14. Kl. schr. III, 89.
Myth. I, XXXVII), beitzend (Gesch. 585 und 2. aufl. 406),
schnautze (Gr. III, 400. 409. Reinh. XCVII. Rechtsalt.
671. 673) und schneutzen (Myth. 415). Einer andern bekannten regel widerspricht die form kohlstrüncke (Ir.
elf. 216, vorher 215 mit bloßem *k*). — Es folgt die vereinfachung. Wahrscheinlich dem augenblick entsprungen ist Sag.
I, 324 die schreibung schelfisch, ganz ungewöhnlich zwar
und doch vermutlich nicht in gleicher weise absichtslos aus
späterer zeit: sol (Reinh. CXCI), unbil (Kl. schr. I, 114),
hergott (Pfeiffer I, 484 zweimal). Daß Grimm walfisch,
walhalla, walnuß, ferner damhirsch, damspiel geschrieben hat, versteht sich von selbst; lehrreicher ist beinahe, daß es ihm niemals in den sinn gekommen zu sein
scheint nach der analogie von bräutigam auch „nachti-
gal" zu schreiben. In einem einzigen deutschen worte verdient einfaches *t* beachtung, nemlich in brot (Pfeiff. III, 6.
Wtb. II, 239. 239. 374 fg.) und dessen flexionsformen (Gr.
III, 431. Kl. schr. I, 301. 382. III, 292. Pfeiff. III, 3. Wtb.
I, 1188. II, 374 fg.); die auch bei andern schriftstellern be-
merkbare schreibung wird durch die in einigen gegenden
übliche gedehnte aussprache wesentlich unterstützt. Unmittelbar übernommene und unentstellte fremdwörter müßen für
sich beurteilt werden. Während Wtb. II, 603. III, 1900
modell und III, 1117 formell gelesen wird, findet sich
II, 19 model und III, 709 formel; II, 88 steht skelet
(squelette). An zahllosen stellen in allen seinen schriften
der letzten mindesten 30—40 jahre*), vorzüglich im wörter-

---

*) Gr. I², wo die einfachheit noch nicht durchgedrungen ist, heißt

buche, wo er dem herschenden gebrauche sehr nachdrücklich zu leibe geht (I, LVIII. LIX. III, 1211), erkennt man
Grimms tief eingreifende abneigung gegen auslautendes *ff*.
In Schneidewins Philol. I, 340 schreibt er: „das schif fuhr
dahin, daß es pfif“, und überall sind formen wie pfaf,
atof, begrif zu finden, die letzte in solcher menge, daß
die doppelung, welche selbstverständlich keineswegs fehlt
(z. b. Gr. III, 218. 563), dagegen völlig verschwindet. Von
dem *s* in wörtern wie kus, ros, gewis ist es passender
erst dann zu handeln, wenn von diesem zeichen und vom
ß im zusammenhange die rede sein wird.

Die verdoppelung vor einem konsonant und ihre unterlaßung hat es mit verhältnissen der flexion, ableitung und
zusammenziehung zu tun. Anstatt der auch vom gebrauche
begünstigten und richtigen schreibung gespinst (Gr. II,
371. Myth. 265. 455. Kl. schr. I, 71) und gewinst (Gr. II,
198. III, 516. I³, 38) wird Sag. II, IV gespinnst und
Gr. I², V. II, 212 gewinnst angetroffen; Sag. I, 5 u. 178
liest man sogar geshäfftig und beschäfftigt. Bei der
konjugation der verben mit doppeltem konsonant hat sich
Grimm, ausgenommen wenn derselbe *f*[*]) und *s*[**]) ist, die
vereinfachung nur bisweilen gestattet[***]), z. b. Kl. schr. I,
194. Myth. 642 solte, Merkels lex sal. IX. XXII. XLIX
verirt, verirte, das. XII verwirte, Myth. 440 ver-
mumter, Gr. IV, 693. Myth. 240. I, 365 bekant. Dazu
halte man die geläufigkeit folgender beispiele: schaft Kl.
schr. II, 87. Gr. IV, 139, geschaft Gesch. 42, geschafne
Gesch. 2, verschaft Wtb. I, V, herbeigeschaft IV,
239, trift Gr. IV, 41. 50. 345. 357. I³, 52. 62. 77. Kl. schr.
I, 102, geschift Kl. schr. III, 220, gafte Myth. I, 437,
äft Reinb. LXXI, hofte Myth. 46, hingeraft Kl. schr.
I, 80, zusammengeraft Wtb. 1, XXXVI. Folgerichtig

---

es doch schon s. 198 anm.: „wir sprechen richtig schiff, schreiben
nur das unnötige“.

    *) Gr. I², 525 wird noch „trifft, hoffnung“ konsequenter genannt.

    **) Beispiele wie „küst, pasto, vermist“ werden beim *s* nachgewie-
sen werden.

    ***) Weiter erstreckte sich sein wunsch für das wörterbuch: „ich
laße mich aber überstimmen“, heißt es in jenem briefe vom april
1849.

zeigt sich auch hofnung (Gr. II, 872. IV, 873. Kl. schr.
I, 77. Wtb.), bewafnen (Gr. II, 593. 807. Gesch. 17),
äfchen (Wtb. I, 181), ofner, ofnen (Ged. d. mitt. 28.
Gesch. 114), öfnen nebst ableitungen (Gr. III, 430. 432.
IV, 24. I³, 21. 568. Zeitschr. f. hess. gesch. II, 141. Kl.
schr. I, 70. Schmidts zeitschr. II). Mit hofnung vergleicht
sich samlung, wie allerorten (vgl. Gr. IV, 465. 759. I³,
XVI. 27. 376. Pfeiffer II, 380. Schmidts zeitschr. II. Wtb.
fast regelmäßig) zu finden ist; in einem briefe vom j. 1862
(Kl. schr. I vorwort) steht beides samlung und samm-
lung: vereinzelt begegnet Kl. schr. I, 269 vollkomnen.
Zahllos sind ebenfalls samt, sämtlich, gesamt vertreten;
zwar läuft auch hier die andre schreibung daneben, wird
jedoch von jener weit übertroffen, z. b. Gr. II im verhältnis von fast drei zu eins. Oefters zeigt sich himlisch
(Ged. d. mitt. 26. Myth. I, 545. Kl. schr. II, 228); brant-
wein (Gr. II, 693. Wtb. II, 305) wird auch vom gemeinen
gebrauche nicht verworfen; mit kenntnis (Wtb. I, XXXIII.
Myth. II, 1102) wechselt, wie die belegstellen ergeben, in
sehr naher äußerlicher berührung kentnis (Wtb. I, XXIX.
Myth. II, 1101). „Puppe, püpchen" heißt es Kl. schr. II,
391; kleks erscheint Wtb. III, 1724. 1725 (nur zwei zeilen
vorher kleeks), troknen Zeitschr. f. hess. gesch. II, 138
(trocknen 149), ausgedrükt Gr. IV, 848 (ausgedrückt
850), leztern und letztern Reinh. CIV. In specielste
(Zeitschr. f. hess. gesch. II, 136) kann die einfachheit auch
schon den positiv treffen sollen (vgl. oben formel). Denn
mhd. nacket, das einigemal (Savigny II, 91. Gr. IV, 879.
Rechtsalt. 641) beibehalten ist*), entspricht bald nackt
(Myth. I, 1117. 1232), bald nakt (das. 546. 548); sammet
wird in samt (Gr. IV, 721) zusammengezogen, „wammes"
in wams (Wtb. I, 1054), karren in karn (Reinh. CXXXV).
Einfaches t in witwe (Gr. I³, 525. II, 860. III, 322. 341.
Kl. schr. I, 208. Wtb. I, 1054) läßt sich auch der gebrauch
empfehlen. Gleichem vorgange sind bisweilen zusammensetzungen unterworfen, z. b. treflich (Gr. IV, 649. Reinh.
XIV. XVI. XIX. XXXVI. XLII. Kl. schr. I, 75. III, 42); dies

---

*) vgl. nackend (mhd. nackent) Savigny II, 91. 92. Myth. 529.
543. 616. 617.

ist besonders bei irr- der fall: irlicht und irwisch
Myth. 513. Kl. schr. II, 60, irfahrt Myth. I, 349. Kl. schr.
II, 87, irtum Reinh. XVIII. LXXVI. Myth. 69. Theol.
stnd. u. krit. 1839 s. 747. 750. Wtb. II, 1240. Für sich
besteht die verbeßerte form herschen*), welche in Grimms
schriften überall zahlreich verbreitet ist; daneben kommt
freilich auch die doppelung vor, vorzüglich in der grammatik
(z. b. I⁷, 487. 802. II, 186. 225. 226. 242. 819. III, 28. 102.
I³, 383), jedoch lange nicht in gleichem umfange. Herlich
(Kl. schr. 1, 63. 79. 351. III, 118. 233. Gesch. d. d. spr.
Wtb.) und herschaft (Gr. IV, 71. 718. 720. I³, 22. 23.
35. Reinh. CVI. Gesch. 1. Kl. schr. I, 68. 69. III, 118) haben
denselben ursprung wie herschen, befinden sich aber nicht
völlig in gleicher lage. Ein in Pfeiff. Germ. 1868 (neue
reihe, jahrg. 1) s. 381 veröffentlichter brief Grimms an Laßberg enthält die bekannte unrichtige schreibung addresse.

Der früher für eine ganze klasse von zusammensetzungen vorgeschriebenen, auch noch gegenwärtig bei vielen sehr
beliebten nebeneinanderstellung dreier gleichen konsonanten
hat sich Grimm mit gröster entschiedenheit durch lehre und
beispiel widersetzt (vgl. Kl. schr. 1, 349. Wtb. I, LXI).
Zu anfang bediente auch er sich begreiflich jener unbarm-
herzigen und pedantischen häufung, z. b. Sag. II, 6 schiff-
fahrt, 57 helllantend, Märch. II, 481. 485 betttuch;
später zeigt sie sich sparsam (kammmacher Wtb. I, 878,
stammmutter Myth. I, 336). Aber auch die vereinfachung
hatte schon ziemlich früh platz gegriffen, z. b. Hermes 1819,
II, 31 vollaut, Märch. II, 411 brenneßeln; aus der folge-
zeit vgl. schiffahrt Gesch. 4. Sendschr. 100, stammutter
Myth. II, 842. 1217. Gesch. 525 und 2. aufl. XII. Wtb.
II, 1097, stammythus Gesch. 824, kammacher Wtb.
II, 352, schnelläufer III, 1228, schnellaufend I,
1084, stilleben Reinh. I, vollautig Gesch. 42. Selbst wo
nur zwei gleiche oder verwandte und ähnlich klingende konsonanten zusammentreten, zeigt Grimm bisweilen bloß den
einen und wird darin von der sprache selbst (vgl. achtel,
vöglein) unterstützt. Nur in schriften der älteren und etwa
der mittleren periode dürfte sich selbstständig geschrie-

---

*) über deutsche orthogr. 73.

ben finden (Vuk 52. Wien. jahrb. 28, 33), sonst immer
selbständig, dessen ursprüngliche zusammensetzung mit
„selbst" obendrein unverbürgt und nicht einmal wahrscheinlich ist (vgl. selbeigen Kl. schr. I, 383, selbmündig
Rechtsalt. 447, selbwaltig 466). Schon früh (Arm. II.
185) begegnet fußstapfen für fußstapfen (Gesch. 196),
das gebräuchlicher ist. Zusammensetzungen, in denen der
wollaut tilgung des einen s fordert (Wtb. I, 545), bieten sich überall dar, wenn auch nicht in gewünschter konsequenz, z. b. Wtb. I, 284 amtsorge, amtstube, Kl.
schr. III, 179 bischofsitz (aber bischofswürde), Myth.
II, 820 glückstand, Kl. schr. III, 416. 420. 425 volksage (Gesch. 117 volkssage), Myth. 210. 259. 338 volkstamm (225. I, 328 volksstämme), Wtb. III, 382. 394.
1863 volksprache (1, 1119 volkssprache), Wtb. III,
1244 gerichtsprache (686. 700. 818. 1246 gerichts-
sprache), Kl. schr. II, 376 königsohn (375 königs-
sohn), Rechtsalt. 472 mannstamm. Fast regelmäßig schreibt
Grimm, wofür jetzt auch der gewähltere gebrauch sich zu
entscheiden begonnen hat, sechzehn, sechzig (mhd. seh-
zehen, sehzic), nicht sechszehn, sechszig, die fast nur
in älteren büchern (Märch. I, 440. 455. Meisterg. 129. 131.
Kl. schr. II, 358) zu begegnen scheinen. Aber auch ach-
zehn, achzig (mhd. ahzehen, ahzic), wie gesprochen aber
von den wenigsten geschrieben wird, sind ihm mit recht
beliebt (Gesch. 19. 249. Urspr. 5. Kl. schr. II, 338. Haupt
I, 10), obgleich er sich daneben der andern form nicht ganz
enthalten hat (Myth. II, 1135. 1176. Kl. schr. II, 79. 222).
Daß er der nhd. grundlosen entstellung entzwei gegenüber
das mhd. enzwei schon läßt (Gr. IV, 51. Rechtsalt. 127.
Reinh. CVI), verdient um so größere beachtung, als die
aussprache ungefähr dieselbe bleibt; im wörterbuche wird
die erneuerung ohne weiteres gewünscht. Wie überall ho-
heit, gilt ihm insgemein nur roheit und rauheit; bei
Savigny II, 85 ist rohheit vielleicht entschlüpft, wie auf
der folgenden seite durch rauheit bewiesen scheint, aber
in den Rechtsalt. kommt freilich rohheit auffallend oft vor*).

---

*) Kl. schr. II, 193 (v. j. 1819) wird sogar in „ewigkeit" das gk
für pedantisch erklärt.

Einzelne male hat Grimm die gebräuchliche vereinfachung
gemieden, vermutlich um dafür das eigentliche verhältnis des
wortes desto deutlicher durchblicken zu laßen. So schreibt
er Arm. II. 121 ellend, Sag. I, 91 faullenzen, bei Haupt
III, 138 unzähllichen. Während Gr. II, 255 nicht entschieden wird, ob zier-at oder zier-rat zu verstehen sei *),
scheint nachmals die zweite faßung den sieg davonzntragen;
vgl. Altd. mus. II, 304. Lat. ged. 76. Haupt VIII, 20. Wtb.
I, 1613. II, 167. 215. 261. —

Der übergang zu den einzelnen konsonanten weist zuerst, da die schreibung der liquiden nichts merkenswertes
zu bieten vermag **), auf die labialen. Da sich zwischen b
und p dem älteren stande gegenüber ein ziemlich sicheres
verhältnis gestaltet hat, kommen nur einzelne fälle zur frage.
Neben alp (in besonderer bedeutung) steht alb Wtb. I, 200.
III, 1466, in übereinstimmung mit dem häufigen plur. elbe
(Ber. d. ak. 1851 s. 102. Kl. schr. II, 321. Myth. I, XII.
Wtb. I, 200. III, 402) auch das dem bekannten niederd.
„elf“ entsprechende elb (Wtb. I, 245. 1051. II, 599. III, 2.
401). Während Grimm später entschieden nicht papst sondern pabst geschrieben hat, überaus häufig und regelmäßig
namentlich in der abh. üb. Jornandes und Ged. d. mitt.
sowie Kl. schr. I, 67 fg.***), begegnen Sag. II, 133. 135
beide formen (vgl. Wtb. II, 1054). Dieselbe schwankung
offenbart sich bei wildbret und wildpret Reinh. XXII;
von einem drachen heißt es Märch. II, 243 ungewöhnlich:
er schnaupte. Mit großer beharrlichkeit ist von Grimm
fast fortwährend im gegensatze zu dem der schriftsprache
eingeordneten niederd. hafer die hochd. form haber geschrieben worden, z. b. Rechtsalt. 667. Myth. 533. Reinh.
CCLXXXIX. Wigands arch. II, 65. Gesch. 66. Haupt VIII,
411. Wtb. I, 1053. II, 599. III, 383. 1210; für schwefel steht
Gr. III, 381 schwebel aufgeführt. Mit waffnen kommt
Sag. II, 284 zugleich wappnen vor, für „kufe“ Wtb. III,

*) vgl. dentsche orthogr. 20.
**) Der ausfall des r in dem worte fodern (vgl. Rechtsalt. 600.
Wtb III, 1866) beschränkt sich auf wenige stellen älterer schriften,
z. b. Sag. I. VII. X (forderte 96).
***) s. 70 acht mal.

1826 niederd. küpe; Wtb. I, 1088 und 1466 wechseln küfer und küper. Zu den wörtern, in denen *f* dem im ganzen üblicheren *v* vorgezogen wird, gehören alkofen (Wtb. I, 206), feme (III, 1516), flies (III, 1737); zufördcrst begegnet Personenw. 36*), sogar forder (adj.) findet sich (Gr. I³, 369). Dem lat. ursprunge sowol als der mhd. form offenbar angemeßener wird anstatt „flaumen", wie gebräuchlich ist, Myth. II, 1212 pflaumen geschrieben**). Man darf sich wundern, daß nicht überall wo der name vorkommt, von den frühesten zeiten etwa abgesehen, die deutsche form Westfalen auftritt; nicht bloß in verschiedenen beiträgen (Wien. jahrb. 32 u. 45. Dorow I. Wigands arch. I, 3. Zeitschr. f. hess. gesch. II), sondern auch in eigenen schriften (Reinh. F. und Myth. 84. 94. 115. 297) scheint das fremd aussehende Westphalen vielmehr einen gewissen vorrang zu behaupten. Dagegen gibt Grimm dem ausländischen worte elefant und gewis mit vollstem recht (vgl. elfenbein) im wörterbuche *f*, nachdem zwar früher schon oft dieses zeichen von ihm verwendet worden war, jedoch Gr. II, 185. 342. Kl. schr. II, 377 *ph*, Gesch. 42 mit *f* wechselnd.

In betreff der lingualen muß zunächst der bloß in dieser reihe bis auf den heutigen tag verbliebenen unnatürlichen und unverständigen verbindung der media mit der tenuis gedacht werden. Die form gescheidt wird außer in älteren schriften (z. b. Märch. I, 197. Schlegel I, 411) auch Ged. d. mitt. 7 und sogar Wtb. I, 337 angetroffen; dagegen findet sich Gr. III, 738. Wtb. I, 1550 (zweimal) das richtige gescheid, wol nirgends geschoit (vgl. s. 27). Für hantieren (s. Kl. schr. I, 372) steht Sag. I, 5. Märch. II, 31. Myth. I, 520 die den ursprung verhüllende form handthieren; nur einzeln stößt man auf beredtsamkeit z. b. Wien. jahrb. 32, 251. 255. 256 (ebenda auch bloßes *d*); zu schmidt vgl. s. 20. Von anderer art ist die zerlegende schreibung mondtag, welche Sag. I, 6. 89. Ir. elf. 199 begegnet. Wahrscheinlich hängt die für das substantiv Edda 31 u. Sag. I, 455 aufgeführte form todt mit verhältnissen zusammen, deren Wtb. II, 646 umständlich gedacht

---

*) Kl. schr. III, 278 in zuvörderst geändert.
**) deutsche orthogr. 94.

38   Lautverhältnisse und schreibung.

wird. Ebendahin, aber bestimmter und deutlicher wird die
schreibung tod für das adj. gehören, welche Kl. schr. I,
321 (v. j. 1854) viermal auftritt, ferner Rechtsalt. 701 (tod
gebißen), Reinh. CIV (tod prügeln, aber CV todt gebißen),
Sondschr. 73 (halbtod); anders verhält sich todschläger
(Wtb. II, 183). Edda 241 findet sich todtwund, Reinh.
CXXXVI richtiger todkrank (vgl. Gr. II, 551. 557); mit
tödlich und tödtlich wird Reinh. LX*und CCLXXXII
gewechselt, während sonst das erstere die regel bildet (Sag.
I, 162. Gr. II, 965. III, 147. Myth. 245. Abh. d. ak. 1845
s. 189. Wtb. II, 183. Merkel XLIII). Die schreibungen
brodt, erndte, schwerdt, welche eine zeitlang so beliebt
waren, zum teil noch heute sind, muß Grimm schon in den
frühsten zeiten gemieden haben. Nicht leicht wird man anders als ernte, schwort geschrieben finden; neben brot
(Sag. I, 1. 136. II, 284) kommt zu anfang auch brod vor
(Sag. II, 108. 257. 264. Arm. H. 184), später kaum mehr
(vgl. Wtb. II, 490). Wol ganz als ausnahme ist Gesch. 59
und 2. ausg. 42 die form gesandschaft zu betrachten,
eher ließe sich t allein rechtfertigen (vgl. mhd. gesant). In
das verhältnis zwischen d und t gehört auch düte, dute
Wtb. II, 280. III, 1342, aber März. II, 230 heißt es:
hörnchen tüten (vgl. Wtb. II, 1767) und Edda 171 tuten
(vom wolf); mit dem hochd. waten wechselt Edda 10. 39.
März. II, 188 niederd. waden. Vereinzelt steht Ir. elf.
XXVI die heute, nicht frühere ungebräuchliche form sie-
bende; von atem wird außer dem bekannten odem (vgl.
Wtb. I, 591) auch othem als nebenform Gr. I², 521 angeführt und s. 580 gebraucht. Regelmäßig schrieb Grimm
dinte, nicht tinte (mhd. tinete), das hochdeutscher aussieht
(vgl. Wtb. II, 1180). Hervorzuheben ist seine eigentümliche vorliebe für die dem mhd. zwar genau entsprechende*),
allein sowol dem gebrauche als der aussprache stark wider-
streitende schreibung dulten, geduld, gedultig (Altd. w.
I, 137. Gr. II, 743. III, 521. Myth. 445. 536. 696 (duldete
683). Gesch. 83. 86. 349. 387. 468**). Merkel XXXV. Haupt

---

*) Jedoch tritt das d auch schon hier insbesondere beim verb mehr-
fach auf.
**) ebenso an sämtlichen stellen der 2. aufl.

V, 503). Auf die auslautende tenuis bei bastart dringt Wtb. I, 1150, den plur. bastarte weisen Kl. schr. III, 416. Wtb. III, 1923; wol vereinzelt bei Haupt VI, 187 steht hantwerk. Nicht bloß in frühster zeit (Sag. II, 144) sondern auch noch Gr. I², 8. 482 hat Grimm in eigends (vgl. eilends) falsches *d* zugelaßen. Zahllose wechsel finden zwischen den gleich richtigen formen weitläufig und weitläuftig statt, ebenso kommt neben brautlauf auch brautlauft vor (Haupt II, 266). In einem briefe an Laßberg (Pfeiff. Germ. 1868 s. 373) ist ohne *t* die dem altd. nachgeahmte form predig zu sehen.

Was in der gutturalreihe der herkömmlichen weise gegenüber erwähnung verdient, bezieht sich vornemlich auf den unterschied der an substantiven und adjektiven äußerlich hervortretenden endungen -ich und -ig. Mit entschiedenheit neigt sich Grimm zum organischen *ch* in eßich (Gr. I², 429. II, 284. IV, 854. Sendschr. 72. 103. Wtb. I, 1823. III, 230. 234. 1166. 1169. 1170. 1171), obgleich daneben auch oft genug die vom gebrauch begünstigte form eßig erscheint (Gr. III, 561. Sendschr. 98. Wtb. I, 5. 63. II, 297. III, 1054). Ferner schreibt er käfich (Sag. II, 155) oder kefich (oben s. 23), reisich (z. b. Gr. II, 313. Wtb. I, 142), doch bei Savigny II, 49. Pfeiffer III, 2. 3. Haupt VIII, 421. Kl. schr. II, 227. 247. Wtb. I, 1824 reisig. Fast regelmäßig lautet es fittich, z. b. Märch. II, 218. 385. 487 (127 fittigen). Gr. I², 168. II, 280. Lat. ged. 385. Myth. 363. Wtb. I, I. III. 496. 1693. 1694. Bei den adjektiven kommt zunächst die kompositionssilbe -lich in betracht (vgl. Gr. II, 305). Ueber allmählich ist beim *h* (s. 19) umständlich gehandelt worden; derselben bildung ist adelich (Meistorges. Sag. I, 162. D. beid. ält. d. ged. 74. Gr. II, 1006. 1020. IV, 309. Rechtsalt. 265. 276. 374. 377. 492. Wtb. I, 177 u. s. f. bis zuletzt z. b. IV, 75. 176). Weiter gehören hierher: unzweiflich Altd. w. II, 111. Gr. I², 84. Rechtsalt. 165, untadelich Gr. IV, 273. Wtb. III, 398, unzäblich Rechtsalt. 336. Kl. schr. III, 275. Pfeiffer II, 478. Haupt III, 138. Wtb. I, 286. III, 4, wofür jedoch beinahe häufiger unzäblig*) eintritt (Sag. II, 136.

---

*) wie immer billig, völlig, die an sich gleicher bildung angehören; vgl. Gr. II, 305.

Gr. I², 112. I³, 188. Myth. 354. II, 453. Haupt IV, 509.
Wtb. I, XLII. 1304. III, 1212), buckelich Ir. elf. 18.
Wtb. II, 486, hügelich Gesch. 570. Wtb. II, 391 (hüge-
lig Kl. schr. II, 84), kuglich Wtb. I, 1808, zappelich
Sag. I, 25. Von diesen wörtern werden die drei letzten in
alter sprache nicht nachgewiesen, scheinen aber der analogie
zu folgen, während ehmalich (Gesch. 628 u. 2. ausg. 436),
nochmalich (Kl. schr. III, 339) zu „vormalig, damalig"
übel stimmen; Lat. ged. 330 findet sich stachelich, Gesch.
211 stachlig. Da ableitendes -ich für adjektive nicht besteht, so beruht die form holperich (Arm. II. 113. D. beid.
ält. d. ged. 87) auf einem versehn. Auch adjektivisches -igt
ist nicht vorhanden; jedoch liest man Edda 79 thauigt,
Märch. I, 360 nackigt, Kl. schr. I, 402 (v. j. 1808) und
I, 202 (v. j. 1860) thörigt*). Die endung -icht**) wird
vertroten z. b. durch haaricht Wtb. II, 544, eckicht
Dorows denkm. I, I. XVII. Kl. schr. I, 60, hakicht
Rechtsalt. 206, haubicht Myth. II, 1201, lockicht Rechtsalt. 283, faulicht Wtb. III, 1361, felsicht Kl. schr. II,
49 (vom land, neben steinigem boden), holpricht I,
349, knoticht Wtb. III, 33, löchericht 1523, stachelicht Kl. schr. II, 276, siebenspeichicht Irmenstr. 62,
rankicht Kl. schr. I, 22; dagegen vergleiche man z. b.
thonig Wtb. III, 781, mehlig 394, schilfig 1367, flau-
mig 1392. An mehreren adjektiven zeigen sich beide formen, an einzelnen daneben auch die dritte (stachelich,
stachlig, stachelicht). Meist nur ältere schriften enthalten
die schreibung mannichfach, mannichfaltig (Vuk 66.
Edda 162. Schlegel I, 393. 405. 415. Reinh. CXCIV); ebendahin gehört, wie Meisterg. 14 zu lesen steht***), man-
nichmal. Außer den s. 22 angeführten formen überschwänklich und überschwenklich kommt auch die
allgemein üblichere überschwänglich vor (Gött. anz.
1833 s. 109). Für rauh heißt es Gesch. 416. Myth. I, 472.
Wtb. I, 1144 nach älterer weise rauch. Die schreibung
mogte (vgl. Kl. schr. I, 329) zeigt sich lediglich in frühster

---

*) vgl. Ad. Jeitteles neuhochd. wortbildung (Wien 1865) s. 60.
**) umständlich besprochen von Götzinger d. spr. I, § 207.
***) und der Niederdeutsche unzusammengezogen spricht.

zeit (Kl. schr. I, 402 v. j. 1808. Edda 125. Sag. 1, 1. 93,
aber 90 möchten). Dem ursprunge zufolge ist nicht die
gewöhnliche form werg, sondern werch (Wtb. III, 1853)
empfehlenswert.

Die unhochdeutsche verdoppelung der media wird, wo
es angeht, bisweilen unterlaßen, z. b. Ir. elf. 92 krappel-
ten, Gesch. 64 rocken (81. 97 roggen; vgl. Gr. I², 528),
Wtb. I, 1151 docken, Myth. II, 850. Kl. schr. I, 221.
Wtb. I, 895. III, 1836 flücke, Wtb. III, 242. 244 ein-
schmuckeln (282 einschmuggeln, 288 zweimal schmug-
geln). —

Für die orörterung und beantwortung der nunmehr auf-
zustellenden wichtigen frage, welche grundsätze und ansichten für die schriftliche darstellung der s- und ß-laute aus
Grimms werken entweder bestimmt entgegentreten oder mit
einiger wahrscheinlichkeit geschöpft werden können, kommt
es mehr als in jedem anderen falle auf eine sorgfältige prüfung und würdigung mehrerer umstände und verhältnisse
an, namentlich der nicht immer deutlich wahrnehmbaren
und daher auch im ganzen schwer zu bestimmenden stellung,
welche theorie und praxis gegen einander behaupten. Könnte,
was die gegner der von ihnen neuhistorisch genannten schreibung dieser laute zu behaupten scheinen, unumstößlich bewiesen werden, daß Grimm diese schreibung, der er ehedem
in ausdrücklicher absicht sich überlaßen hat, aus denselben
theoretischen, insonderheit physiologischen und phonetischen
gründen, welche sie selbst geltend machen und gegenwärtig
als kaum anfechtbar betrachten, wieder aufgegeben habe;
so würde es nicht sehr vieler worte bedürfen, aber nur um
so mehr die größe einer ungleichheit beklagt werden müßen,
welche sich nicht allein in der schreibung selbst offenbart,
sondern auch darin, daß er, dem zurückhaltung nirgends
eigen war, von einer so übernus wichtigen und lehrreichen
wandlung kein vollkommen deutliches und ausreichendes
zeugnis abgelegt hat. Wie kommt es auch, daß man der
historischen schreibung jener laute geradezu die autorität
Grimms hat unterlegen dürfen, wenn er selbst ihr mit der
zeit in wirklichkeit ebenso abhold geworden und die meisten jahre seines lebens verblieben ist, wie es diejenigen
sind, die seinen namen für sich und ihre sache in anspruch

nehmen? Erst vor wenig jahren hat Wilh. Wackernagel
folgendes geschrieben: „Der unbefangene mag hieraus er-
sehen, daß J. Grimm, indem er eine unterscheidung zwischen *ss* und *sz*, entsprechend der des früheren mittelalters
zwischen *ss* und *z*, wieder unter uns hat einführen wollen,
eine unterscheidung die immer doch nur sache des schrei-
bens, nicht aber auch des sprechens wäre, daß er und die
ihm hierin folgen nicht berechtigt sind dies ihr verfahren
ein historisches zu nennen" *). Unmöglich soll doch dieser
vorwurf den urheber des ärgernisses ausnehmen und lediglich seine nachfolger treffen, sondern er will und muß es
mit beiden, in erster linie aber mit jenem zu tun haben.
Und dabei weiß Wackernagel so gut wie R. v. Raumer **)
und jeder andere, daß Grimm z. b. im jahre 1840 jene an-
gefochtene unterscheidung nicht mehr vor augen geführt hat.
Ehe indessen der versuch angestellt werden kann die widersprüche, welche sich bei dieser frage erhoben, den umständen nach angemeßen zu vereinigen, muß über Grimms
tatsächliche schreibung der in rede stehenden laute in chronologischer ordnung berichtet werden.

Wer in schriften Grimms aus den ersten 10 bis 12
jahren blicke wirft, wird einer darstellung der *s*- und *ß*-laute
gewahr, die sich von der herkömmlichen weise nicht grundsätzlich noch wesentlich entfernt. So finden sich z. b.
Meisterges. und Altd. w., um bei diesen beiden büchern, die
sich von 1811 bis 1816 erstrecken, stehn zu bleiben, folgende schreibungen: 𝔚𝔞𝔰𝔰𝔢𝔯, 𝔉𝔩𝔲𝔰𝔰𝔢𝔰, 𝔭𝔞𝔰𝔱, 𝔞𝔟𝔤𝔢𝔯𝔦𝔰-
𝔰𝔢𝔫, ferner in übereinstimmung mit dem gemeinen gebrauche
solche *ß*, für welche später bloßes *s* eingetreten ist: 𝔤𝔢-
𝔴𝔦𝔰, 𝔕𝔬𝔰, 𝔟𝔢𝔰𝔥𝔞𝔩𝔟, 𝔐𝔦𝔰𝔳𝔢𝔯𝔰𝔱ä𝔫𝔡𝔫𝔦𝔰, endlich einige
s für *ß*: 𝔟𝔩𝔬𝔰, 𝔐𝔞𝔞𝔰, 𝔟𝔦𝔰𝔠𝔥𝔢𝔫. Hiebei darf nicht ver-
schwiegen werden, daß zu gleicher zeit auch mehr oder
weniger empfindlich abweichende und geradezu entgegenge-
setzte schreibungen ans licht treten, teils solche welche sich
später als echt historische geltend gemacht haben, teils andere denen weder der herschende gebrauch noch theoretische
richtigkeit zur seite stehn. Zu jener klasse gehören: 𝔣𝔞𝔰𝔢𝔫,

---

*) Sechs Bruchstücke einer Nibelungenhandschrift (1866) s. 44.
**) vgl. Zeitschr. f. d. österr. gymn. 1862 s. 52.

freſſen, Schlüſſel (neben laſſen, eſſen, Verfaſſer) in Schlegels mus. I, Flüße, Geſchoße, Miſtrauen Altd. w. II, gröſter, gegeiſelt Sag. I; zu dieser: Zeugniße, Stein= maßen, Gloßar, Mißethäter Irmonstr., faſte (faßte), Reiß (reis, reisich), Aß (ans) Sag. I u. II, Weißbrot, bößlich März. II, gewißen, entäuſſern Altd. w. III, weißt, beweißt (190 Beweis) Arm. II., Geiß, Reißig Edda, ausgeſtoſſen neben Heßen bei Schlegel I. Dergleichen ungenauigkeiten oder offenbare fehler sind auch noch später einzeln bemerkbar, z. b. Vuk 67 gewiße (91 gewisse), Ir. elf. XCIX äusserste, 101 weiß machen; in den briefen an Hoffmann (Pfeiff. Germ. XI) diſſertation, auf derselben seite zweimal Düßeldorf und einmal Düsseldorf, zu anfang Caßel später Cassel; Gr. I², 178 beßten, IV, 213 aufgelößt, Myth. II, 790 weiß machen, 842 grössere, 1115 auffasste, Andr. u. El. X faste (XII u. LVI mit ss für ß), Schulzes gloss. IX aussor neben gröfserem, Gesch. 14 lässt (16 u. sonst läszt), Wtb. 1, 1345 mehlklöse, Kl. schr. II, 390 sproß oder rei ß. Nachdem Grimm, wie vorhin genannte beispiele zeigen, schon in sehr früher zeit auch nach kurzem vokal einige historische ß statt der beliebten doppelten s gesetzt, ferner in den briefen an Hoffmann (Pfeiffer a. a. o.) z. b. laßen, müßen, faßen, vergoßen, beßer, nüße geschrieben hatte, ließ er Gramm. I² diese richtung in mehr systematischer weise, zugleich mit herstellung vieler einfachen s für übliche ß, zu allgemeiner anschauung gelangen. Einzelne unregelmäßigkeiten können wenig oder nichts verschlagen. Aber etwas merkwürdiges, worüber sich schwerlich ein erwünschter nachweis findet*), fällt in die augen: die anmerkungen unterm text geben für ß das zeichen ſs, z. b. s. 15 blofs, verfaſser, dafs, 25 entsprofsen, läfst, müfsig, einflufs, mufs**). Ein schriftsteller, der sich in einem und demselben grammatischen buche und obendrein demjenigen, in welchem er zum ersten male dem „fehler auszuweichen“ versucht (s. 527), zwei so gründlich

---

*) Typographische umstände sind zu mutmaßen; vgl. vorrede s. XVII.

**) Dem zweiten teile wohnt das misverhältnis nicht mehr bei.

unterschiedene zeichen von überall gleichem werte lediglich, wie es scheint, mit rücksicht auf verlegenheiten der druckerei gefallen läßt, wird sich überhaupt zu gangbaren vertretungen desselben buchstaben herbeizulaßen kein allzugroßes bedenken tragen.

Der dritte teil der grammatik (1831) zeigt das geschichtliche β in gleicher weise wie die beiden ersten, nicht mehr der vierte (1837), in welchem dafür *ss* steht. Innerhalb dieser 6 jahre liegen einige andere schriften, z. b. Reinh. Fuchs und Myth. 1. ausg.; in beiden waltet schon *ss*, aber für β zugleich das stellvertretende *ſs*, also: faſsen, faſst, daſs, muſs. Ein von Pfeiffer XII, 116—117 mitgeteilter brief v. j. 1833 bringt ebenfalls *ss* nach kurzem vokal, ein anderer v. j. 1832 (das. s. 383) enthält gemischt überflüßig und loslaſsen, eingeschloſsen; so daß die wandlung zwischen 1831 und 1833 fällt, wobei die auch in chronologischer hinsicht ungleichmäßige und fast willkürlich zu nennende verwendung der beiden zeichen β und *ſs* nicht ohne bedeutung zu sein scheint. Bei einsicht und vergleichung von schriften aus dem jahre 1840 stößt man auf nicht weniger als eine dreifache verschiedenheit in der darstellung: Gr. 1³ hat daß, mäßig, faſsen, läßt, Sendschr. an Lachm. daſs, groſse, eſsen, läſst, Andr. u. El. dass, heissen, wissen, lässt. Die entgegnung, daran seien in erster linie typographische verhältnisse schuld, unzweifelhaft habe Grimm nur mit gröstem widerstreben dergleichen zugelaßen, trifft wol zum teil, nicht völlig zu, ändert aber an der tatsache, auf die es hier zunächst ankommt, durchaus nichts. Zugleich darf darauf geachtet werden, daß Grimm mit feder und dinte, soviel aus seinen briefen zu entnehmen ist, bevor er das zusammengesetzte *ſz* aufnahm, nicht abgelaßen zu haben scheint β zu schreiben, diesem also weder *ſs* vorgezogen noch jemals *ss* gleichgestellt hat. Die mehrmals vorkommende schreibung läszt (Pfeiff. XII, 116. 117. 118. 119) zeigt eine grundsätzliche übereinstimmung mit laſsen nur scheinbar, da viel häufiger, ja im ganzen regelmäßig sonst läßt, läszt begegnet (vgl. Wtb. III, 1467).

In allen fällen seiner beteiligung an fremden büchern und zeitschriften wird sich Grimm, wie es den meisten ebenfalls geht, wenig darum gekümmert haben, ob β oder

eine vertretung gedruckt werde. Für ß herscht ſs in seinen
beiträgen zu den zeitschriften von Haupt und von Kuhn,
den theol. stud. u. krit., in den vorreden zu Merkels lex
sal. und zu Schulzes goth. gloss., in Dorows denkm., namentlich aber in den abhandl. der Berliner akad.; dagegen
findet sich das stellvertretende ss in Schmidts zeitschr. f.
gesch.*), in den vorreden zu Liebrechts Pentam. und zu
Rößlers d. rechtsdenkm., in der zeitschr. des vereins f. hess.
gesch., in einem brief an K. Gödeke in dessen „Konine
Ermenrikes Dôt“. Die berichte der Berl. ak. bieten un-
gleiche schreibung: während z. b. im jahre 1852 noch das
ſs der abh. herscht, begegnet 1859 sz. Dieses sz hat ferner aufnahme gefunden in den vorreden zu Candidus d.
Christus und zu Vuks volksmärch. der Serb., sowie in dem
gutachten zu Michaelis anordn. d. alphab.

Nachdem sich Grimm veranlaßt gesehen hatte für mhd.
ʒʒ die frühere schreibung ß gegen ss aufzugeben, ist er
gleichwol bisweilen in der lage gewesen die andere doppelung, welche jener gerade entgegensteht soll, nemlich ſs zu
gebrauchen. In der 2. ausg. der Myth. v. j. 1844**) stößt
man auf einflüſsen (308), schuſses (354 zweimal),
ruſsig (416), geschoſse (844. 1193), überdrüfsig
(878), sproſsen (912), genuſse (1036), schloſsen (1042),
fluſses (1136), lauter beispiele der vorhergehenden vokalkürze***). Die menge dieser stellen, welche keinesweges
mit vorzüglicher aufmerksamkeit gefunden worden sind,
sondern sich mit ihrer hilfe leicht bedeutend vermehren
laßen, scheinen die annahme von schwankungen und ungleichheiten der gewöhnlichen art zurückzuweisen. Möglich
ist es, jedoch keinesweges wahrscheinlich, daß in der mehrmals vorkommenden schreibung genosze, genoszin (Wtb.
II, 603. IV, 73 je zweimal) die ursprüngliche vokallänge
(mhd. genôʒe) zur anschauung gelangen soll. Aehnlich stehn

---

*) Hier (II, 271) steht das ungeheuer maaſsstab.

**) Nicht typographische verlegenheit kann bei dieser in dem ver-
lage der grammatik erschienenen ausgabe in betracht kommen.

***) vgl. Altd. bl. v. Haupt n, Hoffmann I, wo sich in einem bei-
trage Grimms nicht nur dafs, blofsen, sondern auch lafson, müfsen,
befser, kefsel finden. Freilich Haupt in seiner zeitschrift schreibt
noch heute so.

sich Elsässer, elsässisch (Kl. schr. III, 101. Wtb. III,
417) und Elsäszer, elaßszisch (Kl. schr. II, 356. Wtb.
I, XVII) gegenüber; Kl. schr. II, 84 begegnet sogar ge-
häszigkeit, dessen vokal niemals lang gewesen ist, neben
haasen. Erscheinungen solcher art ruhen auf anderem
grunde als auf der voraussetzung, Grimm habe mit seiner
in der grammatik niedergelegten ansicht grundsätzlich gebrochen.

Den gebrauch des zusammengesetzten zeichens *sz* rechnet man am besten vom beginn des wörterbuches her (1852),
in dessen vorrede die erste rechenschaft öffentlich darüber
abgelegt wird*). Es liegt somit die tatsache vor, daß Grimm
die herkömmliche gottschedsche orthographie etwa 30 jahre
lang, unter diesen die letzten reichlich 10 seines lebens mit
beobachtung des zeichens *sz* für ß vor augen geführt hat.
Da er aber auch in seiner ersten periode, d. h. etwa bis
zum jahre 1822, sich jener schreibung bedient hat, so erstreckt sich, bloß äußerlich genommen, die verwendung des
inlautenden historischen ß nach kurzem vokal nur über ungefähr 10 jahre. Diese 10 von über 50 jahren sollten im
stande gewesen sein, wenn ihnen die letzten 30 mit entge-
gengesetztem gebrauche folgen, recht eigentlich innerhalb
dieser 30 eine solche bewegung unter gelehrten und ungelehrten hervorzurufen, wie sie tatsächlich auf dem gebiete
der deutschen orthographie stattgefunden hat? Hielten sich
die verteidiger des historischen ß und ohne zweifel auch
einige unter den gegnern ihrer ansicht und weise nicht davon überzeugt, daß Grimm auch in seinen späteren jahren,
auch nachdem er sich, wie sogleich besprochen werden wird,
in der vorrede zum wörterbuche und schon einige jahre
früher in dem mehrerwähnten briefe an die weidmannsche

---

*) Brieflich und im mündlichen gespräche wird Grimm später häufi-
ger, als allgemein bekannt sein kann, dieser veränderung erwähnt haben.
Mir schrieb er neujahr 1858: „Der mißbrauch, den man von *sz* macht,
ist unerträglich und sich wider *sz* zu sträuben, weil es polnisch oder
ungrisch aussehe, scheint mir albern, da wir ja mit allen nachbarn
buchstaben gemein haben müssen“; vgl. Pfeiffer XII, 122 (an From-
mann) und Michaelis anordn. 44. Unterdes hat dies grimmsche *sz* die
gewünschte oder erwartete nachahmung, weil es sie nicht verdient, auch
nicht gefunden.

buchhandlung ausgelaßen, nicht aufgehört habe an die berechtigung dieses zeichens zu glauben, mag auch zugleich
ein mannigfacher wechsel der stimmung geherscht haben und
vielleicht gewisse modifikationen des urteils, welches bald
die reine theorie bald das bedürfnis einer ausgedehnten
praxis vorwiegend berücksichtigt, anzunehmen sein: kurz,
wenn nicht Grimm selbst seinen anhängern die fahne vorgetragen und sie in händen behalten hätte, so gäbe es ihrer
überhaupt so viele nicht, der streit wäre bald verstummt,
und Wackernagel hätte wahrlich nicht nötig gehabt noch
nach des meisters tode jenen oben vermerkten ausspruch zu
tun. An der stelle nun des wörterbuches, welche den gegnern jenes *ß* so willkommen ist (I, LIX), heißt es wörtlich:
„wir sprechen und schreiben inlautend *ss* nach organisch
kurzem oder gekürztem vokal in gasse, lassen u. s. w.";
sodann I, 3: „der auslaut *sz* liebt vor sich kurzes *a* (hasz,
lasz, nasz) und geht inlautend über in *ss* (hassen, lassen, nasses)". So einfach und verständlich dies an und
für sich ausgedrückt ist, verlangt es seine deutung doch
vom zusammenhange. Nachdem Grimm beim *sz* von einem
satz ausgegangen ist, dessen wir bei den anhängern der
phonetischen verteilung, welche in der allerdings bemerkbaren ordnung und sicherheit ihres systems kaum irgendwo
auf eine erhebliche schwierigkeit stoßen, nicht zu gewahren
pflegen, daß nemlich sein verhalt zu *ss* höchst unsicher und
zweifelhaft scheine, bemerkt er im verfolg, daß schon die
mhd. doppelung *zz* weicher geworden sei als auslautendes *z*
und bestätigt nun, daß uns *ss* und *zz* zusammenfallen. Den
neuen absatz beginnen jedoch wiederum worte, welche auf
unsicherheit und schwierigkeit hinweisen. Hier ist von auslautendem *s* für *sz*, von inlautendem *fs* und dessen vertreter *ss* die rede; mit strenge tadelt Grimm dieses *ss*, ebenso
und zum teil mit noch stärkeren ausdrücken anderswo, z. b.
Wtb. III, 1211. Michaelis anordn. 45. Ein besonderes interesse gewährt eine von ihm im j. 1857 gemachte briefliche
äußerung, welche sich bei Pfeiffer XII, 122 abgedruckt findet: „Meine autorität in deutschen dingen schlage ich gering
an, seit ich nicht einmal vermochte, das elende *ss* neben *ß*
zu stürzen".

Wenn sich nun behaupten läßt, daß dergleichen klagen

über *ss* sich auf die stellung nach langem vokal, im auslaut
und etwa vor dem flexionskonsonanten beziehen, keinesweges aber, wie aus den beiden mitgeteilten äußerungen des
wörterbuches zu entnehmen sei, zugleich die geltung für *ss*
in sich schließen; so hat sich Grimm viel später an einer
anderen stelle des wörterbuchs (III, 1126) über die verderb-
liche mischung nicht bloß von *s* und *z* sondern auch von
ss und *zz* sowie über die dadurch hervorgebrachte und immer steigende verwirrung deutlich und bestimmt genug ausgelaßen. Nun aber stellt sich wiederum in jenem briefe an
die weidmannsche buchhandlung über die in rede stehenden
verhältnisse ein ganz anderes urteil dar, in welchem sogar
Adelungs regel, wahrscheinlich zum ersten und einzigen
male, geradezu als eine zu recht bestehende anerkannt wird.
Was ist davon zu halten? wie reimt sich diese erklärung
zu der vorhergehenden? Zunächst muß hervorgehoben werden: 1) daß der brief vom april 1849 stammt, das in demselben enthaltene urteil also viel älter ist, als was der dritte
band des wörterbuchs lehrt, 2) daß ungeachtet jener mit
Adelungs regel schließlich ausgedrückten zufriedenheit der
abschnitt über *sz* mit dem worte „kitzlich" beginnt, 3) daß
diese zufriedenheit durch ein zwischengesetztes „dünkt mich",
wenn man damit andere unzählige äußerungen der bestimm-
testen, nachdrücklichsten und rücksichtslosesten kritik auf
dem gebiete der deutschen schreibung vergleicht, einigermaßen beschränkt und geschwächt wird. Hieran knüpft
sich folgende wahrnehmung, deren schon vorhin gedacht
worden ist. Wenn Grimms ansichten über die nhd. vertretung von *z*, *zz* in wahrheit diejenige umwandlung erlitten hatten, welche ihnen von den anhängern nicht sowol
Adelungs als Heyses zugemutet wird, so konnte und durfte
es nicht fehlen, daß er selbst zu gewisser und rechter zeit,
da er fortwährend mit bücherschreiben beschäftigt war, von
einer so bemerkenswerten und keineswegs bloß äußerlich zu
nehmenden veränderung zeugnis ablegte. Davon aber findet
sich wirklich keine leitende spur. Daß der gegenstand
einer besonderen darlegung nicht bedürfe, sondern daß es
hinreiche aus den schriften selbst die tatsächliche wandlung
zweifellos zu erkennen, wird man nicht entgegenhalten.
Denn nicht bloß durch sein beispiel sondern auch durch

seine lehre hatte Grimm in der grammatik dem β für ʒʒ
eingang und geltung zu verschaffen versucht. Das misverhältnis erscheint um so größer, je sorgfältiger und umständ-
licher er in späteren zeiten fast bei jeder gelegenheit innerhalb desselben hauptgebietes zweier anderen, viel niedriger
stehenden, ja an und für sich ganz unwesentlichen und rein
äußerlichen veränderungen, für die er sich entschieden habe,
zu gedenken pflegte. Dies sind die abschaffung des früher
im an- und inlaut herschenden f und die davon nicht unabhängig aber erst viel später erfolgte aufnahme des zusammengesetzten sz.

Wie denn nun endlich nach allem diesem? was darf bei
den widersprüchen und unfolgerichtigkeiten, welche hier nach
mehreren seiten hin und auf verschiedene weise sich kund
geben, als hauptsache gefolgert werden? Wie es scheint,
dieser Grimm hat mit seiner früheren ansicht über die vertretung des ʒʒ nicht grundsätzlich gebrochen; er ist aber
im verlaufe der jahre in dieser schwierigen und „kitzlichen"
frage, die ihn später nur gelegentlich und vorübergehend
beschäftigt zu haben scheint, geneigt gewesen dem herkommen mehr einzuräumen, als sich mit seinen übrigen gründ-
lichen und zum teil sehr kühnen vorschlägen zur verbeßerung der deutschen schreibung vertragen dürfte. Daher hat
er für das wörterbuch, welches dem ganzen volke zu gute
kommen soll, seine zustimmung zu Adelungs bequemer und
einfacher regel ausgesprochen, zugleich und überhaupt wol
in dem bewustsein, daß es grade diese regel ist, an welcher
in ihrer vornehmsten und entscheidenden eigenschaft neben
dem gebrauche der ungelehrten auch das wißenschaftliche
und vorurteilsfreie studium manches achtbaren mitforschers
festzuhalten so beharrliche neigung zeigt. Wäre man ihm
in der orthographie, worüber er einigemal worte des be-
dauerns ausgesprochen hat, nicht gleichgiltig und lau sondern mit interesse und eifer gefolgt; hätte sich, was er in
der grammatik über die schreibung der s- und β-laute vor-
trägt, in erwünschter weise verbreitet und stünde es in derselben geltung da, deren sich Adelungs oder Heyses regeln
erfreuen: so würde er schwerlich zu einem wechsel veranlaßung gehabt haben, der nicht bloß zu tage liegt sondern
auch für das wörterbuch, als es galt alle hauptpunkte der

schreibung teils festzustellen teils von ihnen öffentlich rechenschaft zu geben, obenhin betrachtet einigermaßen von ihm
selbst begründet worden ist.

Das verhältnis zwischen ȝ und s erledigt sich auf leich-
tere art. Unter den wörtern mit auslautendem s für ß befinden sich nur wenige, denen Grimm zuweilen das ursprüngliche zeichen verleiht. In schriften der älteren und mittleren
zeit wird sehr oft kreiß angetroffen, z. b. Märch. I, 12.
402. 455. 481. II, 41. Gr. I², 695. III, III. VII. 530.
Rechtsalt. 747. 804. 809. 936, während daneben seltener
kreis (Märch. I, XXVI. 427. Gr. III, 134) zu begegnen
scheint; diese letztere allgemein gebräuchliche form herscht
dagegen in der jüngeren zeit wol allein, namentlich Gesch.
d. d. spr. und Wtb. (vgl. I, 1023. 1114. 1346. III, 359. 360).
Einen vermutlich auf die aussprache gegründeten, aber durchaus ungeeigneten wechsel mit beziehung auf den unflektierten und den flektierten fall nimmt man Ir. elf. (v. j. 1826)
wahr, nemlich XXI. LXXXI. CIV kreiß, 21. 216 kreise;
vgl. Märch. II, 428 umkreißte. Zwischen loß und los
oder loos waltet ein ähnliches doch mehr umgekehrtes
verhältnis der unsicherheit; denn grade in der späteren und
letzten zeit tritt die historische form am meisten vor augen:
loos, loosen begegnet z. b. Gr. IV, 263. Myth. 293.
Sendschr. 70. Kl. schr. II, 100. Bericht d. ak. 1851 s. 100,
loß Rechtsalt. 479 (mehrmals). Myth. 584. 642. Kl. schr.
I, 200. II, 165. Gesch. 16. 376. 684. 828. Wtb. I, LXIV.
912. II, 480. 506. III, 711, daneben folgerichtig und lehr-
reich auch loßen Myth. 685. Kl. schr. II, 165. Gesch. 159.
Wtb. I, 912. 977. III, 711. 1518. In dem aus mehreren
gründen nicht ungerechtfertigten zweifel, wenn er ihm je
nahe getreten ist, ob dieß oder dies angemeßener sei, hat
sich Grimm für s entschieden; nur einzeln ist ß bemerkbar
(Kl. schr. II, 317), auffallend aber auf der nemlichen seite
(Gr. I³, 210) zweimal dies und einmal dieß. Zu ß mit
vorhergehendem konsonant (vgl. Gr. I², 413) zeigte sich
Grimm früher bisweilen geneigt, z. b. einßig Myth. 601.
II, 1023. Rechtsalt. anf. d. vorrede. Gr. II, 88. 304 (anders
221). Pfeiff. Germ. XI, 386, binße Gr. III, 370; vgl.
gemse und gemße Gr. II, 999. III, 339. Selten (Ir. elf.
LXXXIX zweimal) trifft man ameiße geschrieben, wogegen

feißt (schon März. II, 472 gegen den gebrauch), wo dem
ß von seiten der aussprache nicht das geringste im wege
steht, ausdrücklich im wörterbuche verlangt wird (III, 1467).
Mehrere unübliche sowol als unrichtige ß aus älteren schriften Grimms sind s. 43 nachgewiesen worden (beweißt,
bößlich); dahin gehören ferner muß (Sag. II, 89) f. mus
(mhd. muos), naseweiß (Gr. IV, 285) f. naseweis (mhd.
nasewîse). Entgegen der überwiegenden sitte heißt es Gr.
I², 524, wo zwischen einfachem und doppeltem s geschwankt
wird: „nur nicht roß, gewiß“. Gleichwol liest man, abgesehen von der gewohnheit in den frühesten zeiten, ein
paarmal roß (Gr. I², 701. Kl. schr. II, 26), gewiß (Gr.
I², 32. Kl. schr. I, 50. III, 421), während sonst regelmäßig
ros, gewis (wie im mhd.) zu sehen ist, nicht ross, ge-
wiss*). Mit ros ist zunächst kus zu vergleichen, die in
Grimms schriften weit bevorzugte form, z. b. Reinh. LXXVII.
CXXIX. Myth. II, 971. 1018. 1055. Gr. IV, 304. 334. 873.
Wtb. I, 99. 100. IV, 163; die doppelung soll Reinh. CXXXVI
ß bedeuten. Was er Gr. II, 273 lehrt: „gleisner, nicht
gleißner“, hat Grimm selbst zu befolgen nicht unterlaßen;
jedoch begegnet Wtb. I, 1295 gleißnerei. Unter die beispiele des falschen und dem gebrauche nicht oder nicht mehr
gefälligen s für ß (s. 42 u. 43) gehören ferner schoos Edda
13, schultheis Thomas oberhof VII, ambos März. II, 27.
Edda 43. 165, kürbis Gesch. 214. Wtb. II, 198: vgl. noch zu
maas Vuk XIX. Gr. I², 392. 551. D. beid. ält. d. ged. 37, zu
bischen Sag. I, 1. März. II, 2. 26. 31, zu geis Edda 39. 77.
März. I, 30. II, 309. 327. Selten im ganzen, verglichen
mit einem gegenwärtig noch lange nicht überwundenen gebrauche, findet sich für bloß im adverb blos, z. b. Sag.
I. Altd. w.**) I, 133. Vuk XLIII (XLV mit ß). Ir. elf.
Da in jedem der beiden geisel organisches s steckt,
pflegte auch Grimm regelmäßig so zu schreiben. Daß die
fremdwörter pas (Wtb. I, 1157. III, 1418) und bas (Wtb.

---

*) Die schreibung ross, welche Ber. d. ak. 1859 s. 723 vereinzelt
zu stehen scheint, wird Wtb. III, 1211 anstößig genannt; gewißs begegnet Gr. I², 6. 13, wo fs die doppelung bedeutet, nicht für ß gelten soll.

**) hier auch das flektierte adj. bloser (II, 154).

4*

I, 1146) einfaches *s* haben, ergibt sich von selbst; bei spaß dagegen (Wtb. III, 1473. 1888. Pfeiffer XII, 116) folgt Grimm dem gebrauche. Die form schleuße (Wtb. I, VII. 111. III, 300. 1836), deren absicht unverkennbar ist, nimmt wunder, da kein deutsches sondern ein lateinisches wort zu grunde liegt*); mit manßen (vgl. Wtb. I, 77) wechselt Myth. I, 222 mausezeit. Verdienten anhang hat fast überall, wo nach gründen gefragt und dem herkommen nicht alle entscheidung eingeräumt wurde, die einfachheit in den silben mis- und -nis gefunden, z. b. misverständnis. Mitunter zwar stößt man auf β (Altd. w. I, 124. Vuk 69. Kl. schr. II, 462. Ir. elf.), *fs* für β (Reinh. CXXXVI. Myth. I, 326), ferner Andr. u. El. Zeitschr. f. hess. gesch. auf ss**), endlich Gr. I² ziemlich häufig auf die auslautende doppelung *fs*, z. b. 172 misverständnifs, 8. 10. 485 verhältnifs, 5 kenntnifs, bewandtnifs: doch alle diese abweichungen verschwinden vor dem gesetzmäßigen gebrauche, und neuere schriften haben nichts dergleichen. Es versteht sich, daß Grimm die genitive des, wes nebst ihren zusammensetzungen mit dem einfachen buchstab versehen hat; formen wie Gr. IV, 560 indefs (vgl. 644. 656. 696. 837. 841. 907 indes) stehn vereinzelt. Bei verben mit organischem *ss* im inlaut neigt sich Grimm vor dem *t* der flexion zu derselben zusammenziehung und vereinfachung (vgl. Wtb. I, LIX), welche s. 32 in wörtern wie verirt, solte, bekant wahrgenommen worden ist. Wol am häufigsten, wegen der ungemeinen geläufigkeit dieses verbs in untersuchenden schriften, kommt von dieser art past vor, z. b. Gr. I², 138. 176. 258. 616. 766. 881. 985. II, 309. 333. III, 379. IV, 283. 710. 749. Abh. d. ak. 1858 s. 35. Wtb. I, 343. III, 189, wogegen und zwar jedesmal verschieden Gr. II, 151 pafst, Gesch. 782 und regelmäßig Andr. u. El. (vgl. 113. 130. 134. 144) passt, Gr. II, 254 angepaßt gelesen wird. Ferner heißt es gemist (Gr. I², XVIII), vermiste, vermist (Altd. bl. I, 370. Gr. III, 120. IV, 116. Gesch. 457. Myth. VI. Kl. schr. II, 98. 99. Wtb. I, 790);

---

*) deutsche orth. 134.

**) Welchen wort dieses *ss* haben, ob es dem β oder dem doppelten *s* gleichstehn soll, läßt sich kaum sicher entscheiden.

küst, küsten (Andr. u. El. IX. Kl. schr. II, 379. Wtb.
III, 1581), geküst (Myth. II, 921); prest (Wtb. I, 925),
aber wieder abweichend auspreszte Kl. schr. II, 394. Von
anderer beschaffenheit sind die von alters hergebrachten
formen weist, wuste, wüste, gewust, bowust und
must, muste, müste, gemust, deren sich Grimm fortwährend bedient; ganz ausnahmsweise liest man Myth. II,
1136 weifst, Gesch. 698 musate. Mit muste, wuste
wird Wtb. I, 1659. III, 1467 beste zusammengestellt, nicht
aber zugleich gröste erwähnt. Dieser umstand, mehr natürlich die oft neben der andern vorkommende schreibung
größte (Gr. III, 161. Kl. schr. II, 281. III, 195. Urspr.
41. Gesch. 17. 127. 149. Myth. I, 480. Wtb. I, XIII. XXVIII.
1170. II, I. 615. IV, 74) macht stutzig, wenn man sich dem
gegenüber befindet, was klar und überzeugend Gr. I², 415
gelehrt wird. Daß Grimm bisweilen im volkstümlichen
unterhaltungstone märchenhafter erzählungen geschrieben hat
„du läßt" (Märch. II, 124. 125. Myth. 697. I, 426), „ver-
gißt" (Märch. II, 12), „haust" d. i. hausest (Myth. I, 520),
geht die flexionslehre mehr als die orthographie an.

Aeltere schriften, welche zwischen s und ſ unterscheiden, weisen einige mischungen dieser zeichen auf. Was
heute noch sehr viele schreiben, Dienſtag, Donnerſtag,
findet sich Ir. elf. XXIX. 33. 199, desgleichen Rechtsalt.
818. 819. 820 und anderswo dienſtag, donnerſtag. Zwar
begegnet wie sonst so auch Gr. I², 34. 37. III, 122. 244 u.
s. f. das richtige dasſelbe, aber I², 47. III, 35. 36 daſ-
ſelbe und I², 98. 105. III, 714 deſſelben. Ebenso steht
es Gr. I², VIII. Rechtsalt. 750. 798 um weiſſagen für
weisfagen, weissagen, wie regelmäßig gelesen wird,
nicht weißagen (mhd. wîssagen, ahd. wîʒagôn), von anderer seite um ſyſtem Gr. I², 957. Auch dem gebrauche
kann das lange zeichen in miſlich (Gr. I², 141. 200. 439),
erweiſlich (Gr. I², 801. 802. 1008. II, 154) nicht zusagen;
vgl. abſtrahire Gr. I², 721. Nachdem wie in der deutschen so auch in lateinischer schrift von Grimm früher und
noch im dritten teile der gramm. ſ und s neben einander
nach dem bekannten unterschiede gebraucht worden waren,
ließ er im vierten teile das „glückliche s, das in anmutiger
schlangenwindung den scharf und spitz ausgehenden zisch

darstellt"*), allein walten und gieng in launiger gemütlichkeit dem „langgestreckten" f, das er „gleichsam eine blind-
schleiche statt der gewundenen schlange" nennt, gelegentlich zu leibe. —

Der buchstabe x bietet kaum etwas merkenswertes.
Grimm setzt ihn dem herkommen gemäß in den wenigen
schriftbekannten wörtern der deutschen sprache, auch in
gewissen mehr volkstümlichen formen, deren namentlich das
wörterbuch einige hat (baxen, faxen); außerdem läßt er
hier schwankungen mit chs und cks sehen (buxbaum,
beknixen). Verfehlt ist Gr. III, 28 flexierbarkeit f.
flektierbarkeit.

Eigennamen und fremdwörter.

Im wörterbuche (I, LXI) spricht Grimm zwar den
grundsatz aus, daß berühmte namen, die oft wiederkehren,
das recht haben sollten den staub der schreibfehler von sich
abzuschütteln**). Wenn man aber seine schriften unter-
sucht, so kann man doch nicht finden, daß er dies verfahren mit beziehung auf geschlechtsnamen, bei denen es überhaupt sehr bedenklich sein dürfte, selbst innegehalten hat.
Er schreibt z. b. Abbt, Freytag, Göckingk, Hoffmann, Pertz, unterscheidet Gesner und Geßner, Heine
und Heyne, Wolf und Wolff. Dagegen können Holz-
mann, Welker, Winkelmann, wie er an jener stelle
wünscht und auch anderswo schreibt, nichts bedeuten. Verschieden davon steht es um die gleichfalls getadelte form
Württemberg, überhaupt um die im gegensatze zu geschlechtsnamen mehr objektiv und neutral sich verhaltenden
geographischen namen. Hier können unter umständen verbeßerungen der schreibung angemeßen und nützlich sein, und
jeder wird formen wie Achen, Ala- oder Alemannen***),

---

*) Michaelis anordn. 44.
**) vgl. Kl. schr. I, 350. III, 172. Anders und rein objektiv lautet
das urteil III, 351.
***) Wtb. I, XVI liest man neben einander Alamannen und ale-
mannisch; vgl. Myth. I, 539 muhomedanisch, 540 muhamada-
nisch.

Baiern, Burgunde, Meklenburg, Staufer, Westfalen, Würtemberg, welche Grimm vorführt, willkommen heißen, um so mehr aber bedauern müßen', daß er
selbst bis zuletzt von Cöln, dem doch schon im mhd. *K*
zustand und heute von sehr vielen schreibenden verlichen
wird, nicht abgelaßen hat. Den grösten einfluß ist die
sprache auf die schreibung der vornamen, zunächst der
deutschen, auszuüben berechtigt. Wenn jedoch Grimm z. b.
in namen auf -olf (Adolf, Rudolf) mit recht das fremde
ph zurückweist und Gesch. 707 der entdeckten ansprechenden etymologie gemäß viermal,' Kl. schr. I, 80 fünfmal
Gustaf schreibt, so muß es wiederum befremden, daß er
sich von Carl, Conrad*), die in seiner früheren zeit wol
häufiger als jetzt geschrieben wurden, nicht zu gunsten des
K entwöhnen mochte. Gab er doch seinem eigenen vornamen, der freilich weder deutsch noch lateinisch ist, selten
(vgl. Wigands arch. II, 68. 210) das dem ursprung entsprechende *k*. Ueberhaupt aber hat er eine große neigung zu
dem in fremden namen überkommenen lat. *c* offenbart, ohne
indessen zu jeder zeit sich gleich zu bleiben. Auf allen
seiten finden sich viele solcher *c*, nur ausnahmsweise,
selbst in wörtern aus der griech. sprache, dafür *k*. Verhältnismäßig der meisten *k* liefert wol die gesch. d. d. spr.,
sogar hie und da in lateinischen namen, z. b. XIV Sky-
then, 8 Kelten**), Thraker, 632 fg. Kimbern, 714
Mark Antonin, 745 Thrakien und Makedonien (815
Macedonien), stets Markomannen, Daken; Kl. schr.
III, 222 wird gleichfalls Thrakien und Dakien, dagegen
224 beides Dacien und Dakien gelesen, II, 224. III,
204 Sophokles, aber II, 228 Sophocles. Ein ähnliches verhältnis waltet beim *c* der appellativnamen (vgl.
Wtb. II, 601), nur daß hier, wenn entweder griechischer
ursprung oder sogenannte einbürgerung, vielleicht beides

*) beide zahllos vorhanden Ged. d. mitt. (v. j. 1842), wo sich auch
Cöln sehr häufig findet; in diesen dreien wird zwar Wtb. II, 601 grundsätzlich *K* vorgezogen. Auf derselben seite (Kl. schr. II, 354) wechseln Cochem und Kochemer; Rechtsalt. XI Cärnten, 234. 253 und
sonst Kärnthen.
**) Kl. schr. II, 79 (v. j. 1845) hat Celten, celtisch. II, 119.
121 fg. (v. j. 1847) und 412. 413 (v. j. 1853) Kelten, keltisch.

zusammen vorliegt, *k* dringender vermist werden mag. Von
Gr. I² an läßt sich fast durchweg critik, critisch nachweisen; comma findet sich Rechtsalt. 468. Wtb. II, IV
(zweimal), oft catholik, catholisch z. b. Gr. I², 306.
Myth. 2 (fünfmal). Urspr. 25. Wtb. I, 580, mitunter creuz
(Sag. I, 260. 262. Savigny II, 84. Gr. I², 68), casteiung
Wtb. III, 1352, caninchen Reinh. CLXXIII, cämmerin
Sag. II, 44. Obwol von Grimm früher häufig carte geschrieben
worden ist (Zeitschr. f. hess. gesch. II, 136. 142. 154. Gesch.
838 und 2. aufl. 581), Kl. schr. II, 64 sogar dreimal im
sinne der spielkarte, zeigt die alphabetische reihe des wörterbuchs weder diese form noch charte, zum klaren beweise daß nur *k* gelten soll. Auch einem deutschen worte
hat er ehedem *c* verliehen, nemlich clammer Altd. w. I,
193. Gr. I², 205. Als ausnahmen sind zu betrachten: vokal Gr. I², 381, konsonanz Vuk XLVIII (ebenda con-
sonant), charakter Gr. I², 381. Urspr. 15, klasse
Meisterg. 36 (classe 75), komponirten Ald. w. I, 187,
kredenzt Lat. ged. 77. In derselben akad. schrift wechseln kaplan und capellan (Kl. schr. III, 29. 44), Wtb.
III, 1809 u. 1856 krystall u. cristall; Gr. I², 381 heißt
es: „charakter des englischen dialects". Häufiger als
man erwarten sollte zeigt sich punkt, z. b. Gr. I², 4 (VI
puncte). I², XII. 541. 555 (6 punct). Urspr. 23. Auch
z steht dem *c* gegenüber, kommt aber seltener vor, z. b.
Gr. I², 440 provinziell, Kl. schr. I, 391. Wtb. I, XXIII
provinzialismen; vgl. dag. mediciniseh Kl. schr. I,
146, personificieren, reduplicieren Schulze VI. VIII.
XIX. Formen wie kanaille (Kl. schr. III, 273), cirku-
lieren (Wtb. II, 627) enthalten deutsche und fremde schreibung unvorteilhaft gemischt; auch die verbindung „gratien
oder parzen" (Kl. schr. II, 105) gibt zu bedenken. Einige
f treten für *ph* auf, z. b. Hefäst Gesch. 508, Afrodite
Myth. I, 365 und oft in d. abh. üb. d. liebesgott (Kl. schr.
II), wogegen sich daselbst Aristophanes und II, 388
Aphrodite findet; ferner delfisch Myth. I, 345, alfa-
betisch Schulze III u. IV, fantom Myth. 512, triumf
336. Adjektive der ursprünglich lateinischen endungen
-aris und -osus entbehren zuweilen des gewöhnlichen,
durch das französische vermittelten umlauts, z. b. Myth. 493.

Kl. schr. I, 392 popular, Gr. I³, 12. 13 vulgar, I³, 119.
170 monstros, III, 145 religios, Myth. 393 ominos.
Mit genetive und genitive wird Kl. schr. III, 143, mit
lateinisirt und latinisirt Gr. I¹, XXXIX und XLII
abgewechselt. Unzähligemal findet sich das wort copist,
niemals dafür die anscheinend geläufigere aber tadelhafte
form copiist (vgl. Wtb. II, 636).

Den fremdwörtern gegenüber verhält sich Grimms
praxis ungefähr so, wie er in der vorrede zum 1. bande des
wörterbuches über sie urteilt (vgl. Wien. jahrb. 46, 223).
Ein scharfer gegner jenes purismus, welcher ohne vernünf-
tige einsicht gutes und schlechtes durcheinander wirft und
auszurotten versucht, hat er sich allezeit bemüht gezeigt aus
dem heimischen wortschatz und aus der lebendigen quelle
der mundarten zu schöpfen, wo so manches versäumte und
zurückgesetzte wort der erlösung aus ungerechter gefangen-
schaft harrt. Zugleich aber haben ihm nicht allein alle diejenigen in der fremde gebornen wörter, welche unsere sprache
seit jahrhunderten besitzt, jederzeit gleichen wert wie die
einheimischen gehabt; sondern auch eine menge anderer, die
erst später, zum teil erst in jüngerer zeit eingang in deutsche
rede und schrift gefunden haben, hat er, wenn günstige bedingungen ihrer aufnahme vorlagen, selbst gebraucht und
bisweilen eigens empfohlen, z. b. Wtb. I, XXVII appetit,
1044 autor, Kl. schr. I, 347 omnibus, wogegen er mit
arie, audienz und anderen sich nicht befreunden mochte.
Der großen menge terminologischer namen und ausdrücke
der wißenschaft und kunst, die niemand ohne gefahr und
nachteil vermeiden kann, ist Grimm fast nirgends aus dem
wege gegangen*). Nur ganz ausnahmsweise ließ er, wenn
ihm ein vollkommen geeigneter, etwa wörtlich übersetzter
ausdruck aus älterer zeit bekannt war, das fremde bei seite,
z. b. auslauf f. excurs. Etwas anderes ist und versteht
sich eigentlich von selbst, daß er den stoff zu selbstgeschaf-
fenen benennungen neuer oder neu aufgerichteter begriffe für

---

*) Beiläufig werde daran erinnert, daß er sich bei grammatischen
worterklärungen keiner andern als der lateinischen sprache bedient
hat; ausführlich ist davon in der vorrede zum 2. bande des wörterbuches die rede.

grammatische zweeke aus der deutschen sprache entnahm,
z. b. rückumlauten. Gewis nur selten wird man wörtern
begegnen wie Andr. u. El. 167. Gött. anz. 1835 s. 651 plan
(eben), Wtb. III, 189 ragout, Gött. anz. 1835 s. 1099
loupe*), Pfeiff. XI subsidien, Kl. sohr. II, 40 confluen-
zen, Zur reeens. d. d. gr. 61 significant, Wigand II,
64 der construent. Unter den fremden bildungen ragen
an geläufigkeit die unzähligen verben auf -ieren hervor,
über welche sich Grimm außer an anderen orten sehr ein-
gehend in der abh. über das pedantische (Kl. schr. I, 343 fg.
354 fg.) ausgesprochen hat. Obschon er solchen verben
keineswegs das wort redet sondern sie recht pedantisch
eingebracht nennt, auch der meinung ist, daß gute rede
ihnen so viel wie möglich auszuweichen habe, wird er doch
die unentbehrlichkeit oder bequemlichkeit sehr vieler selbst
fortwährend gefühlt haben. Abgesehen indes von der gleichmäßigen beobachtung herkömmlicher grammatischen benennungen, wie konjugieren, synkopieren, kommen auch
mehr oder minder vielleicht entbehrliche ausdrücke vor,
z. b. resultieren N. lit. anz. 1807 s. 227, postulieren
681, intrudieren, tonsurieren Reinh. CXIV. CXXIX,
verelausulieren Kl. schr. II, 462, tirelieren (von der
lerche) Urspr. 15, fetischieren Gött. anz. 1835 s. 1668,
subintelligieren Gr. IV, 54, reeapitulieren Wtb. II,
26, diminuieren 615. 616, capieren III, 238, desorien-
tieren 577, absorbieren 1352, revindicieren 1422, das
ultrierte**) Kl. schr. I, 29.

Silbentrennung, bindezeichen und apostroph.

Angesichts der vielen sehr begreiflichen mischungen
und ungleichheiten, welche in betreff der silbentrennung,
bei der nur ein augenblickliches äußeres bedürfnis zu befriedigen ist, in Grimms schriften offenbar werden, kommt es
hauptsächlich darauf an zu erfahren, ob er die abstammung

---

*) Weshalb nicht viel lieber (vgl. deutsche orthogr. 160) luppe?
Wtb. III, 199 steht sogar suffloren.
**) Im gesellschaftstone pflegt sonst nach dem franz. outrierte
gesagt zu werden.

oder die aussprache als entscheidend für die brechung der
wörter betrachtet hat. Das läßt sich nun, wenn man auch
dem setzer, dessen einfluß hier von größerer bedeutung sein
kann als sonst, das meiste und selbst alles zuschieben wollte,
bestimmt nachweisen. Schon Gött. anz. 1826 s. 85 lesen
wir von Grimms abneigung gegen etymologische silbentei-
lung, die er mit grund pedantisch nennt, ferner das. 1835
s. 907, zuletzt Wtb. I, LIX. III, 1212*). Beispiele der
widersprüche, welche sich auf dem gebiete der silbentrennung in den schriften Grimms herausstellen, sind folgende:
Gr. I³, 21 zusammense-tzung, III, 463 zusammen-
setz-ung, Meisterges. 186 überset-zungen; Gr. I², 11
fac-tisch, IV, VI pra-ctisch; II, 54 punc-tation, IV,
894 constru-ctionen; Iornand. 11 da-rum, 48 dar-um;
Personenw. 2 schöp-fung, Gr. I³, 22 gi-pfel; Myth. 284
blof-sem, 295 krei-sfenden. Sollte Myth. 423 Lo-
thringen und insbesondere 474 je-gliche (mhd. ie-gelich)
von des verfaßers absicht herrühren? Schwerlich ist sie in
vol-lendete (Ged. d. mitt. 31) zu erkennen, eher Sag. JI,
164 in hauš-te, obgleich er diese auch heute noch zum
teil beliebte weise später mit recht verworfen hat. Während
Myth. 192 und 264 die scheidung diener-innen, halb-
gött-innen, 288 mumm-art ganz auf der etymologischen
seite steht, neigen sich das. 253 hö-cker und 303 tro-tzi-
gen am weitesten nach der entgegengesetzten richtung,
welche auch im wörterbuche hervortritt, z. b. I, XIX lücken, 939 schmü-cken, IV plä-tzen, 84 pu-tzen. In
älteren schriften findet sich häufig die auflösung in *kk**),
seltener die in *zz*; vgl. Meisterges. 11 trok-kenheit, 39
entzük-kung, Sag. l, 25 ak-kerfeld, 185 glok-ke,
Gr. I¹, 624 verschluk-ken, Ir. clf. 7 buk-kel, rük-
ken, auch noch Andr. u. El. 161 druk-ken, Gött. anz.
1841 s. 362 ausdrük-ke, Urspr. 6 zwek-ken, Sag. l,
461 schaz-zen, Ir. clf. 28 schwäz-zen***). Auch in

---

*) Anders lautete in frühster zeit und noch Gr. I⁴, 331 das urteil.
**) welche, beiläufig bemerkt, auch in den kleineren schriften zur
anwendung gelangt ist.
***) Schriften, deren herausgeber ein andrer ist, entziehen sich je-
der auch nur einigermaßen sicheren beurteilung; vgl. Zeitschr. f. hess.
gesch. II, 147 schrec-ken, aber 156 entdek-ken.

zusammensetzungen aus der griech. und lat. sprache scheint
Grimm, vorausgesetzt daß sie ihm zugeschrieben werden
darf, die teilung nach der aussprache, welche in deutschen
zusammensetzungen bekanntlich nicht im allgemeinen sondern nur in verdunkelten fällen entscheidet, vorgezogen zu
haben, z. b. Gr. I², 7 diph-thong (aber Wtb. I, 508
di-phthong), 5 u. 6 pro-sodie, pro-sodisch, 293.
1005 pa-rallel, II, 434 sy-nonym, IV, 21 tran-sitiven.

   Den unter dem namen bindezeichen, als ob zusammenschreiben nicht ein beßeres und einfacheres mittel wäre,
innerhalb der zeile bei einer großen menge namentlich längerer zusammensetzungen noch heute gebräuchlichen strich
setzte Grimm zu anfang nach der gewohnheit und dem geschmacke seiner zeit, welche ihm auch da anzuhangen pflegte,
wo er fast nirgends mehr zum vorschein kommt, z. b. Edda
5 𝔀𝔦𝔫𝔡=𝔡ü𝔯𝔯, 𝔎ö𝔫𝔦𝔤𝔰=𝔖𝔬𝔥𝔫, 42 𝔅𝔞𝔯𝔱=𝔥𝔞𝔞𝔯, 66 𝔟𝔩𝔲𝔱-
𝔟𝔢𝔰𝔭𝔯𝔢𝔫𝔤𝔱𝔢 𝔏𝔢𝔦𝔠𝔥𝔢𝔫=𝔎𝔩𝔢𝔦𝔡𝔢𝔯, Schlegel III, 65 𝔡𝔦𝔢 𝔰𝔱𝔯𝔞𝔥𝔩𝔢𝔫-
𝔥𝔞𝔞𝔯𝔢=𝔰𝔭𝔦𝔫𝔫𝔢𝔫𝔡𝔢, Sag. I, 2 𝔢𝔩𝔩𝔢𝔫=𝔩𝔞𝔫𝔤 (3 𝔢𝔩𝔩𝔢𝔫𝔩𝔞𝔫𝔤),
157 𝔪𝔦𝔱 𝔊𝔩𝔞𝔰=𝔄𝔲𝔤𝔢𝔫 𝔲𝔫𝔡 𝔕𝔢𝔥=𝔉ü𝔰𝔢𝔫, Ir. elf. 7 𝔖𝔱𝔲𝔩𝔭-
𝔖𝔱𝔦𝔢𝔣𝔢𝔩, Vuk III 𝔖𝔩𝔞𝔳𝔢𝔫=𝔖𝔱ä𝔪𝔪𝔢, Irmenstr. 21 𝔕𝔦𝔢𝔰𝔢𝔫-
𝔣𝔞𝔤𝔢𝔫. Wobei auch heute noch unsicherheit herschen kann,
befindet sich Gr. I¹, 630 auf derselben seite beides: ad-
jectiv-decl. und adjectivdecl., ebenso I², 99 gemein-
alth. u. gemeinalthochdeutsch. Jene eben wahrge-
nommene ältere weise verliert sich im verlaufe ganz: zusammengesetzte wörter werden zusammengeschrieben (vgl.
Kl. schr. I, 349); häufig findet sich die aneinanderfügung
auch da, wo entweder ein strich*) oder getrennte schreibung
üblicher und bequemer sein dürfte, z. b. Reinh. CXVI nord-
französischniederländischem, Wtb. I, 1049 gothisch-
nordischniederdeutsche, 1086 Schleswigholstein,
III, 689 pluralsie, 1241 schmutzigblaßroth, 1583
bairischöstreichischtirolischen, Kl. schr. I, 66 hoch-
deutschitalienisch. Wird das zweien oder mehreren
gleichartigen zusammensetzungen gemeinsame glied nur einmal genannt, so pflegt allgemein die ergänzung durch einen

----

*) Dieser scheint namentlich in verschiedenen der grammatischen
erörterung dienenden zusammensetzungen wie abaform (Gr. IV, 922),
Haut, hlaut und l laut (wovon hernach) bedürfnis zu sein.

strich bezeichnet zu werden. In den schriften Grimms, dem vom anfange bis zum ende diese kürzere ausdrucksweise in ganz besonderem grade zugesagt hat, offenbart sich ein beträchtlicher unterschied der zeit. Zu anfang und auch zuweilen noch später wandte er striche an, z. b. Arm. H. 183 freund- und brüderschaft, Altd. w. I, 139 aus dem thier- in das stille pflanzenreich, Abh. d. Frankf. vereins f. d. spr. III, 294 ähnlicher zusammen-setzung und -ziehnng, Vak XXXIII konsonanz-an- und inlaut, Or. I², VII die kehl- den znngenlauten vorordnen, G96 um- oder nichtumlaut, 918 in gilt vor lippen- und kehl-, in vor zungenlauten, Ber. d. ak. 1859 s. 523 der götter- und menschensprache, Wtb. II, 371 den hab-, hersch- und genußsüchtigen. Sehr viel häufiger im verlaufe überhebt er sich dieses striches ohne weiteres, so daß man wol diese weise als seine eigentliche regel bezeichnen darf, z. b. Or. IV, 256 freund und verwandtschafts-verhältnis, I³, 9 seinen passiv und artikelsuffixen, Rechtsalt. 584 schwert und spillmagen (dag. 662 schwert- und spillmage), 739 eltern und verwandtenmord*), Altd. bl. I, 287 manns und frauennamen, Kl. schr. II, 122 knochen und wundenheilende kraft, 295 birken, tannen und eschenholz, Weist. III, III die graf und herschaften, Pfeiffer I, 132 an, in und auslautend, Myth. I, 38 den kleineren vieh, speise und trankopfern, II, 936 dem gestalten und farbenreichtum, von licht und schwarzelben, 1132 eine krebs oder krötenähnliche gestalt, Urspr. 19 greif oder faßbar, Abh. d. ak. 1858 s. 51 rosse und wagenlenker, Wtb. I, 93 frieden auf, fehde ankündigen, 99 die letzten füllen, kalbs, lammszähne, III, 1146 den zeige und kleinen finger**).

In den zahlreichen fällen besonders der späteren zeit, welche der zusammenschreibung von ihm nicht unterworfen

---

*) vgl. 606 elternmörder und verwandtenmörder. Dieser unzusammengezogenen form wird man am meisten in der gesch. d. d. spr. begegnen, z. b. 74. 110. 117. 131. 146. 152. 267. 361. 384. 385. 386. 390. 424. 658.

**) Das letzte beispiel weicht etwas ab, der fall aber ist in sich derselbe und kommt auch öfters vor.

werden, gibt Grimm zu verstehen, daß er die zusammensetzung, wie sie vom gemeinen brauche genommen und bezeichnet zu werden pflegt, nicht anerkennen will. Namentlich liebt er es nach mhd. weise*) einen genitiv dem regierenden nomen unverbunden vornzustellen, z. b. Reinh. CVIII
den Nibelunge hort, CCLXVI der Isegrims sage,
Ber. d. ak. 1850 s. 17 der ursprüngliche reduplikations
konsonant, Iornand. 6 den manns namen**), Gesch.
VII die namens form, Ged. d. mitt. 76 einen Martinus
mut, Myth. I, XLVI heiligen dienst, 542 der Noahs
kasten, II, 922 die schlangen frau, dem Siegfrieds
lied, 1221 den meeres wellen, Kl. schr. I, 236 profes-
soren politik und studenten renommisterei, II, 155
eilf pflanzen namen, II, 445 am aller offenbarsten,
Abh. d. ak. 1845 s. 238 analogien weise. Abwechselungen
finden sich begreiflich in großem umfange; vgl. Myth. I,
1084 Martinsvogel, 1085 Martins vogel, das. 193
wochengötterreihe, in erster ausg. wochengötter
reihe. Beispiele anderer art und beziehung sind: Ir. elf. 202
kopf über, Myth. II, 1104. Kl. schr. II, 316 gerade zu,
Kl. schr. I, 72 über hand, III, 240 gleich wol, 417 hier
her, Gesch. X wieder zu gestehe***), Kl. schr. I, 217
herab zu steigen, unter zu ordnen (ebenso 149. 212.
II, 457. III, 415. Abh. d. ak. 1858 s. 82. Ber. d. ak. 1859
s. 258. Pfeiff. I, 20), Sag. II, 109 will kommen, liebster
herr! Für nachdem, wie es sonst natürlich regelmäßig
heißt, steht Iornand. 39 (Kl. schr. III, 213) getrennt nach
dem; Reinh. CXLVIII bis her, CXCVII bisher; Märch.
II, 371 mit samt, 437 mitsamt. Einen höheren grad des
individuellen gefühls und der augenblicklichen eingebung
bekundet der umstand, daß Grimm dagegen in vielen fällen,
wo der fast allgemein zu nennende gebrauch getrennte
schreibung befolgt, äußerlich zusammensetzt, z. b. Kl. schr.
II, 36 eben sosehr, Gr. I³, 23 umso mehr, Kl. schr. III,
196 umsominder, Gr. I², 262 um wie vielmehr, 1012
um so vielmehr (vgl. 20), Abh. d. ak. 1845 s. 199 um-

---

*) welche Wtb. I, XLIII. IV, 131 auch fürs nhd. empfohlen wird.
**) Kl. schr. III, 177 in manusumen geändert.
***) vgl. Schleicher deutsche spr. 225.

sovielmehr, 214 bisheute, Myth. I, XXX von frühauf,
Reinh. CLII. Gr. II, 260 gleichgut, Kl. schr. III, 415
wonicht, Wtb. III, 1494 den sommerlang, Myth. II,
1049 neuntagelang, März. II, 498 händevoll der grösten edelsteine, Gesch. 129 an sohnesstatt, Gr. I³, 244
ihr zugefallen, 330 zuteil wird, Reinh. LXII vollge-
freßen (aber XXXVIII dick gefreßen), Myth. II, 907
ähnlichabweichende, Wtb. I, LXIV klarwerdende,
Gr. I², VI allgemeinlogisch, Kl. schr. I, 201 ewig-
jung, Gr. I², 23 höchstwahrscheinlich, Rechtsalt. 198
unverständlichgewordenen, Pfeiff. XII, 125 wunder-
nehmen. In der zusammenstellung „den ihm nectar-
schenkenden Ganymed" (Myth. II, 1213) muste entweder
das pron. fehlen oder getrennt geschrieben werden; gleich
bedenklich ist „des gelbgefärbten und sich schwarzfär-
benden Renart" (Reinh. CCLXXIII). Eigentümlich nimmt
sich aus: „in frau Venusberg" (Myth. II, 931), „mitunter laufen" (Gr. I², 130. 174. 475), „voraus zu-
schickende, aus einandergesetzte" (Reinh. CCXXII.
CCLXIX) „des stets in den augenbehaltenen buches"
(Gesch. 2. aufl. vorr.). Bei besonderem anlaß steht Kl. schr.
III, 417 sollstu, hörstu.

Den apostroph hat Grimm gleich wenig andern gemieden (vgl. Kl. schr. I, 349). In den älteren schriften
herscht freilich noch große unsicherheit, z. b. Sag. I, 25
ich leibs nicht; — trags an den nämlichen platz, wo du's
genommen hast, 194 ich bät, ich wär, er's, 271 übern, 278
ins Teufels Namen, 292 Schnell nahm er's Heft, II, 343
bang'; Vnk XXIII ein' und dieselbe, aber XXVII ein und
dieselbe. Am weitesten überhaupt erstreckt sich die zusammenziehung des neutralen es; vgl. März. I, 476 vertats,
verschenkts, II, 181 legtens, gabens, gabs, sollts,
Gr. I², 393 schwankts, III, 94 leitets, IV, 238 mich
kümmerts, scherts viel, Wtb. I, LXIV nutzt und
schadets, Gesch. 239 nennens, Sendschr. 72 sahs, Gr.
II, 817 mans. Bei Pfeiffer II, 478 steht: eins wies andere, einem briefe (das. N. reihe 1868 s. 379) entnommen sogar: comm. zun Nibelungen, März. II, 323 aufn
herbst. Der mehrzahl aller schreibenden, auch derjenigen
welche dem apostroph eigentlich wenig geneigt sind, haupt-

sorge ist es den genitiv der eigennamen auf *s**) durch diesen haken kenntlich zu machen; man vergleiche dagegen
Innenstr. 62 Hermes dem boten Zeus, Gr. I², XVI Iunius
abschrift, 45 Ulphilas rechtfertigung, Myth. I, XXI Isis
suevisches schiff, Vuk VIII außerhalb Methodius bezirk,
Rechtsalt. 424 Tacitus richtiger blick, 427 Tacitus worten, Müllers Askania I, 156 zu Christus geburt, Kl. schr.
II, 316 von Eros erzeugung, an Alkibiades seite.

Große anfangsbuchstaben, deutsche und lateinische schrift.

Der hauptgrund, daß Grimm so lange zeit hindurch,
neulich etwa seit der 2. ausg. der gramm. vom j. 1822**),
an der verwerfung der majuskel für die substantive sowie
der eckigen sogenannt deutschen schrift mit ununterbroche-
ner, sonst fast nirgends bemerkbarer konsequenz festgehalten
hat, liegt in der deutlichsten erkenntnis des wahren ursprunges sowol als der großen nachteile beider schlimmen entar-
tungen, deren wesentlichen zusammenhang er nicht bezweifelt
(vgl. Wtb. I, LIV); sodann aber scheint ihn auch die richtige überzeugung begleitet zu haben, daß er gegen dieser
art erneuerung und verbeßerung am wenigsten widerspruch
zu erwarten haben werde.

Unterdessen weicht Grimm von der durch ihn selbst
(Gr. I³, 27) festgestellten regel, daß der große buchstab nur
dazu diene den beginn der sätze und reihen dann aber
eigennamen hervorzuheben, vielfältig in eigener schreibung
ab. Lange nicht alle sätze, obgleich ihnen ein punkt vor-

---

*) auch *ß* und *z*, zumal in neueren namen. In mehr als einer
hinsicht fällt der gen. Dieze's vom nom. Diez auf (Leips. l. z. 1822
s. 2163).

**) Zu den bei Pfeiffer XI h. 3 veröffentlichten briefen Grimms an
Hoffmann v. F. wird bemerkt, daß mit annahme eines vom 10. juli
1822 seit nov. 1821 alle briefe lateinische schrift tragen, deutsche habe
noch der vom febr. 1821, vom 1. jan. 1822 datiere der erste brief mit
der lateinischen minuskel. Im jahre 1816 (Heidelb. jahrb. s. 1092)
sprach sich Grimm noch ausdrücklich gegen lat. schrift für deutsche
sprache aus; die erste ausg. der gramm. (1819) zeigt die deutschen
buchstaben mit der minuskel auch in englischen und anderen fremden wörtern.

ausgeht, läßt er mit der majuskel anfangen. Namentlich im
wörterbuche überwiegt innerhalb der durch absätze begrenz-
ten rede die minuskel. Zum beisp. in dem abschnitt der
vorrede, welcher von großen buchstaben handelt (I, LIII),
schließen sich an den ersten satz („Alle schrift" u. s. w.)
bis zum nächsten absatz sieben andere durch punkte von
einander getrennte sätze an, welche sämtlich mit der minuskel beginnen; in der zunächst folgenden rede haben drei
zu anfang den kleinen buchstab, und nur der letzte ist
durch den großen ausgezeichnet. Selbst nach einem absatze
wagt es Grimm bisweilen die minuskel zu zeigen: im vor-
bericht des IV. bandes der weistümer vom letzten jahre
seines lebens steht sie sogar nach allen absätzen. Anmerkungen unterhalb des textes*) beginnen bald mit dem großen,
bald mit dem kleinen buchstab: der große findet sich z. b.
regelmäßig Gr. I², während Gr. II der kleine bei weitem
überwiegt; in den sehr seltenen fällen des wörterbuchs
scheint nur der kleine aufzutreten. Zu anfang der reihen
pflegt sich Grimm der majuskel großenteils zu enthalten;
nicht einmal in der ersten steht sie immer, im wörterbuche,
wo doch bei anführungen aus der poesie deutlich abgesetzt
wird, durchweg nicht.

Die überall herschende, im allgemeinen zum verständ-
nisse notwendige vorschrift, daß eigennamen mit der majuskel versehen werden, findet sich in Grimms schriften nicht
immer befolgt, namentlich da nicht, wo der name als teil
der sprache gelten soll und in grammatischer hinsicht betrachtet wird, aber auch bisweilen in dem gewöhnlichen falle
der bloßen nennung. So steht Gr. I², XIV hildebrand
(das ahd. ged.), 29 reginhart, meginhart, reinhart,
meinhart (lautlich genommen), II, 219 flußvogel, der auf
der elbe, slav. labo wohnt, 269 ems, ens, etsch (als ableitungen aufgeführt), 819 Casp. von der rön (dag. III, 235
Casp. v. d. Rön), III, 385 rhein, main, rhone, po,
neckar, lech, inn, donau, Rechtsalt. 342 namen wie
windischmann, fuldischmann, Gesch. 164 fg. Reinh.
LXXIX alpen, Haupt VIII, 8 fluß wipper; ja in dem

---

*) abgerechnet diejenigen, deren konstruktion in den text greift
und daher viel leichter mit der minuskel anfangen kann.

abschnitt von ihrer deklination (Gr. I²) haben die eigennamen samt und sonders die minuskel. Auch außerhalb
grammatischer erörterung begreift sich der kleine buchstab
in benedictiner, eistercienser Reinh. C; vgl. benedictinerklöster CI, aber Benedictinerabtei LXXXI.
Mehr vereinzelt begegnet Gesch. 110. 113 und 2. ausg. 78.
80 europa, 829 peloponnesos, Kl. schr. II, 347 west-
fale. Im gegensatze zu dieser minuskel in eigennamen
nimmt man dann und wann in gewöhnlichen substantiven
den großen anfangsbuchstab wahr, z. b. Gr. I², V. Kl. schr.
I, 29. 181. 182 Gott, Kl. schr. II, 59 Heiden und Chri-
sten, III, 3 Muse, Pfeiffer XII, 121 Personal, 383 der
letzte Tag im jahr, Reinh. CXXXII Reise, Abh. d. ak. 1845
s. 194 im Norden; Kl. schr. III, 219 u. 290 (Jorn. 45 u. 55)
wechseln Ostsee und ostsee. Zusammensetzungen mit dem
eigennamen als erstem gliede haben fast durchweg die majuskel, z. b. Zionswächter, Hermannsschlacht, Schil-
lerfest, Schweizersagen Kl. schr. I, 214. 381. 398. II,
74, Rheinab I, 374, Proteusähnliche sagen Myth. I,
405, ferner Sundzoll, Oster und Johannisfeuer Kl.
schr. I, 81. II, 221, sogar Nordleute II, 96; dagegen vgl.
slavenvolk Kl. schr. II, 56, beduinenstämme 383,
schweizerchroniken Gr. I², XI, schweizermundart,
schweizervolkssprache 430, benedictinerklöster
vorhin. Auf ein ähnliches übergewicht des ersten gliedes
sind in älteren büchern Grimms, welche noch deutsche schrift
und große anfangsbuchstaben enthalten, folgende schreibungen zurückzuführen: dieser Geist- und Wahrheit-
losen Manier Irmenstr. 41, sowol Gift- als Feuerspeiend
Edda 190, eine Fingersbicke Haut Sag. I, 165, mit
zwölfpfennige Nägeln Ir. elf. 19. Für die in erörterungen
über lautverhältnisse überaus häufigen zusammensetzungen
mit dem bloßen buchstab bedient sich Grimm, und zwar
am liebsten ohne bindestrich, bald des großen bald des kleinen buchstabs, z. b. Abb. d. ak. 1845 s. 189 Klaut, Gesch.
863 dem Alaut einen I oder Ulaut vorherzuschicken, 2. aufl.
207 n. 2 Vlaut, Wtb. II, 598 Banlaute, Gesch. 844 U-
reihe, Areihe, Ireihe, 917 Aflexion, 919 Iableitung,
Gr. IV, 509 Ndeclination; Gr. I³, 544 alant, 565
êlant, Wtb. II, 610 chanlaute, III, 1 claute, ilaut.

Wird gleich in einigen dieser beispiele der augenblicklichen
verlegenheit des unvorbereiteten lesers durch verschiedenheit
des druckes innerhalb der zusammensetzung abgeholfen, so
geschieht dies eben bei andern nicht, und diese sind es auch
vorzüglich, welche den anstoß bereiten können, namentlich
im falle der minuskel (vgl. claute, ilaut im wörterb.).
Daneben läuft nun auch der buchstab getrennt einher, z. b.
Abh. d. ak. 1845 s. 188 G formen, 189. 206 K laut, Kl.
schr. III, 101 L form, R form; Wtb. III, 1039 ë laut,
i laut, 1210. 1211 f anlaute, Kl. schr. II, 434 aus der
u reihe in die i reihe.

Den nicht allein von geographischen sondern auch von
personennamen gebildeten adjektiven auf -isch weist Grimm
die minuskel zu, wogegen den von ortsnamen abgeleiteten
formen auf -er, welche adjektivischen schein und wert
haben, die majuskel verliehen wird (vgl. Ber. d. ak. 1849
s. 243. Haupt II, 192). Demzufolge wird Kl. schr. II, 356
unterschieden: aus rheinbairischen und Elsäßer urk.
Obgleich die von namen der länder und örter stammenden
adjektive ziemlich allgemein klein geschrieben zu werden
pflegen, so hat doch Grimm zu zeiten auch den großen buchstab gesetzt, z. b. Vuk I Krainisch, 1 Serbisch (XXIII
serbisch), Gramm. I¹, 106 Alt=Englisch *), Savigny II,
61 Römisch, ferner Kl. schr. I, 17 Berlinisch, 65 Italienisch, II, 34 Osnabrückisch, Abh. d. ak. 1858 s.
80 Gotländisch. Bei substantivischer geltung der neutral-
form findet sich die majuskel häufiger; vgl. Kl. schr. II,
208 im Braunschweigischen, Haupt VIII, 545 vom
Trierischen und Mainzischen aus. Daß den von personennamen abgeleiteten formen von Grimm in älterer zeit
der große buchstab gegeben wurde, stimmt zu den verhältnissen, z. b. Vuk IV den Vaterschen Aufsatz, Savigny I,
332 die Carolingische Zeit, Gött. anz. 1823 s. 3 Thorstelinisch (ebenda und s. 4 thorstelinisch). Auch später
noch, was sich ungeachtet der fortlaufenden regel unstreitig
sehr leicht begreift, begegnet dann und wann die majuskel,
z. b. Ber. d. ak. 1854 s. 697 der Stielerschen vorrede,

---

*) ein wie vielfacher, im ersten augenblicke kaum übersehbarer
abstand von altenglisch!

5*

Pfeiffer XII, 115 des Fischartschen gedichts, 384 der
Hauptischen zeitschrift, Rechtsalt. vorr. VI von Möser-
schem feinen tact, Kl. schr. I, 6 die Bodmersche ausgabe, 174 des Ziemannischen wörterbuches (Pfeiff. XII,
120 der ziemannischen arbeit). Dennoch rührt Grimms
verwendung der minuskel für diese adjektive schon aus seiner ersten periode; ausgedehnt tritt sie z. b. in Savignys
zeitschr. III (v. j. 1817) entgegen, wo ein nicht langer aufsatz folgende beispiele hat: die erichifche Arbeit, des
chriſtophoriſchen Rechts, der obiniſchen Geſetzgebung, der
hatoniſchen Geſetze, dem magnutiſchen Buch, jene pfiſte=
riſche Auslegung. An solchen ziemlich ungewöhnlichen beispielen sieht man, daß rücksichten auf allgemeinen ruhm
des namens oder auf verhältnisse des wolklanges nicht in
betracht kommen*); ähnlicher art sind aus späterer zeit:
Krit. bibl. 1819 s. 1026 der hegewischischen auslegung,
Gesch. X das wirthische buch, Gr. I², XVII dem maji-
schen specimen, Reinh. CXVIII meonsche ausgaben, Myth.
I, 150 ein wuotanisches geschäft, Kl. schr. I, 83 ein juni-
nsisches alter, II, 155 der zeuszischen grammatik,
III, 146 die wrightische samlung, 210 des decebali-
schen reichs, Wtb. I, LXV des frischischen und ade-
lungischen wörterbuchs, 1815 die sartoriussche bibel,
Gött. anz. 1863 s. 1367 einer strikerischen fabel. Bei
der substantivform kommen schwankungen vor, die sich nicht
ganz auf verschiedenheit der zeiten zurückführen laßen.
So steht Sag. II, 312 Thüringer Hof, aber 245 braun=
ſchweiger Laub, Gr. I¹, LV Galler Cober, aber XLVII
venediger Samlung und XLVIII toleder Concil; später
begegnet z. b. Gr. II, VI in würzburger (münchner?)
sangaller und mailänder handschriften, Rechtsalt. vorr.
X das mainzer, trierer, cölner gebiet, 160 wartbur-
ger krieg, 756 cölner neben Jülicher, Zeitschr. f. hess.
gesch. II, 137 marburger wochenblatt, 145 schaumburger
urkunde, Pfeiffer XII, 119 den münchner Roth, Reinh. LIX
berliner hs., LXXXVI rheimser bischofstuhl, dorniker

---

*) Es ist bekannt, aus welchem schwachen grunde fast überall von
der gewohnheitsregel mit schreibungen wie homerisch, lutherisch,
moſaisch, platonisch abgewichen wird.

Anselm. Uebertragung der majuskel auf die anredewörter Sie, Ihnen u. s. w. ist auch Grimms brauch. In grammatischen und historischen untersuchungen über diese wörter, wo wenn auch nicht das verständnis unberücksichtigt so doch die höflichkeit außenvor bleiben kann, genügt ihm indessen die minuskel, welche z. b. Gr. IV, 309 fg. und Kl. schr. III, 250 (üb. d. personenwechsel) durchweg herscht.

Wenn es anerkennung verdient, daß herausgeber von büchern und zeitschriften, welche deutscher schrift und großer anfangsbuchstaben pflegen, die ihnen von Grimm mitgeteilten aufsätze oder vorreden in dem gewande, welches er ihnen verliehen, gelaßen haben (vgl. Theol. stud. u. krit., Zeitschr. f. hess. gesch., Candidus d. Christus, Volksmärch. d. Serben, Thomas oberhof), so erscheint es auf den ersten blick beinahe verletzend, daß er grade für die letzte fertig veröffentlichte arbeit seines lebens, eine rezension in den Gött. anz. v. j. 1863, sich die verhaßte schrift, wofern sie ihm noch zu gesicht gekommen ist, hat gefallen laßen müßen.

Obgleich Grimm, worüber man sich aus mehreren gründen wundern darf, zu den nachteilen, welche nach Gr. 1³, 27 anm. Wtb. 1, LIII mit der deutschen schrift verbunden sind, auch den rechnet, daß ihr die accente entgehen; so hat er doch in der lateinischen schrift außer für die bequemlichkeit seiner grammatischen aufstellungen (vgl. Gr. 1², 519) nur in einem einzigen falle der fortlaufenden rede und zwar erst seit den letzten jahren sich eines accents selbst bedient, nemlich im anlaut des zahlwortes ein, also éin. Mit dieser bevorzugung, welche von einem schriftsteller, dem neutralität der schrift so hoch steht, der in vielen im ersten augenblicke weit bedenklicheren fällen dem leser das verständnis anheimgibt, keineswegs erwartet werden durfte, sich zu befreunden schafft nicht geringe mühe, zumal da die grenze des unterschiedes, weil außer dem artikel auch das pronomen im spiel ist, vielfältig schwer bestimmbar scheint.

Flexion.

Die folgenden abschnitte werden nacheinander dasjenige vorführen, was hinsichtlich der flexionsverhältnisse des substantivs, adjektivs, zahlworts, pronomens und verbs in Grimms sprache der beachtung wert erscheint; beim substantiv wird zugleich das geschlecht, mit dem nicht selten die deklinationsform zusammenhängt, berücksichtigt werden, beim adjektiv die komparation.

Deklination der substantive.

Obgleich die form des nominativs im singular an sich nicht in die wortbiegung sondern in die wortbildung gehört, so scheint es doch angemeßen zu sein, diejenigen formen, welche schwankungen des gebrauches unterworfen sind, schon bei der deklination vorzuführen, weil durch den zusammenhang der kasus eine beßere übersicht gewonnen werden kann, in mehreren fällen auch die abhängigkeit vom nominativ sich in besonderer weise herausstellt.

1. Singular. a. Nominativ. Hier kommt vornemlich in betracht, daß Grimm denjenigen männlichen substantiven, die anstatt auf -e, wie es die eigentliche regel erfordert, heute weit überwiegend auf -en auszulauten pflegen, jene alte endung zu retten bemüht ist (vgl. Gesch. 949. Wtb. II, 613). Zwar gelten glaube, haufe, name, same, friede auch dem gewählteren bedürfnis der gegenwart als die richtigeren formen, allein selbst bei Grimm begegnen teils in der älteren teils noch in späterer zeit ebenfalls die nominative glauben (Arm. II. 159. 182. Myth. II, 1119. Edda), haufen (Sag. II, 121. Myth. 593. 617. Gr. III, 473. IV, 722. Wtb. I, 1161), namen (Arm. II. 187. Myth. 630. Gr. II, 377. Edda), samen (Gr. III, 413), frieden, ursprünglich stark, wol nur ausnahmsweise in den Sagen*). Ist es daher nicht zu verwundern, daß von ihm auch die heute allgemein herschenden formen brunnen, gaumen, magen, nachen, riemen, rücken, schaden u. a. m.

---

*) Diese haben (I, 195) sogar den nom. gedanken (mhd. gedanc).

gebraucht werden, so verdient dagegen um so größere auf-
merksamkeit, daß er vorzüglich in der späteren zeit und
namentlich im wörterbuche die alte echte endung vor augen
führt, z. b. balle Wtb. III, 1331, balke Pfeiff. III, 5.
Myth. 102, boge Pfeiff. III, 3, brate Wtb. II, 309, brocke
II, 393, brunne Myth. 333. 551. Wtb. II, 433, daume
Rechtsalt. 142. Myth. 108. Gesch. 44, fetze Wtb. III, 1741,
flecke Kl. schr. III, 251, galge Rechtsalt. 683, garte
Wtb: IV, 230, grabe II, 234, hake II, 298, hopfe
Rechtsalt. 360. Wtb. II, 121, huste Kl. schr. II, 145, karre
Wtb. III, 1890, kaste II, 186, knote Ged. d. mitt. 32.
Kl. schr. I, 380. II, 159, kuche Wtb. III, 1707, lappe II,
109. III, 1722. 1741, lumpe III, 1722, mage III, 189.
1469, nacke Gr. II, 402. Kl. schr. I, 379, pfoste Wtb.
II, 364, rahme III, 1899, rieme Rechtsalt. 832. Gr. III,
456, rücke Myth. 321. Wtb. II, 376, schade Gr. III, 486.
IV, 311, schatte Wtb. III, 780, schinke III, 1544,
schlacke Kl. schr. II, 315, stapfe Gr. IV, 202, streife
Wtb. I, 164, strieme II, 193, tropfe Gr. II, 1015. III,
149. Myth. 540. Wtb. II, 172, weize Rechtsalt. 672. Gr.
I³, 223, zapfe Andr. u. El. 130. Wtb. III, 212. — Wie
überall wechseln hirte und hirt, z. b. Gesch. 22 u. 29;
stirne (Gesch. 570. 571. Wtb. III, 1505) war schon mhd.,
selten stirn, das heute überwiegt; aber türe (Rechtsalt.
665. 666. Gr. I³, 405), bei manchen besonders in mündlicher
rede beliebt, entfernt sich unnötig von dem mhd. tür. Vor-
trefflich ist die kurze bildung Lothring Sendschr. 65,
Fläming Reinh. CLI. CLXII; vgl. mhd. Dürinc, nhd.
Thüringer. Die unübliche verlängerung vorfahre (Wtb.
III, 486) stimmt nicht zu mhd. vorvar, wol aber zu nach-
komme; gespiel (Edda 9) dagegen erinnert ans mhd.
Zwischen buchstab und buchstabe findet die bekannte
schwankung statt (vgl. Wtb. II, 479), doch bedient sich
Grimm jener an sich ursprünglich richtigeren form viel
häufiger und mit größerer entschiedenheit als die meisten
andern schriftsteller; ja in der schrift „D. beid. alt. d. ged."
wird die s. 39 zweimal gesetzte form buchstabe in das
verzeichnis der druckfehler und verbeßerungen gestellt.
Von den zusammengesetzten formen gelenke, gespräche
u. a., welche der alten regel genauer entsprechen als die

gebräuchlicheren kürzungen, wird bei der wortbildung gehandelt werden.

b. Genitiv. Dem vorhin nachgewiesenen nominativ
auf -e folgt der genitiv auf -en (statt der üblichen endung
-ens) in balken Wtb. I, 1090, bogen Sag. I, 188, brunnen Myth. 460, daumen Gött. anz. 1832 s. 1196. Rechtsalt.
707, heldennamen Jornand. 50 (Kl. schr. III, 225),
roggen Wigands archiv II, 65, weizen Sag. I, 322. Die
schwache form herzogen (Gött. anz. 1837 s. 867) für .her-
zogs greift ebenfalls in die alte sprache zurück; nachbars
und nachbarn (Myth. 606 u. 617) schwanken in allgemein
bekanntem umfange. Es begegnen die drei flexionsformen
buchstabs (Gr. III, 497. 5 9), buchstaben (Gr. I², 515)
und buchstabens (Gr. I³, 54. 439), desgleichen felses
(Wtb. III, 1500. 1503. 1849), felsens (Myth. 307. 575) und
felsen (Wtb. III, 1501). Von dem alten nom. raben
bildet sich der richtige gen. rabens Edda 210 (vgl. Gesch.
949), sonderbar dagegen lautet es Reinh. CCLXVII: „des
hasens". Die endung -en der schwachen weiblichen dekl.
kommt dann und wann vor, z. b. schlangen Sag. II, 131,
frauen Rechtsalt. 917. Myth. I, 385. Sag. 1 und II. Sehr
auffallend bei deutschen gattungsnamen, wenn auch artikel
oder pronomen den kasus bestimmt, entbehrt der genitiv
bisweilen des kennzeichens der starken männlichen dekl.
und wird dadurch dem nominativ' gleich, z. b. rochen
(Märch. II, 186), seil (Myth. 228), sonnenwagen (Irmenstr. 21), kaum minder ungewöhnlich bei den eingebür-
gerten fremdwörtern abenteuer (Reinh. XCIX), bischof
(Sag. I, 47. 106), opfer (Kl. schr. II, 462), während „des
accent" (Lat. ged. XXXVIII) zu lesen nicht übersehen
darf*); in der verbindung: „des könig Artus milde" (W.
Müllers Askania I, 154) hat die flexionslosigkeit vielleicht
einen besonderen grund. — Muß es gleich im allgemeinen
dem richtigen ermeßen des schriftstellers überlaßen bleiben,
wann das dem -s vorhergehende e auszustoßen sei, wann
nicht; so scheinen doch, zumal für den prosaischen stil,
einige bestimmungen und vorschriften zu gunsten des wolklanges bedürfnis zu sein und auszureichen. Diesen gemäß
haftet eine gewisse härte an den formen grabs Myth. 539,

*) vielweniger als umgekehrt „des facsimiles" (Ber. d. ak. 1854 s. 529).

leibs Gr. III, 452. Myth. 305. Urspr. 19, weibs Myth.
455, eids Rechtsalt. 862, tods Myth. 453, gelds Rechtsalt.
851, bilds Myth. 430, schilds Rechtsalt. 851, lands*)
Gr. I³, 19. IV, 736, kinds Rechtsalt. 735, rinds Myth.
384, winds 361, monds 404, hunds Rechtsalt. 669,
pferds Myth. 30. 378, dings 420, topfs Gr. III, 457,
zopfs Rechtsalt. 898, kampfs Myth. 235. Rechtsalt. 929,
haupts Gr. III, 399, geists Reinh. F. vorr. 2, moats
XV, pabsts Kl. schr. III, 69, fests Myth. 337. Mit
„grunds und bodens" wechselt Rechtsalt. 527. 867 „grund
und bodens".

c. Dativ. Zunächst treten hervor die flexionslosen formen fels Myth. 315. 682, held Myth. 324. Wtb. III, 1219.
Gött. anz. 1863 s. 653**), herz Edda 51. Reinh. CCLXI.
Pfeiff. XII, 120***). Kl. schr. I, 157. III, 175, minder ungewöhnlich genoß Kl. schr. I, 376, gesell III, 421, unter
fremdwörtern comet Myth. 213, patriarch 539, student
Kl. schr. I, 237, philosoph 386. Dagegen zeigt sich wiederum die schwache form herzogen (Sag. II, 124. 241 fg.);
umgekehrt heißt es nach der organisch starken flexion Kl.
schr. I, 386: „zu beseligendem friede". In übereinstimmung mit den beiden vorhergehenden kasus wechseln buchstab (Gr. I², 12. I³, 217. III, 69) und buchstaben (Gr.
II, 77. 392. Andr. u. El. 167. Gesch. 379). Der dativ
frauen begegnet ziemlich oft, zumal in den märchen und
sagen, sowie im Reinh. F. Unüblich bei adjektiven auf -isch
lautet es ohne flexion Gr. III, 518. Gesch. 1033 substantivisch: im hochdeutsch, Gr. I², 79. I³, 8 im neuhoch-
deutsch, I², 115. I³, 8 im mittelhochdeutsch, I², 111
im niederdeutsch. — Weglaßung des flexivischen -e verdient kaum angemerkt zu werden, da hier die freiheit
sich überaus weit erstreckt; doch scheinen dem gebrauche,
dessen hauptstütze wie beim genitiv der wolklang ist, beispiele
folgender art vielleicht wenig zu entsprechen: dem kind
Myth. 508, im grund 252, im land 232, zu stand 317.

---

*) vgl. dag. Gr. I², 3. Rechtsalt. 371 das ungebräuchliche
„Deutschlandes".

**) „die sich an einen helden knüpften, oder von dem held aus-
giengen".

***) „die mir am herz liegen", briefl. v. J. 1854.

d. Accusativ. Ohne flexion steht fels Myth. 313, bursch 450, mensch 202. I, 357, kaufherr Altd. w. I, 84, graf Meisterg. 23, fürst Gr. IV, 956. Kl. schr. III, 225, prophet Myth. 469. Schwanken hat statt zwischen bär und bären (beide Reinh. CLVIII), held (Gesch. 793. Kl. schr. III, 225. Myth. I, 326. 524) und helden (Myth. 212. I, 316), hirt u. hirten (Gesch. 17 u. 21), wiederum zwischen buchstab (Gr. I², 3. I³, 164. III, 609. Andr. u. El. 169) und buchstaben (Gr. I³, 49. III, 558. Andr. u. El. 170). Häufig kommt der acc. friede vor, z. b. Sag. II, 110. 139. Askania I, 155. Gesch. 164. Kl. schr. I, 393. II, 316. 328. Myth. I, 425; die form herzogen (Sag. II, 241 fg. Weist. III, 686) past zum gen. und dat. Der schwachen dekl. folgt der acc. ahnen (Urspr. 30. Gesch. 713. 782); ungebräuchlich dagegen, aber belehrend heißt es März. I, 152 „einen armen tropfen“, Wtb. I, 513 „einen nerven“. In der form des femin. metten (Sag. II, 89. 249) ist das n nicht flexivisch, sondern zeichen der erhaltung des älteren mhd. wortes (aus matutina).

2. Plural. Nächste beachtung verdienen diejenigen formen, welche genau zu der alten sprache stimmen, von der gegenwärtigen mehr oder weniger sich entfernen, wie elbe (elfen) Ber. d. ak. 1851 s. 102. Kl. schr. II, 321. Wtb. I, 200 (vgl. III, 400), ende Edda 59. D. beid. alt. d. ged. 29. Myth. II, 525, geiste Sag. I, 345, gliedmaße Reinh. I, herzogen Abh. d. ak. 1858 s. 55. Kl. schr. III, 377 (herzöge I, 68. II, 340), hufe Myth. 277. 531, ritze (vom masc. ritz Sag. I, 2; vgl. Gr. III, 497) Wtb. I, 1755, staren Lat. ged. XV, Thüringe (Düringe) Kl. schr. II, 258, weißagen Urspr. 25, welfe Myth. I, 361, würme Gr. II, 61. Myth. 253. Von bucht, das in älterer sprache nicht vorhanden ist, bildet Grimm den plur. buchte Kl. schr. II, 87, von dem ebenfalls später entstandenen bursch, bursche teils bursche (Myth. 35. 352. 523. I, 143) teils das üblichere burschen*). Der plur. ehle (Sag. I, 46) scheint sich nicht sowol auf die früher allerdings starke form des wortes elle zu gründen, als vielmehr den bei maßbestimmungen bekannten mangel der flexion zu bezeichnen.

*) Bursche stimmt zum sing. bursch, burschen zum sing. bursche.

Anstatt der heute überwiegenden formen betten, hemden begegnen die ursprünglich allein richtigen bette (Myth. I, 307. Kl. schr. I, 166. Wtb. III, 1395), hemde (Myth. 240. 242. I, 401. II, 1049), sodann bisweilen die erweiterten plurale better (Wtb. I, 1722. 1734), hemder (Gr. I², 702). Von schild und schwert bleiben die alten formen schilde (Altd. w. I, 142. Reinh. LXXXVII), schwerte (Gr. IV, 335. 641. Myth. 315. 693. Rechtsalt. 772. Haupt IV, 507), oder es tritt erweiterung ein: schilder (Altd. w. I, 141. Myth. 236), schwerter (Gr. IV, 407. 408. 752. Myth. 193. 222). In den weistümern wechseln stifte und stifter häufig; der plur. augenliede (Wtb. I, 806) entfernt sich von der heute gangbaren, schon im mhd. bekannten form (vgl. Wtb. I, 788). Neben säue (Gr. I², 701) ist sauen (Wtb. I, 103. 903) nicht ganz gleich berechtigt; neben dem ursprünglichen plural sporn (Altd. w. I, 151. Gr. IV, 642) liest man sporen (Altd. w. I, 150) und spornen (Gr. I², 704. Wtb. I, 466. 467); lebern, trebern begegnen Reinh. XV. LX. Die umlautsform lüehse, welche Lat. ged. 298 angetroffen wird, soll nach Gr. I², 696 nur volksdialektisch sein, wird auch von anderen seiten gemisbilligt; jedoch kommt mhd. lühse vor. Ueberwiegend gilt der plur. dörner, sehr oft zu finden namentlich in der abb. üb. d. verbrennen der leichen (Kl. schr. II), auch im wörterb.; die märch. wechseln mit dornen, und Myth. 411 heißt es „last dörner", schon 412 aber „bürde dornen". Ungefähr gleich sind denkmale und denkmäler verteilt: jener plural tritt insbesondere Gr. I³ entgegen, z. b. XII. 11. 55. 81. 89. 122. 263. 409, ebenso Gesch. 680. Andr. u. El. LII. Myth. 5. 405. Urspr. 6. 47. Gr. II, 411. III, VII. IV, 514; der andre zeigt sich vorzugsweise in der Myth., z. b. 6. 33. 88. 93. 110. 147. 167. 174. 181. 189. 201. 228. 298, ferner Gesch. 689. Andr. u. El. LVII. Urspr. 8. 55. Gr. I³, XVI. 15. III, 16. 17. 21. Gastmale und gastmäler wechseln Myth. 449 u. 696, mäler (am körper) steht Hermes 1819, II, 32 (Kl. schr. I, 409). Bei faden und fäden ist daran zu erinnern, daß jene form nicht allein vom mhd. her, welches hier den umlaut nicht duldete, sondern auch mit bezug auf die jetzige sprachgewohnheit für die richtigere gelten muß; faden begegnet Altd. w. I, 193. Gesch. 211.

480. 509. 604. Myth. 237. 414. 454. 598. Kl. schr. I, 170.
Wtb. I, II. LXIII. II, 519. III, 448. 1232. 1234, fäden
Rechtsalt. 183. Myth. 230. Kl. schr. I, 336. Wtb. I, XL.
III, 227. 1231. 1234. 1235. In der beobachtung der
auch an sich vorzüglicheren pluralformen bogon (s. Wtb.
II, 218), bote (Kl. schr. I, 92), missionare (Vuk IV.
Theol. stud. u. krit. 1839 s. 750. Wtb. I, X), verluste
(Urspr. 52. Reinh. XVI. Wtb. I, IV) trifft Grimm mit dem
heutigen beßeren gebrauche zusammen; mehr oder minder
ungeläufig und zum teil an sich ungerechtfertigt sind dagegen: Rechtsalt. 203 ärme (nach Gr. I², 696 volksdialektisch), Meisterg. 11 plane, Myth. XIX schälken, Kl.
schr. I, 117 kästen (s. Wtb. V, 264), Altd. w. I, 86 reife
und banden um die tonne, aber II, 111 von riemen und
bünden, II, 145. Kl. schr. I, 300 handon, Rechtsalt. 812
statute. — Anstatt „bauern und kaufleute" findet sich
Sag. II, 135 bauleute und kaufmänner*); das. 136 liest
man „drei tag und drei nacht" (137 „sieben tage und
sieben nächte"), 347 „von mann und weiben". Für
stücke wird Sag. II, 58. 89 stücken gebraucht, Wtb. II,
274 schnitten für schnitte, beide nebenformen im täglichen leben nicht ungewöhnlich. Diese schwache statt der
starken form hat sich gleicherweise einigen adjektivsubstan-
tiven mitgeteilt, denen an sich bekanntlich beiderlei flexion
zukommt, jedoch mit beträchtlichem unterschiede des gebrauches, z. b. Wien. jahrb. 32, 238 auf christliche heiligen übertragen, Reinh. LII durch Gothen und andere fremden, Kl. schr. I, 195 dem verwandten und freunde vor-
ausgestorben sind, II, 266 neuere skandinavische gelehrten,
Sag. II, 3 wozu alle — stämme abgesandten schickten;
dazu halte man den starken genitiv bei Savigny II, 59: „in
einer sage nordamerikanischer wilder".

Von abstrakten substantiven bildet Grimm oft einen
plural, welcher der jetzigen sprache ziemlich ungeläufig zu
sein pflegt, der älteren zum teil angemeßen war, z. b. fünde
Kl. schr. I, 353, tränke Myth. II, 856, streite Meisterg.
82, die leisen kopfwehe Pfeiffer XI, 384, freundesbünde
Kl. schr. I, 237, innere aufrühre Jahrb. f. wiß. krit. 1841

*) vgl. Wtb. I, 1187 und V, 337.

s. 805, verschiedene untreuen Heidelb. jahrb. 1812 s. 51,
nach verheerenden posten Ber. d. ak. 1857 s. 155, weg-
fälle oder zutritte Schulze XV, anblicke Kl. schr. I,
116, ängste 165, anstöße (schwierigkeiten) II, 335, heim-
tücken Pfeiffer XI, 388, hauptruhen Altd. w. I, 193,
ersätze Gr. I², 146, rückkehren 822. I³, 85, wiederkehren Gött. anz. 1823 s. 7, vorhaben Kl. schr. I, 173,
verlangen 175 (vgl. Gr. III, 537), vermögen 198, eitle
unternehmen Myth. 422. Der plural ostern (Wien. jahrb.
82, 201) stimmt zu dem älteren, auch heute und zwar vorzugsweise in verbindung mit dem artikel vielfach wahrnehmbaren gebrauche; daß jedoch der sing. ausgeschloßen sei,
wie Gr. II, 134 gelehrt wird, dürfte sich erfahrungsmäßig
nicht bestätigen*). Ganz ins mittelalter zurück (vgl. Gr.
III, 420. IV, 290) greift der ausdruck „in Lombarden,
in Lamparten" Sag. II, 115. 169.

Was die flexionsverhältnisse der aus der lat. sprache
entlehnten grammatischen terminologien betrifft, so hat
Grimm, was er Gr. I¹, XXIII gewis sehr richtig bemerkt:
„Es ist deutscher zu setzen: der infinitiv, des infinitivs,
als der infinitivus, des infinitivi", nicht immer selbst beobachtet und unter den bestehenden verhältnissen unstreitig
nicht immer beobachten können. Schwankungen lateinischer
und deutscher flexion finden häufig statt, bisweilen innerhalb
einer satzverbindung, z. b. Gr. I², 1049 des imperativus,
infinitivus und der participien; II, 1003 positivus,
comparativ; III, 15·relativum, 20 relativ; I², 835
suffixum, III, 175 präfix; Vuk 25 zwei numeros,
singularis und pluralis, keinen dualis, in jedem numerus aber sieben casus: nominativ, genitiv, dativ,
accusativ, vocativ, instrumentalis und localis. Der
gen. verbi (Gr. I², 505. II, 184. 842) wechselt mit dem
gen. verbums (Gr. I², 835. III, 755), während verbs**)
gar nicht vorzukommen scheint; der dat. verbo steht
z. b. Gr. II, 69. 104. 216. Selten heißt es diphthongs
(Gr. I³, 90); gewöhnlich diphthongen, welche form
auch für dat. und acc. gilt (Gr. I², 7, 43. 105. I³, 50.

---

*) Der sing. verträgt oben den artikel nicht.
**) wie Becker und andre ausschließlich bilden.

81). Im plural wird regelmäßig verba angetroffen (nicht verben), daher auch verbis (Gr. I², 268. Wtb. I, 289); auf nomina folgt nominum (Gr. II, 935) und nominibus (Wien. jahrb. 28, 36), auf tempora ebenso temporum (Gr. I², 929); zu casus stimmt casibus (Gr. I², 614. II, 582. IV, 963), doch Gr. III, 30 steht dafür casus. Andre dative sind: modis Gr. I², 697, mutis I², 343, tenuibus Wien. jahrb. 28, 35. 41, metro Wigands archiv I, 3, 79. Deutsche endung haben: participien (Gr. I², 1049), präteriten (Gr. I¹, 618. I², 558. Urspr. 44), penultimen (Gr. I², 304), paradigmen (Vuk XL. Gr. I², 946), liquiden (Gr. I², 342), pronominen (Wtb. III. 112), substantiven (Wtb. I, 289); indessen ist hier fast überall der dativ gemeint. Ordinalia und ordinalien wechseln bei Vuk 52, ordinalien und ordinalen Gr. III, 643, possessiva u. possessiven Vuk 44; nebeneinander befinden sich Gr. I², 597 substantive, adjektive und pronomina; Gr. I¹, 548. 618 zeigt den plur. consonante, III, 149 adverbe.

Zum schluß einige worte über die deklination der eigennamen. Altertümlich klingen die genitive Gudrunens Altd. w. II, 43, Hildgundens Lat. ged. 103*); die dative Flecken Wtb. III, 1441, Göthen Kl. schr. I, 166. Wtb. I, 257, Luthern Meisterg. 130. Gr. I², XII. Wtb. I, 1120, Mereken Wtb. I, 426, Hans Sachsen Ber. d. ak. 1851 s. 100, Schillern Kl. schr. I, 393, Schmellern Wtb. III, 1452 (dag. Haupt VII, 456 dem Scherz, nicht Scherzen); die accusative Brunen (den här) Sendschr. 58, Morholten (den hund) Schlegel I, 407, Göthen Wtb. I, 257. III, 906, Heinrichen Lat. ged. 290. Sag. II, 152, Hildgunden Lat. ged. 79, Hirzeln Wtb. I, LXVII, Lachmannen Kl. schr. I, 157, Maalern Wtb. III, 1530, Otton Sag. II, 169, Reinalden Ged. d. mitt. 26, Roggen (nom. Rogge) Rechtsalt. 781, Walthern, Balduinen Reinh. LXXXV**). In nebenliegenden zeilen einer anmerk.

----

*) Weit geläufiger ist Hans Sachsens (Kl. schr. I, 105. Gr. I², XI. Haupt II, 265), Vossens (Kl. schr. I, 168. 169) und andere formen dieser art.

**) Ist der kasus anderweit, namentlich durch eine präpos. ausreichend bezeichnet, so pflegt die flexion in der regel zu unterbleiben.

begegnet Gesch. 737 dem gen. Strabons der nom. Strabo.
Daß Grimm den genitiv der eigennamen, welche auf *s* oder
einen in der aussprache verwandten laut endigen, durch kein
zeichen vom nominativ zu unterscheiden pflegt, ist s. 64
bemerkt worden. Bisweilen verdeutlicht er durch vorge-
setzten artikel, z. b. Gr. II, X des Junius alte handschrift,
Gött. anz. 1831 s. 69 des Hickes kupfertafel. Unnötig
gehäuft ist: seines Lucrezes Kl. schr. I, 162, des Mer-
curs Myth. 85.

Geschlecht der substantive.

Was der sprache Grimms in so hohem grade eigen ist,
die kühnsten und zugleich lehrreichsten rückgriffe in die
verhältnisse der vorzeit, stellt sich hinsichtlich des genus
weit weniger heraus als man erwarten sollte. Zwar begegnen
mancherlei zu der alten regel stimmende, von dem heutigen
gebrauch abweichende fälle, wie Wtb. I, 1174 der bauer
(vogelbauer), Sag. I, 292 einen erdschollen, Kl. schr. II,
275 der polster, Märch. II, 57 die fahrgleise, Pfeiff.
XI, 387 das punkt, Sag. II, 50. Myth. I, XVII das
speer, Arm. H. 158. Myth. 273 das waffen, wozu auch
mit rücksicht auf den griech. ursprung das nectar (Myth.
I, 296) gerechnet werden mag. Allein entgegengesetzt sowol dem gebrauche der alten sprache als der heute vorherschenden gewohnheit heißt es Myth. II, 1156 der mistel,
Märch. II, 102. 185 die horniße (mhd. der hornûʒ), 128
die ziegel, Gr. II, 270 das gewähr (mhd. diu gewër),
Gr. III, 785. Myth. 452 das hehl (mhd. fem., nhd. gewöhnlich masc.), Kuhn I, 206 das lauch, Altd. mus. II,
303 das verkehr*). Bei wörtern, welche in der älteren
sprache nicht vorkommen, richtet sich Grimm nicht immer
nach der üblichen weise: er sagt z. b. Gr. I¹, XXIII. III,
562. Schulze IV der syntax, Sag. II, 105 die zwist,
Wtb. I, LIV das puder, Myth. 294 das verband (verbindung), Wtb. II, 134 das zickzack. Mehrfach finden
sich ziemlich allgemein anerkannte schwankungen, nemlich
Märch. II, 126. 128. 130. 409. Sag. I, 79. Ber. d. ak. 1857

*) Im mhd. slud die formen auf -kêr männlich, auf -kêre weiblich.

s. 147. Wtb. I, 622 das bündel (so mhd.), Märch. II, 123.
410. 469 der bündel; Wtb. I, 1044. III, 566 das euter,
Myth. II, 1115. Gr. III, 409 der euter; Sag. II, 156. Reinh.
das münster (mhd.), Sag. II, 129 der münster; Myth. I,
V das wachstum, Schulze II. Andr. u. El. V der wachstum; Gesch. 212. Wtb. I, 1583 der weihe (mhd.), Reinh.
CXXXIV. Gr. III, 361. 550 die weihe; Reinh. CCXXVI
der otter, Gr. III, 360 die otter; Wtb. II, 261 der
zierrat, II, 167. III, 223 die zierrat. Dies gilt besonders von der silbe -nis, z. b. die gelöbnis Rechtsalt. 141,
die verlöbnis 442, die versäumnis Wtb. I, XXVII,
die verständnis Gr. I², 129, die wagnis Kl. schr. III,
326; aber das befugnis Rechtsalt. 503, das verlöbnis
155. 604, das wagnis Wtb. I, 27. An fast zahllosen stellen schwankt bloß in der grammatik das geschlecht von
verderbnis: das weibliche ist zu treffen I², 612. 926.
1044. I³, 413. 509. 542. II, VII. 226. 305. 335. 356. 615.
771. 798. 860. 866. III, 35. 221. 340, das sächliche I²,
1046. 1052. I³, 140. 532. 579. II, 4. 33. 797. III, 234. IV,
460. Manchmal stehen mit solchen schwankungen bekannte
unterschiede der bedeutung in verbindung, z. b. das teil
Myth. 106, das mahllohn Wtb. I, 78; aber bei Pfeiffer
II, 380 hat das neutrale verdienst den begriff von geld-
erwerb. Die rabe ist teils provinziell (Gr. III, 550), teils
wird damit ein persönliches weibliches wesen gemeint (Märch.
I, 39. 41. II, 47). Zwischen das maß und die maße
waltet ein althergebrachter unterschied; des letzteren bedient sich Grimm mit vorliebe in adverbialausdrücken, z. b.
Gr. I¹, IV. I³, 528. IV, 218. Gött. anz. 1832 s. 261. Kl.
schr. II, 382. Märch. II, 299. Meisterg. 38. Gesch. 278,
doch wechseln „in voller maße" und „in vollem maße"
(Lat. ged. IX). Wenn das neutr. chor eine örtliche bedeutung zu haben pflegt, so ist Kl. schr. III, 294 „das chor
der nymphen", zumal da auf derselben seite „der (drama-
tische) chor" geschrieben steht, vielleicht auffallend zu
nennen; im mhd. war das wort in beiden bedeutungen
männlich. Bald heißt es richtiger das Elsaß (Gött. anz.
1863 s. 1375. Sendschr. 66. Wtb. I, LXVIII), bald minder
angemeßen aber bräuchlich der Elsaß (Ged. d. mitt. 10.
Sendschr. 64); Gesch. 641 der Chersones, 624. 726 streng-

griechisch die Chersonesus. Die stadt Rom ist Kl. schr.
III, 254 weiblich bezeichnet, der berg Ida Myth. I, 312.
1142, Oeta Kl. schr. II, 222. Dem mhd. fem. âventiure
folgt die abenteuer Altd. w. II, 148. 165. III, 104. Reinh.
XCIX. CXXIX, die abenteure Edda 123; das jetzt herschende neutrum begegnet z. b. Reinh. CIV. CXIX. Kl.
schr. I, 84 fg. Gesch. 188 (vgl. Wtb. I, 27). Bei furt
kommen alle drei geschlechter vor, das männliche Sag. II,
380, das weibliche Gr. III, 550, das sächliche Sag. II, 124;
in alter sprache war nur das erste richtig.

Flexion der adjektive.

In übereinstimmung mit dem, was von dem auswurf
eines der zwei e in der mhd. flexion der adj. auf -el und
-er Gr. I², 753 gelehrt wird, schreibt Grimm am liebsten
edeln (Myth. 101. Gr. I³, 2. Kl. schr. I, 394. Rechtsalt.
228. 230. Wtb. II, I), dunkeln (Gr. I², 441. I³, 378),
übeln (Myth. 94. Kl. schr. III, 469), teuern (Gesch. 146.
Ursp. 33), ungeheuern (Myth. II, 778), nicht so gern
edlen u. s. w.*); doch grade auf derselben seite befindet
sich Rechtsalt. 230 beides edeln und edlen, ebenso Myth.
559 ungeheuern und ungeheuren (vgl. Wtb. III, 5).
Folgerichtig hat andern bei weitem den vorzug vor an-
dren, oder herscht so gut wie allein. Beim dativ scheint
sich ein gleichmäßigerer wechsel zu zeigen, z. b. zwischen
übeln (Wtb. I, 406. 927. 961) und üblem (Wtb. I, 430.
711). Sehr häufig werden indessen beide e gewahrt, was
nur etwa bei vorhergehendem diphthong ungewöhnlich sein
mag, z. b. saure Myth. 615, ungeheure**) 275. 277.
I, 458. Da es anstatt dunkles oder dunkeles, heitres
oder heiteres für unerlaubt gelten soll dunkels, heiters
zu setzen, so verdient angemerkt zu werden, daß Grimm
neben anderes nicht sowol andres als vielmehr anders

---

*) Schleicher d. spr. 193 bezeichnet umgekehrt die form edeln als
unstatthaft.
**) vgl. beteuerung Gr. III, 603. IV, 131. 135. Sendschr. 66. 98.
Beiläufig kann auch die dem mhd. nachgeahmte form überig (März.
II, 507) hier erwähnt werden.

ZARNCKE, J. Grimms sprache.   6

zu sagen pflegt, z. b. Gr. I², 127. 440. 1³, 10. II, 129. 356.
391. 397. 524. 617. 660. 866. IV, 23. 91. 116. 133. 138;
vgl. die genitive des kompar. leichters, schwerers Kl.
schr. III, 347 je zweimal.

Eigentümlich ist die verbindung „in einem rothen
ſcharlachen Mäntlein" (Sag. I, 48), wofür es im mhd.
„scharlaches mentelîn" hieß (Gr. II, 607); schar-
lachen, heute ein nach analogie abgeleitetes adj. mit
regelmäßiger flexion, war früher bloß subst. wie schar-
lach selbst.

Bekanntlich hat der gebrauch der schwachen statt der
starken form für den gen. sing. masc. und neutr.*) des adj.
so weit um sich gegriffen, daß man sich insgemein sogar
daran gewöhnt hat ihn als die regel zu betrachten und ausnahmen beinahe auf gewisse redensartliche verbindungen zu
beschränken. Bei einer so ungebürlichen nachgiebigkeit
gegen eine an sich ungerechtfertigte abweichung von der
ursprünglichen ordnung verdient das beispiel Grimms, welcher den vorzug der einen vor der andern form gerade umzukehren geneigt ist, besonders und nachdrücklich hervorgehoben zu werden**). Die in seinen schriften vorhandenen
allerdings beträchtlichen schwankungen hangen wenig oder
gar nicht mit unterschieden der zeit zusammen, von der
allerersten vielleicht abgesehen, sondern bewegen sich, was
hier nur angedeutet werden kann, ziemlich in derselben un-
gleichmäßigkeit. Man findet z. b. bei Vuk VIII griechischen bekenntnisses, aber XXV griechisches bekenntnisses; Gr. I², 211. 246. 462 fremdes, 1032 fremden ursprungs; Myth. 317 seltsames, Gr. III, 216 genitivi-
schen ansehens; Myth I, 546 engeres, Gr. I², 226. Wtb.
I, 1204 beschränkteren umfangs; Gr. IV, 271 weiblichen, Wtb. III, 1789 nahverwandtes begriffs. Aus der
unübersehbaren menge von beispielen der starken form
dürfen mit beschränkung auf nur wenige schriften wol ein-

---

*) Die unzuläßigkeit beim fem. und beim plur. scheint die ver-
mutung nahe zu legen, daß der vermeintlich üble gleichklang der beiden s, der doch im falle des artikels und pronomens unangefochten
bleibt, die änderung veranlaßt oder begünstigt habe.

**) Ausführlichen, aber keineswegs zuverläßigen bericht über Göthes
gebrauch erstattet Lehmann § 121.

zelne, welche sich besonders geltend zu machen und dem
geschmacke einer sehr großen menge von lesern und hörern,
denen so oft das alte regelrechte steif und feierlich vorkommt, darum nur desto mehr zu widerstreben scheinen,
ausdrücklich namhaft gemacht werden: Gr. I³, VI störendes überflußes, I², 107 verhältnis älteres und jüngeres
lauts, 114 spuren esoterisches vokalwechsels, 462 fremdes ursprungs, aber völlig dunkeles, II, 835 beschränktes, enges sinnes, 987 haufen zusammengekehrtes
reisichs, IV, 270 anderes grammatisches geschlechts,
Myth. XXIV menge römischgriechisches aberglaubens,
XXIX notwendigkeit gründliches quellenstudiums, 137
götternamen dunkles oder übles ankhangs, Wtb. I, 581
geräusch kochendes, wallendes waßers, I, II williges
und beherztes entschlußes. Folgerichtig heißt es Gr. I²,
531 statt kurzes e, 542 statt org. kurzes u; so sprechen
auch viele, meinen aber großenteils den accusativ, nicht
den genitiv.

Von der regel, daß nach dem gen. plur. der unbestimmten zahlwörter die schwache form des adj. zu setzen
sei, z. b. anderer deutschen einrichtungen (Meisterges.
10), einiger literarischen beweisstellen (16), mancher
deutschen fürsten (21), einzelner germanischen stämme
(Gesch. 167) u. d. gl.*), entfernt sich Grimm namentlich in
älteren schriften hin und wieder; so sagt er: Gr. I¹, 622
anderer alter sprachen, Savigny II, 30 mancher — unter-
gegangener oder verhüllter rechtsbegriffe, Gr. II, 186
sämtlicher deutscher sprachen, Altd. w. I, 131 verschiedener zu Trier aufbewahrter altdeutscher gedichte. Die
uneinigkeit oder unentschiedenheit der grammatischen
lehrbücher sowol als des sonst etwa maßgebenden gebrauches,
ob auf zweier, dreier die starke oder die schwache form
des adj. folge, wird von Grimm, wie es scheint, weder durch
lehre noch durch beispiel hinreichend beseitigt. Er schreibt:
Reinh. LXXVIII zweier großer völker, CXLVIII zweier
ungenannter dichter, Urspr. 7 dreier unter sich ver-
wandter sprachen; dagegen wol schicklicher: Sag. I, 237

---

*) Angemeßen und richtig heißt es auch Gr. II 398: fühlbarer
konsonantischen ableitungen.

6*

zweier gewöhnlichen tische, Gr. I³, 285 zweier verschiednen laute, 354 zweier vollen kurzen vokale, 531
zweier kurzen silben, Gesch. 275 zweier urverwandten
sprachen. Bekanntlich herscht in theorie und praxis auch
darüber sehr viel unsicherheit, welche form ein zweites adj.,
das mit dem ohne artikel auftretenden subst. enger als das
erste zusammengehört und diesem logisch nicht eigentlich
beigeordnet ist, im dat. sing. anzunehmen habe. Bei Grimm
sind beide formen ziemlich gleichmäßig vertreten: die
schwache z. b. Gr. I², 776 mit apokopiertem stummen *e*,
951 mit letztem stummen *e*, mit vorletztem stummen *e*,
II, 7 aus älterem kurzen *u*, IV, 515 mit wegfallendem
stummen *e*, Wtb. I, 258 mit beigefügtem die folge ver-
deutlichenden *nu*, IV, 45 mit derbem pfälzischen
worte; die starke z. b. Gr. I¹, LXXIV bei unzulangendem
historischem studium, I², 981 von wegfallendem stum-
mem *e*, 1055 mit wurzelhaftem kurzem vokal, Gesch.
838 nach vorausgehendem langem vokal, 936 nach voran-
gehendem instrumentalem artikel, Wtb. I, 415 mit folgendem abhängigem satz. Wenn hier der zuerst aufgeführten weise ein höherer grad der richtigkeit zugesprochen
werden muß*), insofern auch der nhd. gebrauch einigermaßen bestimmend ins spiel tritt, so gebürt dagegen der
zweiten überall da der vorzug, wo sich eine wirkliche beiordnung der beiden adjektivischen begriffe erkennen läßt,
mag sie nach der regel durch ein zwischengesetztes komma
unterstützt oder bei unterdrückung desselben, wie die beiden für diesen zweck mit absicht erlesenen beispiele zeigen,
nicht weiter hervorgehoben werden: Gütt. anz. 1836 s. 653
mit schönem buntem gefieder, Gesch. 275 *a* wird mit
offnem vollem mund, *i* mit innerem halbem — gesprochen. Aus diesem grunde und äußerlich noch dazu
wegen des beigefügten komma bereitet die schwache flexion
des zweiten adj. an folgenden stellen einigen anstoß: Wtb.
I, 580 in ganz anderm, weltlichen sinn; III, 1262 mit
fahrigem, unstät zufahrenden wesen; 1620 von gefal-
tenem, gekneipten papier; 1632 mit grobem, rauhen
filze.

---

*) Anders lehrt mit großer entschiedenheit K. A. J. Hoffmann in
der neuesten ausf. seiner nhd. gramm. § 181.

Da im nhd. sowol der artikel, der bestimmte wie der unbestimmte, als auch sein mangel nur eine form des adj. vertragen, so laßen sich abweichungen von diesem fest-stehenden gebrauche, welche zum teil als nachahmungen älterer gewohnheit oder erlaubnis betrachtet werden können (vgl. Gr. IV, 483. 544. 554. 568. 570), als unregelmäßig bezeichnen, z. b. Ir. elf. 204 die vier und zwanzig halbe schalen; Savigny II, 74 die vorhin erläuterte gesetz-liche formeln; Wtb. I, 1192 die an bäumen aufgestellte dohnen; Gött. anz. 1836 s. 331 in einem — abweichen-dem dialekt; Kl. schr. II, 398 ein kleiner, sich an den großen asch schmiegende baum; Jornand. 36 in des drit-ten buchs fünften*) kapitel; Myth. II, 778 in deren un-geheuern umfang — eine menge besonderer stätten unter-schieden werden**). Dasselbe verhältnis stellt sich beim pronomen dar, z. b. Kl. schr. II, 15 dieser unerklärlicher pfultag, Altd. w. I, 86 jene künstliche poesien, Sag. I, 67 seine grüne zähne, Wtb. I, XXIII seine meißnische provinzialismen, Gr. I², 6 ihre lange vokale, Kl. schr. I, 398 ihre majestätische bahnen, Wtb. III, 1609 ihre ge-wisse feuerzeiten, Altd. w. III, 36 unsere erdichtete tierfabeln, Gesch. 227 unsere eigentliche vorfahren, Sa-vigny II, 85 statt solcher frischer'grausamkeit, Wien. jahrb. 28, 31 mancher anderer, Gr. I¹, 399 einjedes drei-geschlechtiges pronomen, 562 einzelnes ungewisses. Auf den plur. keine folgt bald starke bald schwache flexion, z. b. Gesch. 114 keine andre stätten (ebenso Meisterg. 65. Gr. III, 306. 370. Gött. anz. 1837 s. 873), Gr. III, 344 keine wirklichen geschlechtsverhältnisse (desgl. 124. 300). Wenn das subst. nicht danebensteht, so scheint die schwache form zu überwiegen, z. b. Gr. I³, 205 reimen, die — keine wahren klingenden sind; vielleicht aus diesem grunde***) auch beim adjektivsubst., z. b. Gesch. 150 keine kranken genasen, keine todten erwachten, Rechtsalt. 484 keine

---

*) Kl. schr. III, 209 fünftem.

**) Druckfehler anzunehmen ist weniger geraten als flüchtigkeit; vgl. ihm als bloßen treuen übersetzer (Berl. spr. u. sittenanz. 1817 s. 346*).

***) doch s. vorhin s. 76.

verwandten. Wol kaum ohne absicht heißt es Gesch.
817: „unter diesen Gothen kann man sich offenbar keine
germanischen, nur getische denken". Selten wird der
plur. viele die schwache flexion nach sich ziehn, z. b. Gr.
I², 115 viele dabei waltenden regeln. Wie bei alle bekanntlich im allgemeinen der gebrauch schwankt (vgl. Gr.
IV, 557), so auch in Grimms schriften; die starke form
wird angetroffen Gr. I¹, LXI. 647. I², 72. 119. III, 318.
Meisterg. 109. Altd. w. I, 130. II, 172. III, 98. Savigny
III, 125. Myth. 79. Wtb. I, 1205. Ber. d. ak. 1859 s. 417,
die schwache Gr. I², 139. 162. 331. II, 5. 69. 224. III,
320. Haupt VIII, 546. Ber. d. ak. 1859 s. 422. Substantivisch wiegt, wie bei keine, schwache flexion vor, z. b.
Reinh. LX alle reichen und vornehmen. Auf sämt-
liche folgt ohne übereinstimmung mit dem vorherschenden
gebrauche die schwache form Altd. w. II, 156. Gesch. 833.
Kl. schr. II, 453.

In manchen redensarten und formelhaften verbindungen
pflegt die neutrale flexion des nom. und acc. sing. abzu-
fallen, z. b. schön wetter, auf gut glück (Gr. IV, 497);
außerdem geschieht dies in prosa noch im vertraulichen
tone, sonst selten. Grimms Märch. II haben s. 210: ein
weiß täubchen, 271 ein groß waßer, 302 ein gebraten
huhn, 303 ein seltsam ding, 314 ein scharf meßer, 507
ein viel größer stück, 512 groß elend; ferner findet sich
Edda 40 glückseliger geschick, 204 ein gewöhnlich
beiwort, Wtb. I, 1125 probiert gold. Das vor einem adj.
stehende wort sogenannt läßt Grimm unverändert, z. b.
Gr. I², XVII die sogenannt keronischen glossen, 63 dem
sogenannt unwesentlichen s, 826 das sogenannt para-
gogische -d, II, 619 diese sogenannt relativen adj.; ebenso verhält sich bei Vuk VIII „die drei bekannt ältesten".
Bemerkenswert ist die kongruenz des adj. mit dem part.
prät., von dem es abhängt, in stellen wie Gr. I², 320 vor
den (von Rask weichen genannten) vokalen*), Wtb. I,
307 als zwein gedachten dingen, Gesch. 743 aus der

---

*) Zwar wird Gr. IV, 591 die konstruktion: „von dem könig Carl
genannt dem großen" als gewöhnlich bezeichnet, doch vielleicht
nach der erfahrung nicht ganz mit recht.

von Jornandes — als verschiednem namen aufgezählten form*).

Die verbindung: „alt und neues, gut und schlechtes" (Leipz. l. z. 1822 s. 2153) erinnert an viele fälle einer gleichen oder ähnlichen unterdrückung der flexion in Göthes sprache.

Komparation.

Wann in den formen des komparativs und superlativs ein *e*, entweder das ursprüngliche der positiven wortform oder das *e* der bildung, zu unterdrücken sei, darüber werden einige im ganzen unsichere vorschriften erteilt, welche sich auf das bedürfnis des wolklangs gründen. Von ihnen weicht Grimm einigermaßen ab, wenn er schreibt: kein heiterer morgen (Gr. IV, 496), mit sicherorem fuße (Wtb. I, IV), sichereren**) aufschluß (Urspr. 35), vollkommeneren (Berl. spr. u. sitt. 1817 s. 341*), verwickeltesten (Gr. I², 119), vollendeteste (Gesch. 1020. Wtb. I, XVIII), verbreiteteste (Wtb. I, XXXVII). Die umlautsformen klärer, klärste (Meisterg. 21. 42. 62. 90. Savigny II, 57. Edda 43. Gr. I¹, 613) und zärter, zärteste (Meisterg. 8. Berl. spr. u. sitt. 1817 s. 263ᵇ. Gr. I¹, XXXIV. Kl. schr. II, 93. Wtb. III, 1638) werden Gr. III, 577 der volksprache zugewiesen; geräder steht Gr. I¹, 148 (vgl. 232), ängster März. II, 40. Von dem adv. bald findet sich Altd. w. II, 156 der veraltete komp. balder, der neben belder im mhd. üblich war. Anstatt der komparativform mittlere braucht Grimm bisweilen den im mhd. gebräuchlichen positiv mittele, z. b. Gr. I¹, XVII***). Rechtsalt. 281. Wtb. II, 619. III, 1558 („im mitteln Deutschland", dag. 1581 „im mittleren D.").

---

*) vgl. Savigny III, 124: aus einem stärkeren gefühl entsprungen als dem womit —.

**) Beßer als sicheroren (Heidelb. jahrb. 1810 s. 373) ist sichrere (Wtb. I, XLVIII, 280), wofür Altd. w. II, 113 (desto) sichere gedruckt steht; Gr. I¹, 759 wird bittrerer statt des mislautenden bitterorer empfohlen. Die umschreibung ist Gött. anz. 1832 s. 505 gewählt worden: „reichere und mehr sichere ausboute".

***) „wenn das neue sich zu dem mitteln reihen konnte und das mittele dem alten die hand bot".

Adjektive, welche vermöge ihres eigentlichen begriffs unsteigerbar sind, können in übertragener bedeutung die komparation vertragen, z. b. Gr. I², 364 todtere analogie, III, 312 das neutrum — noch todter als das fem., Lat. ged. XVII todter und unausgestatteter bleibt die darstellung. Was Gr. IV, 517 über stufen von voll vorgetragen wird, erstreckt sich zugleich über manche andre adjektive; vgl. Gesch. 229 den unauflöslichsten schwierigkeiten. Auf derselben hauptgrundlage befinden sich die steigerungen diphthongischer Gr. I², 103, vokalischer 139, substantivischer II, 180, der intransitivste IV, 812; ferner deutscher Gr. I², 180. IV, 273. Reinh. XLVIII, undeutscher Gesch. 553, oberdeutscher Gr. I², 944, hochdeutscher Gesch. 1034, mittelhochdeutscher Gr. I², 670, gothischer 766, unfinnischer Kl. schr. II, 82, hochdeutscheste schreibung Gesch. 425, strenghochdeutscheste aussprache Gr. I², 582. Eigentümlich wird Heid. jahrb. 1812 s. 853 der stil im heldenbuch unwolframischer genannt. — Steigerung des partizips hat in Grimms sprache sehr großen umfang; nur im allgemeinen und verhältnismäßig ebenso auffallende oder ungewöhnliche beispiele brauchen den schon einmal*) gesammelten hier hinzugefügt zu werden: Gr. I², 592 unsicherer und abgebrochener, 960 ein betonteres ó, IV, 201 in ihrem entrückteren altertum, Kl. schr. III, 120 abliegender scheint — kositi, Wtb. I, 1176 desto gemiedener, Kl. schr. I, 59 das lachendere grün, Gr. I³, 272 dies durchgreifendere erlöschen, Gött. anz. 1828 s. 551 einer — noch eingreifenderen**) frage, Pfeiffer 1868 s. 374 der arbeitbeladenste mann. Anstatt tiefgreifendsten (Gr. II, 76), tiefeingreifendsten (Meisterg. 172) würde „tiefst greifend, eingreifend" angemeßner erscheinen; vgl. feinst zergliederten, frühst erloschenen, schönst gebildeten (Gr. II, 77. 393. 967). Ebenso verhält sich der komp. übel berüchtigter (Lat. ged. ÍX), ferner mancherlei zusammensetzungen

---

* N. jahrb. f. phil. u. päd. 1867 n. 96 s. 208.

**) formell angefochten von Götzinger d. spr. I, 794; vgl. Gr. I², 572 entscheidendere, 574 zutreffendere, dagegen III, 163 eine mehr entsprechende erklärung.

mit an- z. b. unbetonter Gr. I², 1044, unausgestatteter Lat. ged. XVII, unangerührter Heid. jahrb. 1812 s. 51, unvermischter Myth. II, 994.

Deklination der zahlwörter.

In der gehäuften verbindung „ein und derselbe" unterbleibt zuweilen die flexion des ersten wortes, z. b. Gr. III, 693 ein und dieselbe kraft, I², 547 ein und dieselbe vokalbestimmung (desgl. Vuk XXIII. XXVII), Meisterg. 111 in ein und demselben ton; ebenso verhält sich Altd. w. II, 155 der acc. „ein und den andern weitern beweis". Die zahlwörter zwei und drei flektiert Grimm nicht selten auch dann, wenn der kasus schon anderweit deutlich genug bezeichnet ist, z. b. Gr. II, 388 von zwein konsonanten, IV, 431 unter zwein subst., Wtb. I, 86 in zwein ganz abweichenden bedeutungen, 1600 einer von zwein oder drein jagdhunden, Gr. I², 387 aller dreier fälle, III, 494 in allen drein geschlechtern. Steht die zahl ohne subst., so wird die flektierte form regelmäßig gebraucht, z. b. Kl. schr. II, 230 welchen der dreie meint er? Gr. I², 578 führen sich auf siebene*) zurück; Rechtsalt. 777 aus den zwölfen wurden später auch eilfe; Kl. schr. III, 7 unter den sechzehnen; Gött. anz. 1851 s. 1748 zu dreißigen, die dreißige, der achtundzwanzige.

Unter den unbestimmten zahlwörtern bietet all einige bemerkenswerte erscheinungen. Während vor artikel und pronomen diese flexionslose form gebräuchlich ist, liest man ausnahmsweise Meisterg. 36 alles ihr maß, aber Märch. II, 506 alle das geld, welcher letztere allgemein bekannte und ziemlich verbreitete gebrauch Gr. IV, 497 und Wtb. I, 207 getadelt wird**). Ganz anders verhält sich dies alle in

---

*) Ohne triftigen grund betrachtet Becker gr. I, 303 diese zahl, die mit derselben flexion auch Märch. II, 165. 187 begegnet, als ausgeschloßen.

**) Ueber das merkwürdige prädikative all, alle in ausdrücken wie „das gold ist alle" läßt sich das wörterb. sorgfältig aus; der volkstümliche gebrauch, den Heyse (gr. I, 325) nach Adelung mit bequemlichkeit fehlerhaft und gemein nennt, findet sich Märch. I, 470. II, 50. 74. Kl. schr. I, 325.

der verbindung „bei alle dem" (Gr. I², 1080. IV, 497.
Schulze XVIII. Abh. d. ak. 1845 s. 194), wofür jedoch
lieber „bei (aus, nach) allem dem (diesem)" oder umgekehrt „bei dem (diesem) allem" eintritt (Sag. I, 195. Gr.
I¹, 559. I², 86. 225. 230. 321. I¹, 569. IV, 782. Myth. 216.
383. 483. II, 1061. Schulze IX. Wtb. I, XV). Die schwache
form allen im zweiten gliede, welche sich Gr. I¹, 606. II,
869. III, 639. I², 415 findet, wird im wörterbuch als falsch
bezeichnet; in Wigands archiv I, 3, 81 steht sogar „mit
allon diesem", Abh. d. ak. 1845 s. 190 „in allen diesem",
schwerlich beidemal verdruckt. Der plural von viel und
wenig entbehrt nicht selten der flexion, z. b. Gr. I², 776
Frideslâr und viel ähnliche, II, 349 es gibt viel masc.
dieser bildung, wenig fem.; vgl. II, 398 die abwechselung:
vielen adj. auf -al stehen wenig subst. zur seite, wenigen adj. auf -il viele subst.; es gibt wenig fem. auf
-ôd, viel masc., aber viel fem. auf -ida, wenig masc.
auf -id. Mit nachdruck muß darauf aufmerksam gemacht
werden, daß sich Grimm der einfachen form mehre, welche
von einigen statt der geminierten mehrere „affectiert" geschrieben wird (Gr. III, 610), zu jeder zeit gänzlich enthalten zu haben scheint*).

Pronomen.

Der neutrale genitiv es, welcher insgemein als so gut
wie verschollen betrachtet wird, findet sich abhängig von
einigen verbalausdrücken (es zufrieden, müde sein), worüber
in der syntax des genitivs nähere auskunft erteilt werden
wird. Den betonten nom. und acc. es pflegt man, durch
eine grundlose aufstellung sehr vieler grammatiker**) und
die derselben nachfolgende eigene angewöhnung verleitet,
angelegentlichst zu meiden und dafür ein überaus steif
klingendes, für andere zwecke geschaffenes dasselbe eintreten zu laßen. Grimm hat bewiesen, daß er an dieser

---

*) Umständlich aber vergeblich müht sich Heyse (I, 588) derselben
einen wert zuzuwenden.
**) unter neueren z. b. Götzinger d. spr. I, 398. Lehmann Göthes
spr. s. 403.

sogenannten regel, in welcher vorzüglich die unverträglich-
keit des es mit einer präposition behauptet wird, keinen
teil haben will (vgl. Wtb. III, 1117). Er schreibt Gr. IV,
565 an es, Märch. II, 168. Ir. elf. 40. Sag. 1, 100. Kl.
schr. II, 76. Gr. I², 50. 467. 592. II, 73. IV, 866. Myth.
XXIX. Wtb. II, 579 auf es, Gesch. 923. Wtb. I, XIV
durch es, März. I, 10. 75. 255. Sag. 1, 19. Savigny II,
47. Lat. ged. 294. Gr. II, 411. I³, 180. Wtb. I, LXVI. III,
93 für es, Gesch. 562. Merkel LXVII. Wtb. I, II in es,
Arm. II. 95. Gr. II, 270. IV, 213. 918 ohne es, Märch.
II, 180. Myth. 230. II, 1140 über es, Märch. II, 212 um
es. Ferner heißt es nachdrücklich Gr. II, 194. Urspr. 55.
Wtb. III, 111 auch es, Gr. III, 57 nur es, Merkel
LXXXVIII es (das buch) allein, Kl. schr. II, 362 gerade
es, Gr. I², 478 nicht es vielmehr noch a, III, 746 es und
die conj. nisi, Wtb. II, 374 es (bret) und breit, III, 1672
es und goth. fraihan.

Bemerkenswert läßt Grimm Myth. II, 1113 dem der bedeutung nach zu man gehörigen dativ einem im folgenden
satze nicht den nom. man, den wol ungefähr jeder setzen
würde*), sondern den nom. er entsprechen: „es ist die
krankheit, wobei einem schein oder nebel um das haupt
entsteht, daß er alle dinge doppelt sicht"**). Zwar um
der deutlichkeit willen, die gleichwol aus dem leichten zusammenhange sich von selbst ergibt, aber etwas unbequem
schreibt er in Schlegels mus. I, 411: „Morholt (der hund)
hielt ihn so fest gepackt, daß dessen zähne nicht aus seinem rücken heraus kamen". Treffend wird Wtb. IV, 94
der altertümliche genitiv sein selbes (sui ipsius) gewagt.
Dem märchentone gehört an: aus was ursache (Sag. II, 54),
auf was art und weise (Märch. I, 203).

Beim relativ ist anzuführen, daß Grimm sehr häufig
nach Luthers weise die genitive welches und welcher
setzt, während dem gebrauche beinahe ausschließlich die

*) vgl. Kl. schr. III, 275 „was man nicht weiß, macht einem nicht heiß".

**) Im lat. kommt es vor, daß auf einen ohne subjekt hingestellten inf. im nebensatze die dritte anstatt der zweiten person bezogen wird; vgl. Reisig vorles. cap. 197.

demonstrativformen dessen und deren gelten, z. b. Gesch.
733 unter welches nachkommen, Gr. II, 247 statt welcher
(form), Gr. I³, 35 die verba, welcher; vgl. N. lit. anz.
1807 s. 353. Vuk XII. Gr. I², 137. 172. 274. 473. 497. II,
97. III, 499. Gesch. X. 988. Wtb. I, 45. III, 459. Aber
auffallender heißt es Kl. schr. II, 217: alles, wessen, Myth.
II, 855 jedem, wer, Schlegel III, 58 derjenige — wer. In
der Edda sicht man öfters das ebenfalls aus Luthers sprache
bekannte relative so, auch Gr. I¹, 307.

Konjugation.

Obgleich die nhd. sprache in der erhaltung oder weg-
werfung des *e* vor dem *t* der präsensflexion sehr große freiheit gewährt, darf doch die wahl der einen oder der andern
form nicht geradezu von der willkür des schriftstellers bestimmt werden, sondern hat sich vornemlich nach der gattung und dem ton zu richten, in denen sich die rede er-
geht; leichter bleibt das *e* im plur. als im sing. (Gr. I²,
981). Etwas feierliches und ungewohntes haftet an den
singularformen gehet Gr. II, 175. 224, lieset 224, löset
185, passet 135, weiset 72. 195, beruhet 1. 78, erhel-
let 586, verleihet 870, verdeutschet III, 18, beher-
schet und lenket Irmenstr. 61, schwimmet Schlegel I,
393, hauset Myth. II, 796. 847, höret Wtb. III, 1704;
neben steht tritt namentlich in der grammatik stehet, begreiflich ohne allen auch den leisesten unterschied, unzähligemal auf. — Unterdrückung der silbe ge- im part. prät. einfacher verben gehört der volksprache an, z. b. kriegt
(gekriegt) März. II, 184. 219. 508. In den mit mis- zusammengesetzten verben findet dieses ge- bald vorn oder
in der mitte statt, z. b. gemisbraucht Gr. III, 214, mis-
gegriffen I¹, X. II, 179. 223, misgedeutet Wtb. I,
1810, misgeleitet Gesch. 736; bald unterbleibt es richtiger*), z. b. misbraucht Kl. schr. III, 249. Haupt VIII,
394. Wtb. III, 31. 669, mishandelt Gesch. 536. 615. Mit
offenbart und geoffenbart wird Urspr. 22 u. 29 abgewechselt, Sendschr. 70 steht gewetterleuchtet; kasus

---

*) s. Becker I, 210. Jeitteles nhd. wortbild. 89.

heißen Altd. w. 1, 174 geumlautete, 176 umgelautete
(vgl. rückumgelautet Gr. I², 224). In den weistümern
findet sich an vielen stellen teils durchgestrichen teils
durchstrichen, für übergewandert Kl. schr. III, 195
überwandert.

1. Starke form.

Den umlaut des präsens wahrt Grimm, sobald der gebrauch nicht gradezu widerstrebt, in denjenigen wörtern,
denen er von alters her gebürt, z. b. bäckt Wtb. I, 11.
826. 1065. III, 1448 (backt Myth. 139. Kl. schr. II, 94);
er meidet ihn, was bei der heute herschenden unentschiedenheit und willkür noch wichtiger und lehrreicher ist, regelmäßig bei kommen (D. beid. ült. d. ged. 18. 22 kömmt;
vgl. Altd. w. I; 177), von fragen und kaufen, die schwach
konjugieren, ganz abgesehen. Der vermischung von lädt
und ladet wird nachgegeben; zwar heißt es Gr. I², 2 und
anderswo ladet ein, aber Myth. 510. Wtb. I, 610 lädt
ein. Richtigen umlaut hat das seltene empfäht Altd. w.
II, 8, falschen das abgeleitete ratschlägt Myth. I, 312.
Nicht ohne einseitigkeit der beurteilung hat man Grimms
vorliebe für die formen laufst, lauft angegriffen; denn
1) stimmen diese ganz genau zu dem älteren verhältnis, und
2) hört man in einem großen teile von Deutschland nicht
anders sprechen. Zwar läßt Grimm oft genug und besonders im wörterbuche (vgl. I, XI. XXXVII. 8. 68. 108. 394.
820. 904. 1029. 1688. II, 178. 233. 362. III, 222*) 1795.
1796) den umlaut sehen; allein die andre form überwiegt
im ganzen so sehr, daß man des aufzeichnens und zählens
müde wird (vgl. Gr. I², 130. 183. 221. 544. 787. 847. II,
308. 438. 751. 976. III, 175. 271. 432. 764. IV, 3. 91..96.
139. 236. 246. 251. 276. 341. 381. 463. 584. 707. 789. 803.
I², 439. 531). — Die zweisilbigen nicht eben gewöhnlichen
bildungen giltest (Schlegel I, 402), brätet (Edda 199),
einlädet (Rechtsalt. 250), birstet (Wtb. I, 1528) schließen
sich aus mhd. an; ein sonst ganz unerhörtes nimmest
(mhd. nimst) steht Edda 67 im vers. Von schwären heißt
es Wtb. I, 112 schwiert, von scheren Reinh. CXII

---

*) Hier steht in nebenliegenden zeilen beides, lauft und läuft.

schiert*). Die insgemein nur der poetischen oder feierlichen rede zusagende form beut trifft man Gr. III, 377**),
dem in der schriftsprache seltenen kleubt (Wtb. III, 1150)
liegt vielleicht nicht klieben sondern eine nebenform kleu-
ben zu grunde (vgl. Wtb. V, 1161). In den sätzen „der
— dialekt verschmilzt auch die partikel mit andern
auxiliarformen" (Gr. III, 713), „der die welsche olbente
und jene Berta zusammenschmilzt" (Altd. bl. 1, 418)
muß es strenggenommen verschmelzt, zusammen-
schmelzt lauten; erlischen (Irmenstr. 51) ist überhaupt
eine falsch gebildete form..

In der, wenn gleich keineswegs durchstehenden sondern
meist nur vorübergehend bemerkbaren, wahrung der alten
konjugation für eine reihe von verben, welche entweder ganz
oder zum großen teile der neuen überliefert worden sind,
offenbart sich auf dem hauptgrunde der überall vorwiegenden neigung zu dem altertum der sprache eine hervorragende
liebe Grimms zu der kraft und schönheit des ablauts, auf
die er an vielen stellen mit teilnahme und bewunderung
aufmerksam macht. Der umlautsform bäckt entspricht das
prät. buk (Myth. 314. 692. I, 56. II, 1002. 1202) und dessen konj. büken (Myth. I, 452); von bellen bilden sich
boll, gebollen (Sag. II, 95. Urspr. 15). Einige besonders ältere schriften zeigen das intrans. prät. brann
(Sag. II, 209. 265. 281. Edda 9. Kl. schr. II, 269), sogar
der plur. verbrunnen begegnet (Sag. II, 264). Dieser
letzten, ganz ins mittelalter zurückgreifenden form gleicht
bunden (Edda 9), klungen (D. beid. ält. d. ged. 8),
spunnen (Edda 3), wurfen (Märch. II, 327), wogegen für
die ebenfalls ungewöhnlichen plurale schwommen (Sag. II,
297. Wtb. III, 1), entsponnen (Gesch. 685) das o vielleicht schon dem sing. überwiesen werden muß***). Einem
von dergleichen verben, das aber früher schwachformig war
und heute schwankt, läßt Grimm auch für den sing. u
widerfahren: verschiedentlich nemlich kommt bei ihm die
form bedung vor (Sag. II, 151. Rechtsalt. 429. Myth. 318.

---

*) schirt, schir oben s. 20 belegt.
**) „bestätigung beut die slav. sprache".
***) vgl. glomm, klomm neben schwamm, spann.

I, 479. II, 856). Von dem verschollenen dinsen, dessen
part. gedunsen sich erhalten hat, bildet er März. II, 149
das prät. duns (mhd. dans); von dreschen teils drasch
(Ir. elf. LII), draschen (März. II, 154), teils drosch,
droschen (März. II, 327). Die ziemlich ungewöhnlichen
part. gekoren (Rechtsalt. 233. 466. 504 in der formel: ge-
korn oder geborn), geflißen (Gr. I³, XIV) sind von den
ebenfalls wenig üblichen einfachen verben geleitet. Ins altertum gehört das prät. verschwalg (mhd. verswalch, von
verswelhen, verschlingen) Sag. I, 325. Das seit jahrhunderten unverdient zurückgesetzte verb schliefen, dessen
sich Grimm in sehr bemerkenswertem grade angenommen
hat, bildet das prät. schloff (Sag. II, 91.-108. Gr. II, 61.
Myth. II, 856. Kl. schr. II, 373. Wtb. III, 1091), part.
geschloffen (Reinh. CCLXV. Urspr. 15. Gesch. 24. Gött.
anz. 1824 s. 1839. Ber. d. ak. 1851 s. 102. Kl. schr. I,
221. II, 367. Wtb. I, 278. 854). Einer gleichen gunst erfreut sich überhaupt, wie später nachgewiesen werden wird,
und insbesondere hinsichtlich der starken konjugation, von
der hier die rede ist, das wort pflegen, dessen prät. pflag,
pflagen (Wtb. I, 1128 pflogen) lautet, z. b. Sag. II, 138.
141. Reinh. CCXLII. Gesch. 39. 43. 820. Gr. I³, 25. Myth.
IV. 235. 1, 388, das part. gepflogen (Gr. I², 583. I³,
XIV. 496. III, 517. Savigny III, 352. Myth. 55. 115. 403.
Gesch. 8. 489. 720). Während Edda 173 das part. ge-
zwagen (gewaschen), März. I, 152 die verbindung „ge-
schmalzen, gesalzen und bereitet" ganz mittelalterlich
klingen, wollen die unorganischen prät. stack (März. I,
441. Pfeiffer XI brietl.) und jug (März. II, 327) der
volkssprache angehören (vgl. Gesch. 941). Auch frug*)
findet sich selten anders (Wtb. III, 112 es früge sich) als
auf dem gebiete einer besonderen redegattung, oft z. b. in
den Sagen, neben fragte. Unzählige stellen nicht bloß
verschiedener sondern auch derselben schriften (März. Myth.
Gesch.) zeigen in vollkommener übereinstimmung mit dem
heutigen gebrauche den wechsel von hub, schwur und
hob, schwor, nur daß in gradem gegensatze zu der

---

*) Zur geschichte der formen frug, jug und ähnlicher prät. vgl.
O. Jänicke, niederd. elemente in d. schriftspr. (Wriezen 1869) s. 31.

jetzigen gewohnheit die ersteren beßeren formen (mhd. huop,
swuor) zu überwiegen scheinen.

Von schwären (mhd. swern) stammt der konj. schwüre
(mhd. swaere), welcher Sag. II, 311 auftritt; entsprünge,
wie es Gr. II, 234 vereinzelt lautet, ist buchstäblich mhd.
Da es keinem zweifel unterliegt, daß gewönne, gölte vor
den daneben gangbaren formen gewänne, gälte, weil ö
dem ü (mhd. gewünne, gülte) näher steht als ä, den vorzug
verdienen, so ist zu merken, daß Grimm ziemlich oft gewänne geschrieben hat, z. b. Gr. II, 185. Kl. schr. III,
216. Gesch. 534. Wtb. III, 1519 (gewönne I, XLVI.
1754), und fast regelmäßig gälte (Gr. I², 484. 946. I³,
57. 462. Kuhn I, 211. Wtb. I, III. III, 329. 1802); besönnen
findet sich Kl. schr. I, 395, aber Myth. I, XVII sänne
(mhd. sünne). Sehr viel mehr ist aber gegen die form
hälfe (Sag. II, 323. Wien. jahrb. 32, 219. Gr. IV, 664.
Haupt VIII, 20) für hülfe einzuwenden. Zwar pflägen
(Myth. II, 1002) steht der mhd. regel zur seite; weil aber
pflog, pflogen (mhd. pflac, pflägen) selbst vorkommen, dürfte pflögen (vgl. wögen, mhd. waegen), das sich
obendrein in der aussprache vom präsens viel bequemer
unterscheidet, der jetzigen sprache vielleicht angemeßener
sein. Etwas anders verhält sich die nach keiner vollkommen zutreffenden analogie dem gebrauche zugeführte und
von sprachlehrern empfohlene form stöhle, statt deren
stähle (Wtb. II, 585) zu setzen richtig erscheinen muß.
Während von Grimm, wie es scheint, beinahe ohne ausnahme
stand (Sag. II, 249 stund) geschrieben worden ist (mhd.
nur stuont), wechseln der üblichen sitte gemäß in nicht
überschbarem umfange die konj. stände und stünde (mhd.
nur stüende), doch mit übergewicht der letzteren form.
Von höbe und hübe gilt ungefähr, was von hob und hub
gesagt worden ist.

Die durch ein e erweiterten prät. bate (Märch. I,
153), sahe (Sag. II, 46), floge (Märch. I, 153), ent-
stunde (I, 154), geschahe (II, 330) bezeichnen den
stil der schriften, in denen sie vorkommen. Des zweisilbigen, durch ein e beschwerten starken imperativs hat
sich Grimm, außer in den allgemein üblichen großenteils
schon vom mhd. her übernommenen wörtern, nicht bedient;

man vergleiche seinen in d. vorr. zu Liebrechts Pentam.
und A. Dietrichs russ. volksmärch. ausgesprochenen tadel.
Formen wie beschrienen (Wtb. I, 430) und ausgespieene
(664) wechseln miteinander; vgl. gehaune (nicht ge-
hauene) Gr. II, 706. III, 396. Kl. schr. II, 233. Wtb. I,
1188. 1489): geht ein kons. vorher, so herscht überhaupt
sehr große freiheit des wegwurfs.

2. Schwache form.

In den infinitivbildungen mit -el-, -er- finden sich einigemal beide e gewahrt, was dem gebrauche widerstrebt, z. b. Ir.
eff. 153 hudelen, Gött. anz. 1826 s. 107 forderen,
Rechtsalt. 204 weigeren, Myth. II, 594 des reinigens und
säuberens. Häufiger wird anstatt des zweiten, wie es die
nhd. regel erfordert (vgl. Gr. I², 697. 982. Wtb. III, 5), in
älteren schriften das erste e ausgestoßen, z. b. Altd. w. I,
83 sammlen, gesammlet, Meisterg. 21 drechslen,
Altd. w. III, 34 traurender, Gött. anz. 1820 s. 396 be-
daurenswert. Da bei der bildung -em- umgekehrt das
erste e fortzufallen pflegt (vgl. Wtb. III, 4), so kann die
form eingeflidemte (Rechtsalt. 205. 206. Wtb. I, 88) für
unregelmäßig gelten (vgl. widmete). Wie bei -el-, -er-
kommen auch bei -en- fälle der hegung beider e vor, z. b.
Kl. schr. III, 313 verebenen, Berl. spr. u. sitt. 1817 s.
345ª vervollkommenen; zwar gefällig aber wider die
regel ist bei Schlegel I, 407. Reinh. XLI. Kl. schr. II, 99
der inf. bewillkommen gebildet. Das aus mhd. saejen
hervorgegangene nhd. säen*) entbehrt bei Grimm, zwar
nicht eben dem gebrauche wol aber sonstiger analogie gemäß, in der flexion vor dem t insgemein des e: sät, säte,
gesät (Reinh. CCLXXXVIII. Rechtsalt. 90. Wtb. I, 1673.
III, 261. Myth. II, 964. Kl. schr. II, 9. 48. 49. III, 323).
Statt aufgerichtet begegnet Sag. I, 161 aufgericht**),
II, 210 furchte (fürchtete) mit dem alten rückumlaut,
welcher auch in fugte (Radlof spr. d. Germ. 401), woferu
es von „fügen“ und nicht von „fugen“ stammt (vgl. Wtb.
IV, 383), enthalten ist, keineswegs aber in schaumte

---

*) ohne h für j, in alleinstehender ausnahme.
**) vgl. uneracht Gr. I², 571.

(Märch. II, 215. 369) und zaumte (Märch. II, 469), deren mhd. inf. des umlauts entbehrt. Mangel des in der schriftsprache allgemein üblichen rückumlauts zeigt sich bei brennen, nennen, rennen*) in größerem umfange, z. b. Sag. I, 1. II, 247. Irmenstr. 61 brennte, Arm. II. 201. Märch. II, 308. Meisterg. 180. Wtb. II, 297. 298. 302 gebrennt, Edda 50. Irmenstr. 10. Altd. w. I, 166. III, 284 verbrennte, Edda 31. Myth. 462 verbrennt (part.), Sag. II, 342 nennte, Altd. w. I, 133. 163. Gesch. 196 genennt, Sag. II, 50. 51. 66. Märch. I, 174. Reinh. CCLXXXVII rennte, Märch. II, 102. 215. 328. Kl. schr. I, 77 gerennt.

Vorzugsweise in älteren schriften, voraus in den .märchen hat Grimm einer anzahl von verben, deren starke abwandlung auch dem gebrauche bekannt und großenteils genehm ist, bisweilen schwache form verliehen, z. b. speite Märch. I, 42. II, 271, schlingte I, 152, schraubte I, 24. II, 170, schnaubte II, 243. Ir. elf. 194, trügte Arm. II. 60, bratete Märch. I, 427, rufte I, 154, haute I, 83 (hieb 103. 144), verlöschte I, 468 (verlosch II, 271), gemelkt Ir. elf. 164. Fast regelmäßig heißt es in den Märchen schallte, erschallte (I, 51. 53. 67. 339. II, 262. 455. 486), später häufig erscholl, erschollen (Urspr. 25. Kl. schr. I, 299. Wtb. I, 1186); von weben findet sich überhaupt vorwiegend die schwache flexion (vgl. Gesch. 941), sogar in figürlichem sinne eingewebt (Lat. ged. 112). Wie nun Sag. II, 309 erblich, Gr. I², 406 aber erbleichte liest, so Wien. jahrb. 70, 30 „die erblichenen buchstaben", auf der folgenden seite „den erbleichten handschriften"; desgleichen Gr. III, 65 „mit abgeschleifter negation", dagegen 95 „den abgeschliffenen endungen". Unter den partizipien, welche neben dem völlig durchgedrungenen schwachen prät. im allgemeinen beide formen, die alte und die neue, aufweisen, erscheint bei Grimm gefalten fast nur im wörterbuche, sonst regelmäßig gefaltet, während z. b. mit gespalten und gespaltet gewechselt wird. Zwischen verworren und verwirrt, verdorben und verderbt findet ein unterschied der bedeutung, wie ihn die

---

*) Kennen macht ausnahme (vgl. Gr. I², 987); im Ber. d. ak. 1859 s. 515 ist kennten der richtige konjunktiv.

neuere sprache zu erkennen und aufzustellen pflegt, wol
kaum statt; vgl. Märch. I, 405 verwirrten flachs, Weist.
I, 590. Wtb. I, 4 verworren und verderbt, Gr. III, 549
seine drei genera sind verwirrter, II, 354 verderben
aus -ung, 356 aus -end verderbt. Neben dem prät. bedung (s. 94) und dem bekannten part. bedungen mag
die schwache form dingte auffallen, der man z. b. Sag.
II, 133. 300. 342 begegnet; es muß jedoch nochmals bemerkt
werden, daß dingen der starken konjugation ehemals nicht
angehört hat. Dem eingeführten unterschiede zwischen bewegte und bewog gibt zwar Grimm nach (vgl. Wtb. I,
1770), indessen Gesch. 600 schreibt er: „war ein anlaß vorhanden, der — Chatten und Hermunduren bewegte mann-
schaft — vordringen zu laßen". Da die in der gegenwärtigen sprache herschende vermischung der beiden an sich
gründlichst verschiedenen und ganz unverwandten verben
laden (onerare) und laden (invitare) zum teil schon vom
mhd. herrührt, so ist begreiflich, daß auch Grimm sich ihr
nicht entzogen hat; aber mehrmals stößt man bei ihm auf
das heute durchaus ungewöhnliche part. geladet (invitatus),
z. b. Rechtsalt. 839. Myth. 636. 995. 1185. I, 402. Kl. schr.
II, 174. Ein ähnlicher wechsel waltet bei zwei verben anderer beschaffenheit, hangen und hängen, obwol hier die
mischung nur ein beschränktes gebiet einnimmt: unzähligemal nemlich findet sich hängen für hangen, welches
letztere verhältnismäßig wenig vorkommt, nicht einmal
immer bei gegensätzen*), allein wol niemals hangen f.
hängen; sehr häufig liest man ferner als transitiv dem gebrauche und schon mhd. vorgange gemäß das prät. hieng,
zugleich aber auch, was lange noch nicht in demselben
grade allgemeinere sitte geworden und wol lieber zu meiden sein dürfte, das part. gohangen, aufgehangen, z. b.
Rechtsalt. 665 an die haustüre gehangen werden (666 vor
die türe gehängt wird), ebenso 675. Myth. 374. 379. Lat.
ged. 72. Kl. schr. II, 188. Reinh. CXLII. Wtb. I, 527.
III, 1496, während weder hängte noch gehängt in in-

---

*) vgl. Myth. 35 hängen sie in der stube oder im stall über dem
vieh auf, wo sie hängen bleiben; II, 740 die man an den häusern
aufhieng und bis zum folgenden jahr hängen ließ.

7*

transitiver bedeutung statt zu haben scheinen. Nach mhd.
weise heißt es Myth. II, 912: „wird der schwarze ritter
verdrungen".

3. Unregelmäßige form.

Das dialektische part. gewest (gewesen) wird in den
märchen angetroffen, schwerlich anderswo; bei Schlegel I,
403 steht weißest*) f. weist, Edda 223 wüssest f.
wüstest (vgl. die mhd. formen), Kl. schr. I, 21 (brieß. v.
j. 1814) gemöcht; das den inf. begleitende volksdichterische
tät (Gr. IV, 94) findet sich·Edda 125. 183. 237 und öfter.
Nachdem in der ersten zeit von dünken das falsche präs.
däucht (vgl. Gr. IV, 240) oder deucht (beispiele s. 23)
platz gegriffen hatte**), schrieb Grimm im verlaufe und
später überall dünkt, das manchmal auch schon zu anfang
(Edda 5. Gr. I¹, 179) begegnet. Den schwachen bildungen
dünkte, gedünkt scheint er mit recht aus dem wege gegangen zu sein; das prät. lautet ihm entweder däuchte
. (Savigny II, 99. Märch. II, 83. Edda 61. 77. 245. Lat. ged.
56) oder entsprechend dem mhd. dühte noch lieber dauchte
(Altd. w. I, 108. Myth. 318. 518. Gesch. 490. 795. Haupt
III, 153), das part. gedäucht (Savigny I, 332).

4. Hilfswörter der konjugation.

Bei den großen schwankungen, denen der deutsche
sprachgebrauch in vielen fällen hinsichtlich der wahl des
einen oder des andern hilfsverbs zur umschreibung der vergangenheit ausgesetzt ist (vgl. Gr. IV, 162 fg.), dürfen abweichungen von dem, was etwa hie und da in lehrbüchern
vorgeschrieben oder aus guten schriftstellern gewonnen werden mag, nicht verwundern. Dazu tritt, daß die ungeläufig-
keit bisweilen eine ältere regel berührt oder sich logisch
rechtfertigen läßt; einigemal ist sie dialektischer art. Grimm
sagt z. b., wogegen sich schwerlich etwas erhebliches einwenden läßt, Gr. III, 540: ich habe darnach verfahren,
Märch. II, 229 wie mirs gegangen hat, Meisterg. 27 es
hat angegangen, Urspr. 28 hat gefolgt (mhd.), Kl.

---

*) aus Luthers sprache bekannt.
**) Sogar ein inf. däuchen kommt vor (Meisterg. 6).

schr. III, 226 bis nach Macedonien gestreift hatten, Gr. III, 172 hat es mir nicht geglückt; dagegen heißt es Gesch. 817: die Geten seien auf höherer stufe gestanden, 505 hier mögen sie an — Daken gereicht sein, Wtb. III, 1221 welchem die folgende bedeutung vorgeschwebt sein kann.

In betreff des dritten hilfsverbs kann gefragt werden, ob Grimm nicht viel häufiger, als er in wirklichkeit getan hat, das an sich lästige und von ihm selbst Gr. IV, 15 steif genannte worden, welches die nhd. sprache zur bezeichnung der passiven vergangenheit dem part. prät. in den meisten fällen beizufügen pflegt, hätte unterdrücken mögen. Er beobachtet zwar im allgemeinen den Gr. IV, 16 ausgesprochenen bekannten logischen unterschied*), bedient sich aber nicht selten des zusatzes auch da, wo weder regel noch gebrauch ihn vorzuschreiben scheinen, z. b. Gr. I², 1032 daß mehrere hunderte verloren worden sind; III, 201 das einzige adv., welches uns erhalten worden ist; Schulze XVIII wenn des Ulfilas werk unversehrt erhalten worden wäre. Insonderheit dürfte dieses worden innerhalb der form eines sogenannten futurum exactum des passivs nur dazu geeignet sein die rede schleppend und ungefällig zu machen (vgl. Gr. IV, 186), z. b. Gr. I², 127 gesprochen worden sein wird, II, 180 wird gekürzt worden sein, Kl. schr. II, 14 ausgesprochen worden sein wird.

Erhebung eines hilfsverbs der konjugation ins partizip, zumal eines solchen mit dem ein anderes part. zusammengehört, gilt im allgemeinen für unschön und schwer-

---

*) Doch vgl. Gr. I², 134 ist vorhin angemerkt, III, 213 ist vorhin dargetan, III, 242 ist s. 72 gehandelt, IV, 292 ist schon vorhin geredet, IV, 435 beispiele sind s. 379 gegeben, I², 158 schon s. 84 besprochen ist; dagegen III, 254 ist schon s. 110 angemerkt worden, III, 281 ist — erörtert worden, III, 251 wovon — gehandelt worden ist, I², 244 ist vorhin — gefragt worden, I², 246 die meisten belege sind oben — gegeben worden, II, 275 ist schon oben — beigebracht worden. Für diese doppelte art von beispielen, welche sich allesamt auf ein gleiches verhältnis einigemal sogar mit denselben worten beziehen, jenen unterschied der bedeutung zu grunde legen und nachweisen wollen hieße dem schriftsteller eine absicht zuschreiben, deren er sich schwerlich bewust gewesen ist.

fällig *). Häufiger als man erwarten sollte hat sich Grimm dieser
auf kürze des ausdrucks gerichteten weise überlaßen, z. b. N.
lit. anz. 1807 s. 681 des schon damals in schwung seienden meistergesanges, Abh. d. ak. 1858 s. 86 der hier in
frage seienden beinamen; Wtb. IV, 51 der gehört
und gesehen habende wißen beide; Gr. I¹, 550 die gebildet werdenden folgen oder reihen, II, 926 das eigentlich componiert werdende nomen, Meisterg. 116 unter
den genannt werdenden meistern, N. lit. anz. 1807 s.
680 zu einem gewissen gefordert werden den grad, Altd.
w. III, 97 die hier mitgeteilt werdenden, Savigny III,
120 einer hierdurch beleuchtet werdenden alten sage,
Kl. schr. I, 20 der — bald erwartet werdenden neuen
quellen, Wtb. II, 532 das von der mutter getragen, go-
boren werdende kind; Gr. I², 139 von dem ebenfalls un
geschrieben wordenen u, II, 586 die wenigen eingeführt wordenen. In der hauptsache ebenso steht es um
folgende ausdrücke: Kl. schr. III, 263 der ausgedrückt
bleibenden**) ersten oder zweiten person; Rechtsalt. 905
ein schwören wollender; Arm. H. 143 der — vielfältig
sein müßenden schreibung, Kl. schr. II, 305 von hart
sein müßenden trocknen ausgewählten scheiten.

Da die den inf. stützende präp. zu in gewisser hinsicht
als ein hilfswort betrachtet werden kann, so fügt sich hier
eine bemerkung an über ihre stellung bei gewissen zusammengesetzten oder auf zusammensetzung gegründeten verben.
Dem gebrauche zufolge schreibt Grimm zwar miszuver-
stehen (Meisterg. 162. Gr. II, 806. Rechtsalt. 764. 867.
Gött. anz. 1841 s. 356), aber richtiger Myth. II, 847 zu
miskonnen***); anstatt des überhaupt und auch bei ihm
gewöhnlichen zu mutmaßen sagt er Gr. II, 866 mutzu-
maßen, mit welcher unbequemen form der inf. rückum-
zulauten (Gr. I², 651. 952) verglichen werden kann.

*) Auszunehmen ist vielleicht das part. gewesen.
**) Offenbar hat hier bleiben auxiliare bedeutung; vgl. Sag. I,
410 zuletzt blieb sie gefangen, Wtb. I, V niemals blieb einer der
rechten wege — eingeschlagen, XXIII die strengalphabetische folge
blieb non gehandhabt, LXXXIII nicht selten blieb zugezogen
die erste ausgabe.
***) vgl. Jeitteles nhd. wortbild. 89.

Wortbildung und wortbedeutung.

Wie es zu anfang angemeßen erschienen ist die verhältnisse der laute und die schreibung der buchstaben zusammenzufaßen, ebenso wird es, und zwar vornemlich um einer großen menge schwerfälliger wiederholungen und verweisungen aus dem wege zu gehn, gegenwärtig ersprießlich sein die bildung und die bedeutung der wörter, welche in den schriften Grimms beachtet zu werden verdienen, dergestalt mit einander zu verbinden, daß entweder beide zugleich oder bald die eine bald die andere an einem wort oder ausdruck in irgendwie bemerkbarer weise hervortreten.

Ableitung.

Wenn die bildung entweder ganz zweifellos (aufsichter, meistersängerisch) oder doch sehr wahrscheinlich und annehmlich (abstich, niederbruch) auf eine nächstliegende zusammensetzung hinweist, von der sie selbst stammt, so würde es unpassend sein der äußeren form zu gefallen den eigentlichen vorgang zu verleugnen und in die zusammensetzung zu verlegen was der ableitung angehört. Auch einige wirkliche zusammensetzungen, deren zweites in der jetzigen sprache nicht mehr vorhandenes wort eine nicht unwichtige bildungsform zeigt, können um dieser willen der ableitung überwiesen werden, z. b. woltlauft.

1. Substantive.

Sehr zahlreich sind die von verben, insbesondere starken verben gebildeten formen des lautes und ablautes. Die meisten dieser stämme bestehen in abstrakten namen, statt deren vom gemeinen gebrauche vorwiegend längere, entweder an sich oder in der konstruktion zum teil schwerer fallende bildungen, vorzüglich auf -ung und der substantivische infinitiv, angewendet werden. Es zieht an und ist der mühe wert, da sich in diesem verhältnisse deutlich eine in mehr als einer hinsicht charakteristische eigenschaft offenbart, beispiele reichlich zu verzeichnen: fund der schrift Wtb. 1, X, krach (mhd.) Myth. 318, saus und hauch Gesch. 305, schlepp Kl. schr. I, 167. Wtb. 1, LVIII, schwatz (mhd.) Wtb. III, 1217, schlag oder tref 1310, wall (des waßers; mhd. wal, von wallen) Sag. I, 307, wurf der osnabrück. geschichte Schmidts zeitschr. II, 266, zisch Michaelis anordn. 44. Wtb. I, 789, abbruch der blume Myth. 632, abgang (mangel) Urspr. 39. Gesch. 78. 203. 743. 756, abschweif Kl. schr. III, 338. Ber. d. ak. 1849 s. 242, absprang*) Myth. 336. 408, abstich ihrer innigen sanftheit Kl. schr. II, 95, andauer Myth. I, VI, anschau Kl. schr. I, 398. III, 385. Wtb. 1, VII, anstoß gleicher kons. Wtb. I, LXI, aufschlag (des buchs, der wörter) XI. XXI, aufschuß niedermähen Gr. I², V, alphabetischer auftritt Wtb. I, XX, befang (gemeßener und bezeichneter raum) Gr. I¹, VIII. Rechtsalt. 504. Wtb. I, XXIV, begang Gesch. 109. Kl. schr. II, 213, betrieb der naturwißenschaften Wtb. I, VII, dazwischentritt Myth. 6, einschritt Gr. I³, 118. II, 615. Abh. d. ak. 1845 s. 211, eintrag (ins buch) Wtb. I, XI. XXXVII, einwuchs Urspr. 38, entsprung Gr. I², 549. 574. 575. 716. Gesch. 335, nachtritt Gr. I³, 357, niederbruch der mauern Ged. d. mitt. 22, überfall der früchte Savigny III, 349, übertrag deutscher in lat. schrift Michaelis 45, umgriff des ackerbaus Gesch. 23, unterschlauf (mhd.) Wtb. III, 359, vergang N. lit. anz. 1807 s. 675, verhalt (verhältnis) Gesch. 953. Urspr. 37. Kl. schr. III, 359. 375. 380. 412. Wtb. I, 284. 1102. 1202. 1451. 1503. III, VII und viel öfter, verschub Gesch. 835, verstrich Rechtsalt. 221. 297. 399, verwuchs Gr. I², 1051, vorübergang Sag. II, 209, zwischentritt Gr. II, 616. IV, 202.

Unter den subst. mit vokalischem ausgange machen sich zunächst mehrere von adj. stammende abstrakte auf -e be-

---

*) nicht ins wörterbuch aufgenommen, wie auch die folgenden nicht: andauer, aufschuß, begang, einwuchs, entsprung.

merkbar: dichte Rechtsalt. 82. Wtb. I, LIX, feiste (mhd.)
Wtb. I, 1061, feuchte (mhd.) Gr. II, 87. Wtb. III, 1577,
finstero (mhd. vinster) Kl. schr. I, 235, grüne (mhd.)
Altd. w. III, 145. Kl. schr. I, 197. Wtb. I, 144, heiße
Myth. 465, heitre (mhd. heiter) Kl. schr. II, 446. Myth.
I, 543, herbe Kl. schr. I, 203, kränke III, 418*), leichte
(mhd.) Arm. II. 149, linde Kl. schr. I, 203, müde (mhd.)
Andr. u. El. VIII. Kl. schr. I, 198. Wtb. I, 789, reine
(mhd.) Altd. w. III, 34, runde Myth. 405, schlichte (mhd.)
Gött. anz. 1863 s. 1363, schnelle (mhd.) Gr. I², 437. II,
87. Reinh. II. Gesch. 52. Wtb. I, XI. 1081, schöne (mhd.)
Altd. w. III, 31. Gr. II, 87. Wtb. I, VI, späte (mhd.)
Wtb. III, 990, süße (mhd.) Reinh. XIII, weiche Altd.
w. I, 175, welke III, 145. Arm. II. 196. Wtb. I, 144,
wilde Altd. w. I, 2, zärte (mhd.) 175. Anderen ursprung
haben die fem. faste (mhd., fastenzeit) Reinh. CCLXXII,
minne (memoria) Sag. II, 258, raste (mhd., wegemaß)
106, schichte Altd. bl. I, 290. Myth. I, 185 (Kl. schr. II,
216. 276 schicht, mhd.), sehe (des auges) Altd. w. I, 14.
Myth. 285, wasche (mhd., neben wesche) Myth. 408. 699,
wende der guten zeit Altd. w. I, 66. Unbequem wegen
des widerstreitenden tonverhältnisses scheint die bildung
entnahme Ber. d. ak. 1859 s. 421. Hierher gehört auch
eine anzahl zugleich durch zusammensetzung mit ge- ge-
bildeter wörter mit ableitendem -e, denen teils ein subst.
teils ein verb zu grunde liegt: gedärme**) Wtb. II, 519,
gelenke Myth. 206, geräte Kl. schr. II, 98. 175. 190,
gerüste Gesch. 115. Kl. schr. II, 187. 222. 239. III, 135.
234, geschühe Myth. 294. Gesch. VIII. Wtb. II, 522, ge-
spänge Wtb. I, 1599, gespräche Sag. II, 244, gespreize
Wtb. I, LIV, gestöße II, 515, gesurre Kl. schr. II, 405,
gewölke I, 220, gezäpfe Wtb. I, 352; ferner mit abge-
fallnem endungsvokal: geding (vertrag) Sag. I, 271, ge-
hörn, gehürn (mhd. gehürne) Altd. w. III, 107. 111. 114.

---

*) „daß dir die kränke in den nacken fahre"; vgl. Vilmar Idiot.
223. Schambach niederd. wtb. 112.

**) Dieses sowie die mehrzahl der ihrigen wörter werden hier
deshalb aufgeführt, weil ihnen der gebrauch die endung insgemein zu
entziehen pflegt; die folgenden ohne -e sind an und für sich bemerkenswert.

Wtb. I, 1149. II, 106, geriem Wtb. III, 1270, gespül
(gespücle) Lat ged. 300, govögel (govügelo) Wtb. 1, 1094.
Urspr. 14; endlich die in älterer sprache nicht nachweis-
baren geäder Wtb. I, 180), gegitter Sag. I, 1273, ge-
lüng Edda 196. — Der eigentlich undeutschen endung -ei
fallen etwa zu: halberei Hall. l. z. 1812 s. 267, turnie-
rerei 261.

Die reihe der konsonantischen ableitungen beginnt mit
denjenigen, in welchen eine liquida wirksam ist, z. b. frie-
del (mhd., geliebter) Edda 255. Sag. II, 347, mittel (mhd.
f. mitte) Altd. w. 1, 109. Meisterg. 39. Altd. mus. II, 316.
Gr. I², 104. 225. Gesch. 730, niftel (mhd., nichte) Gr. IV,
304, atümmel vom licht Wtb. III, 1706, zagel (mhd.,
schwanz) Reinh. CIV, anbindsel Myth. II, 1127, einge-
schiobsel Wigands arch. I, 3, 80, fingerlein u. finger-
lin (mhd., ring) Sag. II, 309. 310. Rechtsalt. 178. Kl. schr.
III, 11, aufsiehter Kl. schr. I, 69. Wtb. I, 284. 815. II,
245. 298. 371. 543. III, 1686. 1822, besamer Kl. schr. II,
329, burger (mhd. burgaere) Haupt II, 258*), ernter VII,
387. 389. 393, hochzeiter**) Myth. 659. Ber. d. ak. 1851
s. 111, laufer (mhd. loufaere; vgl. lauft s. 93) Märch. I,
436 fg. II, 58. 134. 135. Wtb. I, XLII (läufer Ber. d. ak.
1861 s. 844), lederer (lederaere, gerber) Haupt II, 258,
tafelrunder (mhd.) Irmenstr. 50. 65, trügner (trügenaere)
Wtb. I, 204, ursächer Sag. II, 66, urteiler Savigny II,
29, wohner Wtb. III, 345; Brabänter Gr. I², 537 (Bra-
banter Märch. II, 154), der Vogelweider Ged. d. mitt.
40; melm (mhd., staub) Kl. schr. II, 203; adlerinnen
Edda 198. 199, ärztin (mhd. arzätinne) Sag. II, 104, don-
nerin Kl. schr. II, 408, fohlin III, 397, heiliginnen
Myth. I, XXXIII, hemmerinnen 393, schmiedin Märch.
II, 308, teufelin (mhd.) Myth. 564, verwandtin Kl.
schr. I, 13. Wtb. I, 1149, vorfahrin Wtb. III, 483.

Was von den durch laut oder ablaut gebildeten abstrakten subst. gesagt worden ist, gilt im ganzen ebenfalls
von denjenigen, welche zugleich mit t (st) abgeleitet sind,

---

*) vgl. das scheinbar damit zusammengesetzte burgermeister
(f. burgemeister, v. burg) Myth. 450. Haupt II, 269.

**) nach Vilmar Idiot. 172 in hessischen gegenden gebräuchlich.

wie: bedacht (seiner verdeutschung) Schulze XIII, blast
(mhd. blâst, v. blâsen) Rechtsalt. 77, brautlauft (mhd.,
hochzeit) Kl. schr. II, 307. Haupt II, 266, brunst (brand)
Kl. schr. II, 315. Wtb. III, 1594*), emporkunft Gr. I²,
484, haft (masc., in doppeltem sinne, mhd.) Gr. I², 827.
864. I³, 452. II, 582. 619. III, 454. Pfeiffer I, 133. Urspr.
38, krat und hahnkrat (beide mhd.; vgl. ob. s. 17)
Rechtsalt. 37. 813. Myth. 176. 317. 536. 576. Haupt II, 266
(dag. hahnenkrähen bei Savigny II, 62), der kraniche
kunft (mhd.) Myth. 540, dialekt der niederschrift Gesch.
607, schluft (mhd. sluft v. sliefen, jetzt schlucht) Sag.
I, 18, umtracht des gottes durch die fluren Kl. schr.
II, 62, weltlauft Myth. I, 452, wift (mhd., gewebe)
Myth. 240.

Unter den mit g abgeleiteten subst. befinden sich sehr
viele nicht eben allgemein bekannte oder übliche wörter auf
-ling und -ung, z. b. bannling (exul) Kl. schr. III, 205,
beichtling 258, fingerling (mhd., ring) Reinh. CLIII
(vgl. fingerlein s. 106), kiesling (kieselstein) Kl. schr.
II, 45, schioßling Wtb. III, 1225, sprießling 1611,
achtfüßling Kl. schr. III, 227, anzögling Wtb. I, 529,
aufschüßling 1472, aussetzling Rechtsalt. 457, aus-
zögling und auszügling Gesch. IX. 711, einsehältling
Lat. ged. 317, einzögling Kl. schr. III, 212. Gesch. 720,
freiläßling Rechtsalt. 339, neukömmling Gesch. 631,
vordringling 181; findung (mhd.) Rechtsalt. 143. 779.
782. 791. Gr. III, VII. IV, 368. Kl. schr. III, 424. Wtb. I,
III. XLV, schweinung des leibs (mhd. swînen, schwin-
den, abnehmen) Wtb. I, 1514, stümmelung Reinh. LXXI.
Thomas, oberhof V, stümpfung Lat. ged. XXXIX, aus-
gohung des geistes Gr. I³, 115, ausspreitung II, 77,
begüterung Rechtsalt. 290, belautung Gr. I², VII, be-
siebnung (mhd. besibenen, mit sieben zeugen überführen)
Kl. schr. I, 41, bestiftung Wien. jahrb. 32, 209, be-
umlautung Gesch. 293, umsteinung Kl. schr. II, 43,
verästungen Arm. H. 142, vergantung Rechtsalt. 65,
verschrung Gött. anz. 1841 s. 355, verstämmungen

---

*) „bei brünsten" d. i. feuersbrünsten, in diesem sinne Wtb. II,
438 als heute ungebräuchlich bezeichnet.

Arm. H. 142, verstufung Gr. II, 77, verwachsung
I², 53, verweichung 512, vorwirkungen Gesch.
357, abstraktwerdung Gr. II, 672, schwebendwer-
dung I³, 486, geringsetzung Rechtsalt. 472. — Auf -nis
sind wenig geläufig: fordernisse Wtb. I, VII, anor-
kenntnis Gesch. 777, auferständnis Kl. schr. II, 311.

2. Adjektive.

Der inneren wortbildung fällt das mit der nachsilbe
-bar (v. bërn) unverwandte*) adj. baar oder bar (s. 15)
zu, dessen heutiger prosaischer gebrauch sich mehrfachen
beschränkungen unterworfen hat, während Grimms sprache
alle alten verwendungen in beträchtlicher menge aufweist,
z. b. Sag. II, 109 mit baarem schwert, Gesch. 129 mit
dem baaren fuß, 210 baarer schreibfehler (ebenso Gr.
I², 1032. III, 207. 305. 306. IV, 51. 308. 461. 589. 707.
875. Gesch. 307. 514), Andr. u. El. LII ganz baar erscheinen mir diese vermutungen nicht, Wtb. I, VI dem aller
poesie baaren Teuerdank (desgl. LXVII. Gött. anz. 1835
s. 651. Kl. schr. III, 428). Die persönliche beziehung des
durch ablaut von winden (vgl. Wtb. II, 525) stammenden
adj. wund, die sich Sag. II, 323. Reinh. XII. XLIII findet,
erinnert mehr an mhd. als nhd. gewohnheit, welche dafür
verwundet setzt.

Ableitendes -e haben das dem jetzigen bieder zu grunde
liegende alte biderbe (Sag. II, 263) und die beliebte verbindung gäng und gebe (oben s. 23), deren auch bei Göthe
vorhandener attributiver gebrauch Heidelb. jahrb. 1816 s.
308 angetroffen wird: „die unter dem volk gäng und geben sprichwörter". Wie gäng (mhd. genge) hat auch ge-
füg, das bei Grimm besonders in der engbegrenzten beziehung auf grammatische formverhältnisse merklich hervortritt, z. b. Gr. I³, 6. 69. 213. II, 328. 412. IV, 293. 915,
das -e verloren (mhd. gevüege); ebenso geheuer* (gehiure),
dessen frühere bedeutung, wie sie in dem satze: „er sieht
das geheure und das ungeheure" (Myth. II, 1061) vorliegt, kaum mehr in der beschränkung auf den heutigen
redensartlichen gebrauch erkennbar ist.

---

*) s. Wtb. I, 1056, gegen Gr. II, 31.

Das gröste gebiet nehmen die adj. der kons. ableitung
ein; hier anzuführende wörter zeigen entweder die seltenere
endung auf eine dentale oder die häufigere auf -en und
-ern, -ig*) und -isch, z. b. kuud Gr. I³, 25 in der beziehung: „der gebrauch war den stämmen kund“, schlechte
und rechte poesie Altd. w. I, 87, beschlechtet**) Myth.
XII. XXI. 425. Gesch. 830. Gr. III, 249. Wtb. III, 33.
1801; eigen (sui juris) Wtb. IV, 94, hornen (mhd. hürnîn)
Myth. I, 364, tännen (mhd. tennîn) Kl. schr. I, 115 (tannen Gr. II, 179); pergamentern Reinh. LXX, rindern
Sag. II, 138, ströhern Myth. 443. I, 56; abgängig
(mangelnd) Gr. I², 92, anmütig N. lit. anz. 1807 s. 227,
behörige orte Kl. schr. I, 396, bürtig (mhd.) Kl. schr. II,
152. Schmidt IV, 545. Wtb. I, 1058, eingebürtig***)
Kl. schr. I, 44, gehaltig Gr. I², 330. I³, 25. Myth. I,
340, geschämig Haupt VII, 456, glaubig Ir. elf. 162.
Gr. II, 305, glitzerig Märch. II, 211, handhäbiger
baumstamm Gesch. 115, hierher hörige wörter Gr. I²,
186, immerfortig Sag. I, IX, jemalig Gr. II, 69, jen-
zeitig Altd. w. II, 153, kündig (mhd.) Sag. II, 18. Altd.
w. III, 124, leimig†) Wtb. III, 1476, missetätig Rechtsalt. 738, ohrenzwängig Myth. 682, possig Wtb. III, 33,
reimig Gr. I², 478. 537. 947, rückgreifig Kl. schr. III,
314, rückumlautig Wtb. I, 1675, übergängig Gr. I²,
507, vorgängige silbe 601, vorhinnig Altd. w. II, 161,
vorteilig Arm. II. 147, zinsiges federvieh Rechtsalt. 362,
zuweilig Gr. I², 378; brabäntisch Gr. I², 681
(brabantisch I², 539. Gesch. 990), elbisch (v. elb, oben
s. 36) Gesch. 765. Kl. schr. II, 321. III, 423, elbisch (v.

---

*) adjektive auf -icht s. 40.

**) d. h. verwandt; ein merkwürdiges wort, welches ungeachtet des
wahrgenommenen wiederholten gebrauches, der sich auch auf das wörterbuch erstreckt, in diesem selbst gar keine aufnahme gefunden hat,
wahrscheinlich mhd. beslaht (vgl. Myth. II, 821). Von beschlechtet
entfernt sich geschlechtet (Kl. schr. II, 367), mit geschlecht versehen
(mhd. geslaht), geschlechtig.

***) fehlt im wörterb., wo bloß „eingebürt, jus indigenae“ ge-
nannt ist.

†) von laim (Myth. II, 1045) d. h. lehm (Wtb. III, 1772); vgl.
O. Jänicke, niederd. elem. s. 21.

Elbe) Gesch. 685. 698, elsäßisch Myth. 172. Gr. I², 200.
IV, 96 (elsaßisch Myth. 46. 310. 311), englisch (v. engel)
Myth. 498. Candid. VI, ennisch (v. Ennius) Kl. schr. I,
188, handwerkisch N. lit. anz. 1807 s. 684, koboldisch
Myth. I, 448, literärisch Meisterg. 13. 81 (literarisch
16. 151), mägdisch Altd. w. I, 71, paderbörnisch
Rechtsalt. 86 (paderbornisch Myth. 211), philistrisch
Berl. spr. u. sitt. 1817 s. 263*, plautisch Kl. schr. III,
333 (plautinisch I, 159. II, 383), riesisch Gesch. 765.
Myth. 460. 572. 614. I, 540, schlüchtische rotte Haupt
II, 258, tacitisch Myth. XI. 206. 383, universitätisch
Kl. schr. I, 236, wölfische gebärden, wölfische blicke
Reinh. XXVII, höllische und wölfische sippschaft Myth.
470, zwergisch I, 419. 448, ableiterisch Gr. II, 154.
192. 338. 340. 371, die fechterischen handwerker Wtb.
III, 1399, gaunerisch 1887, handwerkerisch Altd. w.
I, 85, jägerisch II, 170. Wtb. I, 633, leugnerische
kritik Gött. anz. 1835 s. 1667, meistersängerisch Gr.
II, 316, zeugerisch I², 361, zigounerisch Gesch. 234.

3. Verben.

Art und form der ableitung erweisen sich teils an der
herkunft teils an der endung. Ueberwiegend von starken
verben stammen die vom 'mhd. übernommenen, heute meist
ungeläufigen kausativen: äßen Reinh. CXXXIII, beißen
(v. d. jagd) Wtb. III, 1407, bleeken (v. d. zähnen) Sag.
I, 67. Kl. schr. I, 59. Urspr. 20. Myth. 277, schweigen
Myth. 270*). 525. 526. I, 448. 474, schwenden Göthes
kunst u. alt. V, 2, 25, Kl. schr. I, 196. Haupt V, 238. Aus
subst. gehen hervor: abgöttern Meisterg. 38, balsamen
(mhd.) Sag. II, 311, beinamen (vgl. Wtb. I, 1385) wovon
beigenamt**) Myth. XXII. Stammtaf. IV, blinzäugeln
(vgl. Wtb. II, 128) Savigny I, 329, büßen = vergelten,
heben Sag. II, 135, doctern Märch. II, 79, drangsalen 85,

---

*) „man schweigt schreiende kinder".

**) nur in diesem part. gebräuchlich; vgl. gefitticht Myth. 363 (s.
Wtb. III, 1694), gelarvt Myth. XIV, gemantelt Rechtsalt. 764.
Myth. 692. Ber. d. ak. 1851 s. 111, gestrobelt (mhd. zerstrobelt,
struppig) Haupt II, 258.

dritteilen Gesch. 74, gasten Kl. schr. III, 197, glitzen
(mhd.) Märch. II, 212, klecken (mhd., ausreichen) Myth.
I, V, kuppeln (mhd., vereinigen) Gesch. 111*), münchen
(mhd., zum mönch machen) Lat. ged. 112. Reinh. CI, nägeln (mhd. nageln, selten negeln) Myth. I, 68, staben
(stützen) Altd. w. I, 132, stapfen (mhd.) D. beid. ält. d.
ged. 24. Altd. w. I, 180. Andr. u. El. XXXV, strählen
(kämmen) Haupt II, 258, sünden (mhd.) Gr. I³, 28, tei-
gen Gött. anz. 1834 s. 373. Myth. 285, ursachen Edda
43, wortspielen Kl. schr. II, 315. Wtb. III, 1334, wort-
wechseln Edda 76. 186, wundern (mhd., wunder tun)
Myth. II, 983, zweikampfen Reinh. CXXXIV. Vom adj.
sind gebildet: ähnlichen (mhd.) Meisterg. 112, blünken
(intrans.) Märch. II, 115, friedigen Gesch. 18, geleichen
(gelichen, gleichen) Altd. w. I, 2. Göth. kunst u. alt., gil-
ben Kl. schr. I, 197, hulden (mhd.) Rechtsalt. 252, ledi-
gen (mhd.) Lat. ged. 84. 296, leidigen Kuhn I, 81. Kl.
schr. I, 28, reinen (mhd.) Berl. spr. u. sitt. 1817 s. 280*,
seligen Arm. II. 199.

Auf -ern endigen: bittern (intrans.) Gött. anz. 1826
s. 729, glimmern (mhd.) Märch. II, 112, klingern Edda
47, wabern**) Irmenstr. 53, zackern (vom pflug) Märch.
II, 327; auf -zen: erzen (er nennen) Wtb. III, 690. IV,
309 fg., irzen (ihr nennen) Reinh. CXI. CXII. Kl. schr.
III, 183. Wtb. IV, 301 fg., siezen Wtb. IV, 312 fg., wir-
zen 303. 312, oheimezen und neffezen Reinh. CXII;
auf -enzen (s. Gr. II, 341) bockenzen (vom geruch)
Gesch. 210, wildenzen (vom beischmack) Gr. IV, VII.
Was Gesch. 554 rapschen heißt, steht Gr. II, 268 als
rapsen aufgeführt.

4. Adverbien und partikeln.

Das charakteristische -e des mhd. adv., welches bis auf
wenige reste verloren gegangen ist (Gr. III, 116), haftet an
der schönen form sanfte Sag. I, 90. Wie allgemein
schwanken gern und gerne; doch läßt sich wahrnehmen,

---

*) „das gekuppelte paar des junius, julius".
**) von der flamme; vgl. Edda 64 wabbeln vom feuer (s. Vilmar
Idiot. 433).

daß Grimm das letztere fast nur vor konsonanten gebraucht hat. Bei frühe, wie er am häufigsten schreibt, waltet ein anderes verhältnis, weil nicht vrüeje sondern vruo (daher eigentlich „fruh"; vgl. Gr. IV, 924) im mhd. überwog. Umgekehrt begegnet nicht selten nah, aber neben nähe galt auch nâch als adverb; mehrmals lang (diu), z. b. Kl. schr. I, 230. Schmidt V, 454. In spat (Sag. II, 209. Gr. I², 322. Pfeiffer XI, 386) ist zwar nicht die endung aber der edle rückumlaut geblieben. Ein adv. baar, welches Hall. l. z. 1812 s. 265 angetroffen wird*), scheint auch durch die alte sprache kaum gerechtfertigt dazustehen und ist im wörterbuche nicht vorhanden.

Viel größerer geläufigkeit als dem gebrauche zusagen will (vgl. Gr. III, 587), der sich auf einzelne fälle beschränkt, im allgemeinen eine präpos. zu hilfe zieht oder den positiv durch umschreibung steigert, erfreut sich in Grimms schriften das von verbalbegriffen abhängige einfache absolute superlativadverb, z. b. feinst Gr. I², 48, frühst II, 393, genaust III, 636, gewöhnlichst I², 48, häufigst Pfeiff. I, 133. Wtb. I, 907, höchst Pfeiff. XI, 380. Wien. jahrb. 28, 24. Gr. III, 168, innerlichst Wtb. III, 1859, innerst Vuk IV. Kl. schr. I, 165. Gesch. 3. Wtb. I, 1135, lebhaftest Weist. IV, III. Wtb. I, LXVII, schönst Gr. II, 967, unmittelbarst Wtb. I, V, weitest Vuk III. Nicht bloß griech. und lat. sondern auch mhd.**) ist die konstruktion: wie geschicktest ich konnte (Edda 13).

Während das wörterbuch bei dem wechsel von etws und etwan jener form, die zugleich vom gebrauche beinahe ausschließlich begünstigt wird, den vorzug erteilt und es als unbegründet bezeichnet beide neben einander zu behalten und etwa zu setzen, wo ein konsonant, etwan, wo ein vokal folgt, waltet in der grammatik tatsächlich das gerügte verhältnis ob. Zwar findet sich etwa auch vor vokalen (I², 57. 576. II, 600. III, 180. IV, 274. 308. 313. 434. 710. 770. 793), etwan kaum ein einziges mal vor einem kons.,

---

*) „der das deutsche baar unter das dänische setzte", d. h. offen, geradezu.

**) vgl. als ich beste kan.

dagegen vor vokalen im überschwank (I², 120. 220. 355.
405. 420. 491. 549. 604. 829. 1051. I³, 415. 467. 493. 551.
II, XI. 21. 130. 312. 570. 607. 818. III, 42. 68. 172. 202.
216. 257. 282. 563. 670. IV, 75. 77. 683. 749. 915. 940).
Demselben unterschiede begegnet man in der grammatik bei
vorne und vornen durchaus nicht, namentlich steht die
letztere von Grimm gegen den gebrauch anscheinend bevorzugte form ebensowol vor konsonanten als vor vokalen. Für
jetzt zeigt sich in älteren schriften häufig das gegenwärtig
fast verschollene jetzo, vorherschend Gr. I¹, doch auch
noch Gr. I², 2. 19. 149. 508. 671. 703. Obgleich die partikel wann in relativer bedeutung heute fast so ungewöhnlich klingt als wenn in interrogativer, so ist an sich doch
nichts gegen den gebrauch zu sagen; der parallelismus „dann,
wann" kann sogar von guter wirkung sein. Dies wann (lat.
quum) wird oft in der Edda angetroffen, z. b. 48. 49. 66.
177, ferner Gr. I¹, 581. Sag. 11, 87. Haupt IV, 507. Gesch.
I. Gr. II, 79. 180. IV, 957. Myth. II, 931. 1099. 1133. Wtb.
III, 344*). In der übersetzung des ahd. danne heißt es
Gr. III, 755, wofür heute allgemein denn üblich ist:
„gehst du dann nicht mit ihr um? sind sie dann nicht gut
geworden?" — Obgleich der jetzige sprachgebrauch irgend
und nirgends nebeneinander festgesetzt zu haben scheint,
wendet Grimm auch irgends an, z. b. Gr. I¹, LXX. III,
220. Wtb. I, 1361, und schreibt außerordentlich häufig nir-
gend (Gr. I², 90. 159. 213. I³, 1. 2. 27. 39. 57. 62. 68.
III. II, 245. 704. III, 222. IV, 368). Nicht stillschwei-
gend ist ihm die geläufige adverbialform, sondern stillschweigends (vgl. durchgehends, zusehends), z. b. Myth.
330 aus welchem stillschweigends geschöpft werden
muste; 544 heilawâc ist stillschweigends zu schöpfen,
zauberkräftiges kraut stillschweigends zu brechen; 676
stillschweigends, ohne unterwegs zu grüßen. Nach art
von rittlings (März. II, 135) und einigen anderen gleichgeformten adv. (vgl. Gr. II, 357) wird Sendschr. 93 knie-
lings gesetzt.

Einzeln begegnen die einfachen formen: nahe (beinahe)
Gr. II, 973. Wtb. I, LXVIII, neben (daneben) Irmenstr.

---

*) „im spätherbst, wann der winter anbricht".

45, nieden auf erden Edda 37, seit (seitdem, mhd. sit)
255, sonders Altd. w. I, 66, wider (dawider) Gr.
1², 423. Einfach und schön heißt es Gesch. IV: „in unsrer
innersten art lag je etwas nachgibiges". Wie hinten,
oben, unten, vornen braucht Grimm in bequemster weise
und dazu von seiten der älteren sprache wol berechtigt auch
mitten, das sonst nur vor einer präp. oder einem andern
adv. üblich ist, z. b. Meisterg. 111. Altd. mus. II, 303.
Savigny III, 87. Andr. u. El. XVII. Gr. II, 869. Kl. schr.
I, 164. Wtb. II, 86.

Aus der volksprache fügen sich an: als (vgl. Gr. III,
100 und Wtb. I, 246) bei Schlegel I, 406: „folgte als weiter
nach", ferner Altd. w. I, 11. Märch. II, 56. 232. 507; halt
(vgl. Gr. III, 240) Märch. I, 473: „was ich halt nicht aufeßen kann"; knapp (kaum) Ber. d. ak. 1859 s. 417 (vgl.
Gr. III, 620).

Zusammensetzung.

Von der an sich überaus wichtigen, in der grammatik
umständlich behandelten und durchgeführten unterscheidung
zwischen eigentlicher und uneigentlicher zusammensetzung
kann hier, wo es sich vornemlich um eine veranschau-
lichung der allgemeineren stellung handelt, welche Grimm
zu der kompositionsfertigkeit der deutschen sprache*) in
seiner eigenen schreibweise eingenommen hat, füglich und
um so mehr im einzelnen abgesehen werden, als in vielen
fällen jene beiden arten, deren verschiedenheit großenteils
leicht erkennbar ist, in dem verhältnisse der gegenwärtigen
zu der älteren sprache mannigfachen wechseln und schwankungen anheimgefallen sind. Auch die mehrfache zusam-

---

*) Wie er über den charakter dieser fertigkeit, im gegensatze auch
zu anderen sprachen, namentlich der griechischen urteilt; daß eine
anzahl von zusammensetzungen solcher wörter, welche los und unge-
bunden im satze zu stehn vermögen und zum großen teil in der alten
sprache so standen, der nhd. schriftsprache nicht zum vorteil ge-
reichen: das hat er außer in der grammatik gelegentlich in der abh.
üb. das pedantische in d. deutschen sprache (Kl. schr. I, 345) ausgesprochen.

mensetzung, die sich nur hinsichtlich des ganzen von der
einfachen unterscheidet, mit rücksicht auf die nächste beziehung der wörter denselben logischen und formellen bedingungen wie sie unterworfen ist, bedarf keiner getrennten
verzeichnung. Eine besondere aufmerksamkeit innerhalb
der verbundenen darstellung erfordern diejenigen wörter, in
denen eigentliche oder uneigentliche zusammensetzung,
mangel oder zutritt des unflexivischen *s* (Gr. II, 934 fg.),
zusammensetzung mit singular oder plural und etwa andere
erscheinungen dem gebrauche zu widerstreiten scheinen.
Obgleich endlich zusammenschreibung und zusammensetzung
einander keineswegs immer genau entsprechen, so darf doch
jene als das einzige und allgemein erkennbare äußere zeichen für diese gelten, mag auch die uneigentlichkeit noch
so stark hervortreten und sich zu anderen malen richtiger
getrennte schreibung anstatt der bloßen zusammenschiebung
offenbaren (vgl. s. 62).

1. Substantive.

Die zusammensetzung findet statt a) mit dem substantiv.

ablautverhältnis Gr. I², 864, albgeist Kl. schr.
II, 332, alphirte Gesch. 1002, alpknecht 1015, alprose
840, arztschule Reinh. LXVII, ausdruckesweisen
Gesch. 1015 u. 2. ausg. 704, baumzweigzeichen Gesch.
159, begriffentwickelung Gr. I², 496, bettlersklei-
der Sag. II, 123 (bettlerrock 124), bibliotheknummer
Wien. jahrb. 32, 249, bienkorb Gr. III, 456, bierbrau
Altd. w. I, 148. Wtb. I, 1823. 1824, blattzahl Wtb. I,
LXXIV, buchdruck 809, buchgelehrsamkeit Reinh.
XCIX, buchstabenanomalie Gr. I², 446, buchstab-
verhältnis 452. 588 (buchstabenverhältnis 678. 757),
bundschluß Kl. schr. III, 229 (bundesschluß Myth. I,
296), chorsinger Altd. w. I, 166, Dänmark Gr. I², 10.
IV, 47. 296. Myth. 253. Gesch. 54 (Dünemark Myth. 348.
Gesch. VI. Rechtsalt. 325. 326), donnerkrach (mhd.)
Myth. XVI, doppelkonsonanzauslaut Vuk XLVIII,
druckkunst Reinh. CXLVII, ehrbezeugung Myth.
20, eichenbaum Märch. II, 24. 25. 416 (eichbaum 196.

8*

416), elbfrauen Myth. I, 391, elbkönig 417, entschei-
dnngsschlachtfeld Kl. schr. II, 6, erdwurf auf den
todten 245, farbunterschied Gr. II, 660, farbverhält-
nisse 665, feigbaum (mhd.) Myth. 539, fingerschnitt
Altd. w. I, 14. 16, flexionenbestandteile Urspr. 48,
flexionsweglaßung Gr. I², 743, flexionvokal 911,
frauennadelspitzen Kl. schr. II, 91, gansflügel Wtb.
III, 1747, gansfuß Ald. w. III, 48. Myth. 242. 556 (güns-
fuß Altd. w. III, 47. 48, gänsefuß Myth. 603), gans-
wiese März. II, 20, geburtstagfeier Wtb. III, 1434,
gerichthaltung Kl. schr. III, 424, geschichtforscher
II, 2. Urspr. 55, hahnfuß Myth. 291, hauptgeburt (aus
dem haupt) I, 148, heiligenleben Myth. VI, helden-
streitäxte Kl. schr. II, 91, hochzeitfeier 417. Wtb.
III, 1431, hochzeitgäste Sag. II, 110, honigstöpfe
Reinh. CXXV, inschriftenschmiede Ber. d. ak. 1859
s. 255, jahrsold neben jahrsgeschenke *) Iornand. 38,
kindbetterwein März. I, 7, kindermärcheneinfalt
Altd. w. I, 139, konsonantlautabstufung Urspr. 40,
kornschnitt Myth. 435, landes-, lands-, landname**)
Gr. III, 421. Haupt VIII, 409. 410, leichbahre Myth.
666, leichbestattung 26. 29, leichbrand Gesch. 232
(leichenbrand 404), leutsage Sag. I, 443 (volkssage
274), mahlring (mahelrinc, vermählungsring) II, 257,
männerschwerteeken Kl. schr. II, 91, mannsnamen
Gr. I¹, XLIV. I², 768, meerstrand Wtb. III, 1862. Myth.
I, 527 (meeresfluten 544), meistersinger (vgl. Gr. II,
81) Altd. w. I, 122 (minnesänger 175), menschähn-
lichkeit Reinh. I (menschenähnlichkeit VIII), milch-
benehmung Myth. I, 591, mondsfinsternis II, 669,
namensanfangbuchstab Altd. w. I, 143, namensver-
stellungen Pfeiffer II, 446, nußbaumlaubast Myth.
354, ortname Zeitschr. f. hess. gesch. II, 141 (ortsnamen
132), osternzeit neben osterfeuer Myth. I, 581 (oster-
lieder, ostertag 582), pachtsgut Wtb. III, 708, pferd-
rüstung Gr. III, 454, pferdshaut Rechtsalt. 91, psalm-
übersetzung Gr. III, 60, reimungenauigkeit I², 342.

---

*) Kl. schr. III, 212 in jahrgeschenke geändert.
**) unterschieden von ländernamen (Haupt VIII. 409. 410).

rückumlautsform 551, runbuchstab I³, 26, runin-
schrift IV, 949, runschrift I³, 25. IV, 773 (runen-
alphabete I³, 26. 54, runenname 348), sagenaufwuchs
Kl. schr. II, 445, schachtafel (mhd. schâchzabel) Sag.
II, 32, schwanflügel Myth. I, 363. 399 (schwanenflügel
303, im konkreten falle), schwanfuß Altd. w. III, 47,
schweinfüße Rechtsalt. 667, schweizervolkssprache
Gr. I², 430, siebentagwoche Myth. 90, sprachfindung
Urspr. 44, sprachhort (-schatz) Wtb. I, VII, stämme-
namen Gr. IV, 408, sternwiederschein Reinh.
CXXIV, storchspaar Wtb. III, 691, tagesbrechen (mhd.
brëhen, splendor) Edda 69, tagestern (mhd.) Göthes kunst
u. alt. IV, 66, tagweide (mhd., tagereise) Sag. II, 106,
tagwerke (tagelöhner) Savigny I, 333, tiersgestalt
Rechtsalt. 670, urteilfindung 782, seinen vatermörder
(den mörder seines vaters) Altd. mus. II, 307. Askania I,
155, vergangenheitskennzeichen Gr. II, 678, vögel-
flug Gesch. 982, volkwitz Schmidt V, 456, wagenvier-
gespann Myth. I, 351, waßergeistsagen Myth. 280),
weibsnamen Gr. I¹, XLIV. I², 766. Ber. d. ak. 1850 s.
75, witfrau (witwe) Wtb. II, 377, wochentagnamen
Myth. 91, worthort Kl. schr. III, 308*), wortunterein-
anderwerfung Lat. ged. XXIII, wurzelgleichlaut Gr.
I², 371, zahlwörtersteigerung III, 659.

Da die wie ableitend aussehenden und geltenden formen
heit, schaft, tum ursprünglich ebenfalls selbständige substantive waren, so werden erwähnenswerte mit dem subst.
zusammengesetzte wörter ihrer art hier angeschloßen: ber-
serkerheit Altd. w. I, 27, menschheit der helden Myth.
I, 316, Phols und Wodans brüderschaft Haupt II, 189,
genoßchaft Gr. II, 512, skaldschaft Gesch. 764, sohn-
schaft Rechtsalt. 476, weltkindschaft Kl. schr. I, 244,
zwillingschaft Myth. 204, heiltum (mhd.) Sag. I, 260.
Reinh. CXXVI, mönchtum Reinh. CXCII. CCLVII.

b) mit dem adjektiv.

blindgeburt Myth. I, 361, hohofen Wtb. III, 1901
(boehofen 1902. 1903), weissage**) Urspr. 25. Haupt I, 7;

---

*) „ein erschließen des worthortes, ein öffnen des mundes".
**) umdeutung aus abd. wîzago (deutsche orthogr. 119).

ausgebildetheit N. lit. anz. 1807 s. 242, gemeinheit
(gemeinde) Savigny 11, 26. Rechtsalt. 929, genauheit Gr.
I², 460, leichtheit I³, 578, losheit II, 619, ruchlos-
heit Sag. I, 325, sanftheit Kl. schr. II, 49, schnellheit
Lat. god. 74, ungenauheit der reime Gr. I³, 171 (ungenauigkeit des reims 173), unormeßenheit Urspr. 54,
weitheit D. beid. ält. d. ged. 31; anfügigkeit Gr. II,
975, anhängigkeit Ir. elf. XCI, schmeidigkeit Arm.
II. 153, unabtrennbarkeit Gr. II, 734, unabtrennlich-
keit 672, unglaubigkeit Ir. elf. 162, unschlüßigkeit
des lauts Gr. I³, 140. 210, unschuldigkeit N. lit. anz.
1807 s. 571, vielhäuptigkeit Myth. 222, vielherrig-
keit Rechtsalt. 759.

c) mit dem pronomen und dem zahlwort.

anderheit Wtb. I, 252, beidheit 1362. 1363, drei-
heit Gr. I³, 33, dumonolog Kl. schr. III, 293. 295. 296,
einkampf, einstreit (mhd. einwic) Sag. II, 28. Savigny
III, 78, einsiedel (mhd.) Sag. II, 19. 176. 293. 294 (neben
einsiedler). Wtb. III, 241, ichheit Kl. schr. III, 240,
ichmonolog 293. 295, selbstheit 265, selbstrede 293.
vielheit und wenigheit Gr. IV, 458 (vielheit oder wenig-
keit 760), zweiheit Wtb. I, 1362. 1363.

d) mit dem verb.

dichtgeist Altd. w. II, 151, heilfrau Sag. II, 104,
probstein Gr. I³, 225. 469. Wtb. III, 234, richtstuhl
Ged. d. mitt. 89, schreibegebrauch Gr. I³, 580 (schreib-
gebrauch 581), schreibewillkür 165, schwingfeder
Wtb. III, 1805, schwingkraft Gr. I², 362, sprechorgane
Urspr. 32, sterbfälle Myth. 409. II, 1061, trennbedeu-
tung Gr. II, 865.

e) mit dem adverb und der partikel.

einerleiheit Gr. I³, 1048. Myth. XI. 8, fortzusam-
mensetzung Gr. II, 966, immertätigkeit Altd. w. I, 183,
inheit Gr. III, 164, inreim I², 386, irgendheit III, 51,
nachfahr, nachfahre (mhd. nâchvar) Sag. II, 241. 293.
294. Savigny III, 94, näherverwandtschaft Gr. I⁴, 175

samtregierung Savigny III, 100, sinflut (beispiele s. 24),
späterheit Hall. l. z. 1812 s. 261, unbeachtung*) Wtb.
I, 169, unbedacht Gött. anz. 1835 s. 1666, unbetonung
Gr. I², 367. 368. II, 92, Unchristen Altd. mus. II, 314,
undehnung Wtb. I, LIX, uneinschaltung Gr. I², 25,
unfarbe Altd. w. I, 182, ungebrauch Wtb. I, 16 (nicht-
gebrauch Gr. I², 945), unmuße (mhd.) Vuk XXXI. Wtb.
I, 1, unpoesie Meisterg. 153, unreim Gr. I², 525, un-
stille Kl. schr. I, 222, Unsneven D. beid. ält. d. ged.
34, aus untreuen (mit untriuwen) Sag. II, 488, unumlaut
Gr. I², 340. I³, 75. Wtb. I, XLII. 575. III, 1348, unver-
wirrung Gr. I², 579, unvollendung II, 80, unzeichen
Gött. anz. 1826 s. 731, unzusammenhang Myth. XXV.
Gr. III, 581, vorherschaft (vorherschen) Gött. anz. 1826
s. 1598.

2. Adjektive.

Zusammensetzung a) mit dem substantiv.

ablautmäßig Gr. II, 167, anlaßlos I³, 541, august-
heiß**) Kl. schr. II, 335, ausnahmlos Gr. II, 72, bau-
meshoch IV, 878, blitzwenig Pfeiff. XI, 388, blutge-
mal (mhd. gemâl, farb, farbig) Edda 35, daumenlang
Kl. schr. II, 92, dratschmal Myth. II, 794. 795, ehr-
bietig Irmenstr. 3, ehrrührig Wtb. II, 153, geistähn-
lich Altd. w. III, 238, geistersichtig Altd. bl. I, 289.
Myth. 635. II, 1061, grasbärtig Abh. d. ak. 1845 s. 198,
hauptdeutsch Gr. I³, 14, hauptverlustig Meisterges.
79, hantdünn Wtb. I, 1512, heergefährlich Myth. II,
1043, hexensichtig Myth. 635, kampfmüde (mhd.) Ir.
elf. CXVIII, kriegfertig Vuk III, menschähnlich
Myth. 253. I, 527, mutterallein (vgl. Gr. II, 556) Sag.
II, 249, opferdiensam Myth. 386, positivlos Gr. III,
606, raumspielig Heidelb. jahrb. 1813 s. 862, reimge-

---

*) In betreff der hier und später folgenden zusammensetzungen mit
un-, deren sich in solchem anfange und in so kühner weise kein anderer schriftsteller neben Grimm bedient haben dürfte, wird man versucht die eigentümlichkeit des ausdrucks bisweilen als eigensinn und
willkür zu bezeichnen.

**) vgl. ougestheize sunue (Parz.).

fällig Gr. I², 385, saatverderblich Myth. II, 1043, sagberühmt Myth. 143, scheintätig Candidus VI, schriftunfähig Vuk XII, schutzesdürftig Savigny II, 48, sommerlanger tag (mhd.) Kl. schr. II, 51, sonnscheu Rechtsalt. 813, splinternackend, splinternackt (vgl. Gr. II, 572) Märch. II, 22. 56, tagsscheu Savigny II, 72, treufällig 90, umlautähnlich Gr. I², 362, umlautsunfähig I², 534, umlautzeugorisch 809, vokalauslautig 670 fg. Gesch. 875, vokalblödo Kl. schr. I, 65, vokalschlüßig Abh. d. ak. 1845 s. 243, volksgänge Savigny II, 47, wegmüde (mhd.) Ir. elf. CXVI, wortfällig Savigny II, 90, zungförmig Myth. 400.

 Adjektive anf -bar, -haft, -lich, -sam: jagdbar, Wtb. II, 289. 407, noch lautbare märchen Schlegel I, 398; artikelhaft Gr. IV, 393 397, blumenhaft Kl. schr. II, 374, frauenhafte poesie Meisterges. 8, glückhaft Gesch. 154. 984, valkyrienhaft Myth. I, 397, zeichenhaft Rechtsalt. 110. 142. Myth. 369; allväterlich Myth. XIII, anderörtlich Altd. w. II, 155, begierlich Schlegel I, 399, fräulich (mhd.) Rechtsalt. 584. Gesch. 17. Gr. III, 356. 451. Myth. II, 847, furchtlich (mhd. vorhtlich) Sag. II, 141, giftlich Edda 125, hausfräulich Rechtsalt. 176, heldlich Myth. I, 358, lehnlich (mhd. lêhenlich) Rechtsalt. 140, mailich Myth. 444, männiglich (vgl. Gr. II, 569. 570) Ber. d. ak. 1852 s. 213, mannlich (mhd.) Sag. II, 25, morgenliche Venus Myth. 415, sächlich*) Gött. anz. 1841 s. 361. Z. rezens. II. Kl. schr. I, 155. 159. II, 9. 10. 83. Wtb. I, 1324 (saehlich 1024), unter schildlichem dache (mhd.) Myth. I, 390, weihnächtlich Myth. 182, wünschliche gedanken (vgl. nâch wunschlichem muote) Märch. I, 452; arbeitsamste**) zeit Kl. schr. I, 14, nachdrucksam Gr. IV, 131. 202. 349. 366. 940. Kl. schr. III, 295. Wtb. I, 212, der sinnsame Tristan (Gotfr. v. Straßb.) Altd. w. III, 104, vreisam (mhd. vreissam, schrecklich) Sag. II, 140.

---

*) d. h. sächlich. Vom geschlecht heißt es bei Grimm nicht sächlich, sondern regelmäßig neutral.

**) mhd. arbeitsam ist nicht attribut der person, sondern bedeutet voll arbeit, mühe.

b) mit dem adjektiv.

barfuße wahrsagerinnen (vgl. Gr. II, 667) Myth. 65, breitkliugig Kl. schr. II, 292, buntlappig Vuk XVII, ebenzeitig Ged. d. mitt. 40, gähstotzig Wtb. III, 1850, gleichsinnig Meisterg. 100, großtropfig Kl. schr. I, 60, heutigdeutsch Gr. I¹, 174, kahlhäuptig Myth. I, 134, kaltbrustig Myth. 436, langhärig Wtb. I, 1807, langlang, langkurz, kurzlang Gr. I², 838, leidermütig (leidmütig Gr. II, 664) Kl. schr. I, 21 (briefl. v. j. 1814), rechtfertig*) Gr. I³, 184. Gesch. 206. 470. 577. 775. Kl. schr. III, 390, scharfpositiv Gr. I², VII, schmutzigblaßrot Wtb. III, 1241, schwachförmig Gr. III, 333, siechkrank Arm. II. 158, starkförmig Myth. 506, vollformig Gr. III, 114, vollhebig Lat. ged. XLI; bläulich März. II, 344, breitlich Wtb. II, 103, verschiedlich Irmenstr. 5. 43, mit weiniglichen augen (mhd.) März. I, 193, die zärtliche (weichliche) äbtissin Ber. d. ak. 1851 s. 99.

c) mit dem pronomen, zahlwort und adverb.

anderweit**) Gr. I², 580. Reinh. CVI. Kl. schr. II, 197, einfärbig Lat. ged. XVI, eingliedig Haupt V, 14, fortgültig Gr. III, 117, funfzighäuptig Myth. 302, invergnügt (vgl. Gr. II, 761) Savigny II, 99, eines irgendvielten teils Wtb. II, 409, nichtswert Meisterg. 186. Gr. I², 527. II, 104, selbwüchsig Gött. anz. 1863 s. 1362, siebenfärbig Irmenstr. 62, übertierisch Gött. anz. 1834 s. 885, urlauter Gesch. 1018, vierhäuptig Myth. I, 298, wolgeschmack (mhd. wolgesmac) Wtb. II, 54, wolhäbig Myth. 141, zweigesichtig I, 298. 397, zweikonsonantisch Gr. II, 407, zweipunktig I², 37, ein zwielichtes wort (mhd. zwilich?) Schlegel III, 58.

d) mit dem verb.

vichtreibsäumig Myth. 700, wohnfertig (vom haus) Wtb. 1, 1501, lobwürdig (vgl. Gr. II, 695) Hall. l. z.

---

*) s. mhd. wörterb. III, 258ᵇ.

**) im wörterbuch als adj. dem kanzleistil zugewiesen. Der sprachgebrauch zieht die verlängerte form „anderweitig" vor (Wtb. I, 314); dem mhd. galt bloß das adv. anderwelde (Gr. III, 232).

1812 s. 241, aushebenswert Gesch. 733. 844, preiswert
Gr. IV, 258, versuchenswert Gesch. XIII; auswerfbar
Gr. I³, 320, beziehbar Wtb. I, 212, bildbar Gr. II, 377.
393. 865. III, 686. Gesch. 851, einschaltbar Gr. III, 280,
empfindbar Gesch. 898. Reinh. II, ergänzbar Gr.
IV, 437, erlangbar Urspr. 6, erstreckbar Wtb. I,
XIV, findbar Gr. III, 556, forderbar Rechtsalt. 623,
fortsetzbar Gr. II, 392, jagbar Wtb. III, 1472, leitbar
Gr. II, 170, opferbar Myth. 32. 385. Wtb. III, 190, rück-
führbar Gesch. 247, schwimmbares waßer Sag. II, 35,
tödtbar Schmidt III, 352, verrückbar Pfeiffer I, 19, ver-
stehbar Kl. schr. II, 153, zusammenstellbar Abh. d.
ak. 1845 s. 223; bröckelhaft Reinh. VI. Myth. I, X.
Ber. d. ak. 1859 s. 413, prahlhaft Gött. anz. 1838 s.558,
trennhaft Gr. II, 851; ableglich I², 802 fg., ausläng-
lich II, 71, aussprechlich I², 59, behilfliche kürzung
IV, 371 (vgl. I², 1040. II, 76), einschieblich II, 979,
ergänzlich IV, 454, heblich (vom schatz) Myth. II, 921,
reimlich Meisterg. 183, verwirrlich 15, zimpferlich
Wtb. I, XXXII. XXXIII, zusammensetzlich Gr. II,
942; bedenksam Myth. 649, gefügsam Gr. I², 452, hin-
dersam Gesch. 834, nachdenksam Märch. I, 8. II, 298.
Myth. 317. 487, weissagsam Myth. 656.

c) mit un-.

unalt Merkel LXXV, uneinfach Gr. II, 74. 723, un-
fest Gesch. 23, unfremd Kl. schr. I, 128, unganz Gr. II,
992, ungefüg I², 254, ungeschmack (mhd. ungesmac,
unschmackhaft) Wtb. I, XLVII, ungewahr Gesch. 802,
unhart Gr. I², 303, unhübsch Wtb. IV, 42, unkarg
Thomas XVI, die unkunden eltern Arm. II. 193, unreich
Rechtsalt. 312, unselten Thomas VIII, unspröde Schmidt
II, 267, unstrenge Gr. I², 543. Kl. schr. I, 144, unvoll
Gr. I³, 111. Rechtsalt. 413, unweich Gr. I², 303; unurer-
schaffen Urspr. 34, unurverwandt Gesch. 41; unan-
gehörig Gr. II, 357, unaufstößig Myth. I, 289, unfüßig
Myth. 638, hierher ungehörig Gr. II, 954, ungeschlech-
tig III, 329. Gesch. 928. 929, unglaubig Sag. II, 304,
unhäufig Gr. I², 351. IV, 327. 539, unmerkwürdig
Myth. stammtaf. XXII, unnötig haben Heid. jahrb. 1810

s. 89, unnotwendig Wtb. I, 584, unsichtig (mhd.)
Schmidt V, 456, unständig Rechtsalt. 785. Myth. 26, un-
amlautig Gr. I², 928, unvollbürtig Lat. ged. VII, un-
widerspenstig Kl. schr. III, 372, unwollautig Gr. II,
322; unappellativisch Myth. 437, nndiphthongisch Gr.
I², 102. I³, 281, unfuturisch II, 869, ungenitivisch
III, 188, unkompositivisch II, 984, unnomadisch
Gesch. 31, untriphthongisch Gr. I², 303; unbehaupt-
bar Wien. jahrb. 28, 17, unbiegbar Pfeiff. I, 21. Wtb.
II, 141, unjagdbare hirsche Wtb. II, 407, unmischbar
Gr. I³, 563, unopferbar Reinh. LIV, unscheidbar
Kl. schr. III, 347, untrübbar Altd. w. I, 174, unumsetz-
bar Wtb. I, 385; unlachhaft Altd. w. I, 74, unlebhaft
Rechtsalt. 340, unsanghaft Meisterg. 185, unwurzelhaft
Gr. I³, 82; unaussprechlich (in lautlicher beziehung)
Gesch. 369. Gött. anz. 1850 s. 764. Gr. IV, 23. Wtb. II,
615, unauswerflich Gr. I², 1010, unöffentlich Kl. schr.
I, 239, dunkel und unsäglich Altd. w. II, 19, unvermut-
lich Gr. II, 74, unvorfindlich I², 853; uneinsam Urspr.
37; unabsolut Gr. IV, 911. 912, unanalog I², 143, un-
auxiliar IV, 152, unmedial IV, 40, unnasal I², 121
(nichtnasal 120), unneutral II, 522, unparallel I²,
1047, unpronominal IV, 555, unquantitativ I³, 546,
unradikal I², 114, unreduplikativ Gesch. 886, unre-
lativ Gr. III, 18.

3. Verben.

Zusammensetzung a) mit dem substantiv.

1) Inf., zumeist substantivisch.

bogenschießen Schlegel III, 58, brautwerben Wtb.
IV, 94, eierlegen Kl. schr. I, 87, fingerdeuten (mhd.)
II, 62. Myth. 414 (mit fingern deuten 422), hauptent-
blößen Myth. 20, heimfallen Vuk 38. Gr. II, 821. IV,
VIII. I³, 400. Gesch. 796, heimstellen Savigny II, 84,
kartonspielen Myth. I, 136, kerzenanzünden Myth. 4,
kniesetzen II, 818, lautverschieben Schulze XXI, na-
menwerden Gr. II, 600, ohrenziehen Sag. II, 79, schoß-
nehmen Myth. II, 818, tierhauptaufstocken Myth. 380,
vokaleinschalten Gr. I³, 280, vokalschwanken II, 851,
weihrauchbrennen Myth. 4.

2) Part. präs.

bergwohnend Myth. 321, grundabweichend Kl.
schr. II, 81, haupthandelnd (vgl. haupthandlung) III, 293,
raumschwendend Haupt V, 238, regelmachend Gr. II,
129, satzherschend IV, 444, siechtumheilend Myth.
II, 1057, vokalanhebend Altd. w. II, 102, wahrheit-
liebend Urspr. 28, weihrauchduftend Kl. schr. II, 114,
wortehäufend Savigny II, 50, wundensegnend Myth.
II, 1057, zahnknirschend Reinh. LXXVI.

3) Part. prät.

baumerschaffne menschen Myth. I, 538, baumver-
wandelt Altd. w. I, 140, bergentrückte schätze, bergentrückte helden und götter Myth. 547, bergversunken
103, binsgeflochten II, 733, blitzerschlagen I, 169.
495 (vgl. 522), blumenverwandelt Alt. w. I, 140, blut-
gemischt Gesch. 137, bodengeschleift Savigny II, 85,
buttergeschmiert Myth. I, 524, dratbespannt Wtb.
III, 1899, eschentsproßene krieger Myth. I, 541, feder-
geschmückt Myth. 603, holzeingefaßt Wtb. I, 545,
hutbedeckt Reinh. LXI, inselumgeben Kl. schr. II,
84, kerzenerleuchtet 114, lappenbehängt Wtb. I,
1437, lederbezogen 578, luftgefüllt 1093, meeresum-
spült Kl. schr. I, 58, mehlbestäubt Wtb. I, 551, mensch-
bewohnt Myth. 459, milcherfüllt II, 660, pferd-
gestaltet I, 479, pfluggezogne furche Gesch. 56, reif-
beschlagen Wtb. I, 1193, reimverbunden Gr. I², 474,
reimverwirrtes lied Meisterg. 57, ringgewundenes
gold Kl. schr. II, 197, schlangerfüllt 92, sonntagsge-
faßter wein Myth. 604, steingemauert Gesch. 115,
sternverwandelt Irmenstr. 63, tuchbehangen Gesch.
115, volkgesungen Altd. w. II, 111, waßerumfloßen
Wtb. I, 601.

b) mit dem adjektiv und adverb (part. präs. u. prät.).

altbacken Wtb. I, 266, breitschattende bäume
Rechtsalt. 793, kurzlebend Edda 121, reduplikativ-
ablautend Gr. I², 838, schwirrlautend 781, christ-
licheingekleidet Myth. I, XXXVI, doppeltgemantelt

Kl. schr. II, 337, neubacken Gött. anz. 1826 s. 735. 1912.
Wtb. I, 264. III, 26, relativgesetzt Kl. schr. III, 323,
verbalkomponiert Gr. II, 696, vollwachsen Reinh.
XXII. Kl. schr. I, 165.

Der aus dem mhd. (sëlpwahsen) stammende ausdruck
selbstwachsen (Kl. schr. I, 241 „ein selbstwachsener
professor") enthält das pronomen; in der verbindung „ein
fliegengelaßener hahn" (Savigny II, 60) hat sich das
part. sogar mit einem inf. äußerlich zusammengesetzt.

e) mit partikeln.

1) trennbare zusammensetzung.

abkommen (herkommen, stammen) Rechtsalt. 122, ab-
reden (verreden) Meisterg. 101, absteinen (lapidibus sig-
nare) Rechtsalt. 499, anblasen (durch blasen begrüßen)
Myth. 439, schätze anlustern Sag. I, 12, ansitzen (vgl.
angesessen) Kl. schr. III, 226, aufklinken Sag. I, 14. Myth.
541, auserschöpfen Gr. II, 6, auskleiben Wtb. II, 97,
beikommen (gleich kommen) Gr. I², 281. I³, 125. 426.
III, 1. 233. IV, 375. Gesch. 340, ein i einschießen Gr.
I³, 421, inliegen Arm. II. 215, nicht widerhalten Candid.
VI, widersträuben Gr. II, 676, zugelangen (zu einem
gelangen) Schlegel I, 398. Haupt IV, 501. Myth. I, XI, ein
r zwischenschießen Gr. II, 139.

2) untrennbare zusammensetzung.

bedreschen (von garben) Haupt VIII, 395, befahren
(befürchten) Berl. spr. u. sitt. 1817 s. 350ᵇ. Lat. ged. 83.
Kl. schr. II, 28. Wtb. I, XXVIII*), beglauben Gesch. 91,
sich behaben (mhd., sich verhalten; vgl. gehaben) Rechtsalt. 183, bekleiben (v. d. pflanze) Wtb. III, 1225,
belcibte schriften I, XXXI, benieste worte Myth.
647, bescheiden (mhd., deuten, kund tun) Sag. II, 211,
beschelten (mhd.) Gött. anz. 1863 s. 1377, das waßer be-
schwimmen Sag. I, 69, beeher besegnen Myth. I, 182,
besenden (mhd.) Sag. II, 104, bestehen (mit persönl.
obj., mhd.) 140, besternen (vom sternchen in der schrift)

---

*) vgl. dagegen Gr. I², 110 „weil der diphth. keine ähnliche ver-
wandlung befährt".

Vuk XV, bestreichen (mit einem strich versehn) Gr. I³,
123, beumlauten III, 577, bezeihen (mhd., beschuldigen)
Moisterg. 108, durchnaßt (vgl. mhd. naʒʒen) Myth. II,
885, entbundne (freigelaßne) knechte Gesch. 321, ernten
entflammen Schlegel 1, 415, mir entgeht (ich leide abbruch) Wtb. I, XXXIII, eine erbildete kunst N. lit. anz.
1807 s. 226, erdenken (mhd.) Rechtsalt. 67, erdorren
(mhd.) Sag. II, 29, die welt erfahren*) 63, erfordern
(vor ein gericht) Wtb. I, 281, erhallen (mhd.) Gr. III, 1,
erkrähen Savigny II, 262. Kl. schr. II, 71. Myth. 317.
576, erkundigen mit d. acc. Sag. II, 104, zu sehen erlangen Altd. w. II, 146, erschauern Sag. I, 367, er-
schwarzen Rechtsalt. 905, erstärken Kl. schr. I, 376,
erstumpfte flexionen Gr. I³, 829, erblinden und ertau-
ben**) Kl. schr. I, 199. 200, ertragen (ertrag geben)
Jahrb. f. wiß. krit. 1842 s. 791. Gesch. 580. Kl. schr. III,
182. Pfeiff. XI, 377. Wtb. I, 868, erwerfen Rechtsalt. 67,
gegendienen (vgl. mhd. widerdienen) Schlegel I, 399,
genießen (nutzen haben, mhd.) Sag. II, 139. Rechtsalt. 90,
wanken geraten (mhd.; vgl. Gr. IV, 96) Schlegel I, 408,
überlängern Altd. w. II, 104, umweifen (mhd. wifen,
winden) Edda 219, vorabreden (in abrede stellen) Gr. I³,
529. Kl. schr. I, 222. Wtb. I, 1500, veranslauten Gr. I²,
992, verblassen II, 83, verdenken (in verdacht haben,
mhd.) Sag. I, 349, verdornen (mhd. verdürnen) Myth. II,
680. Kl. schr. I, 26, voreinzelnen Gr. III, 261, verfum-
feien***) Märch. I, 479, vergären Reinh. XIII, vergei-
seln (mhd.) Lat. ged. 78. 104, vermenschte götter Myth.
I, 356, vermuten (vermutung äußern) Gesch. 198. 212.
546, verplackte hosen†) Märch. I, 496, verquicktes
gold Wtb. I, 1708, laßts euch nicht verschmähen ††)
Sag. II, 256, verschnörkelt, verknorzt Wtb. I, LIII,
verschwächen Gr. I², 119, verschwarzen Sag. I, 161,

---

*) „der die weelt — ervuor" (Anno); vgl. Vilmar Idiot 97.

**) mhd. ertouben ist transit., betäuben.

***) s. Vilmar Id. 48. 113. Schambach niederd. wtb. 261.

†) vgl. das. „schlug dann an einen großen oder kleinen placken
seines kittels".

††) „lāt iu niht veramāhen" (Nibel.); vgl. Vilmar 358.

verschwestert Hall. l. z. 1812 s. 262 (verschwistert
Gr. I², XIX. Kl. schr. II, 26), verschren Gött. anz. 1833
s. 337. Rechtsalt. X. 250. Myth. 48. Gr. I², XII. Kl. schr.
I, 28. 77. 81, verspielen (verspillen, verlieren) Sag. I,
324, verspreiten Vuk VIII, das e verstoßen (ausstoßen)
Gr. I², 982, einen verursachen (veranlaßen) N. lit. anz.
1807 s. 673. Altd. w. II, 148, vervorteilen Vuk XII.
Gött. anz. 1832 s. 396, verwesen (von amt und dienst)
Savigny II, 29*).

Mit der partikel un- geht das verb eigentlich keinerlei
zusammensetzung ein (s. Gr. II, 781); gleichwol zeigt Grimms
ausdrucksweise einzelne fälle, welche der aufgestellten regel
einigermaßen widersprechen, z. b. Gr. I², 528 mir scheint,
daß die neue orthographie grammatisch ungenüge, I¹,
554 sich mit den übrigen unvermischende buchstab-
folgen, Lat. ged. VIII das was sie ererbt oder unverlernt
haben**). Vor dem partizip ist der gebrauch so unbegrenzt
wie vor dem adj.; doch laßen sich die einfachen wörter
lange nicht alle auf gleich leichte weise adjektivisch faßen,
wodurch wiederum der verbalen geltung vorschub geleistet
wird. Die folgende zusammenstellung berücksichtigt vorzüglich die letzteren.

Part. präs.: unablaßend Wtb. I, LXVI, unab-
lautend Gesch. 878, unabweichend Gr. I², 583, un-
alliterierend IV, 425, unanziehend (ohne attraktion)
Kl. schr. II, 326, unauffaßend Wtb. I, 1310, unbelei-
digend Kl. schr. I, 28, unbeweisend Gr. I², 957, un-
durchgreifend 591, unentehrend Rechtsalt. 729, un-
entsprechend Wtb. I, 437, unerbarmend Savigny II,
85. Kl. schr. I, 209, unerfreuend Myth. I, VII. Kl. schr.
I, 151, unerschöpfend Gr. IV, 679. Wtb. I, XXX, un-
fliegend Myth. II, 652, unfragend Gr. III, 757. 759.
760, unfühlend II, 97, ungehend Kl. schr. II, 366, un-
geminierend Gr. II, 318, unlachend Altd. w. I, 74,
unlebend Kl. schr. III, 237, unredend Gesch. 323. 780.
Urspr. 30. Kl. schr. II, 366, unreimend Lat. ged. XXVIII,

*) Unter den hier erwähnten wörtern befinden sich einige, welche
nur im part. prät. gebräuchlich sind (vgl. Gr. II, 868) und größtenteils
von einem subst. stammen.

**) oder wie lat. cognitum habere zu verstehen?

unstillstehend Wtb. I, VIII, unstörend Gr. II, 74,
untaugend Misc. crit. I, 3, 579. Kl. schr. I, 205. Wtb. I,
IX, unteilnehmend Gr. II, 767, untragender acker
Myth. II, 1185, untrauernd Gr. III, 747*), untrügend
Rechtsalt. 908, unübereinstimmend Gr. I², 726, unum-
lautend 337, unverdauender magen Wtb. II, 260, un-
vergehend 1, VII, unverkleinernd Gr. III, 696, un-
verneinend 746. Myth. II, 866, unverrinnend Kl. schr.
I, 29, unversiegend Gött. anz. 1838 s. 1364, unverwir-
rend Gr. I², 235, unwelkend Myth. II, 1233, unzu-
laugend Gr. I¹, LXXIV, unzusammenfallend Misc.
crit. I, 3, 582.

Part. prät.: unabgetan Wtb. I, LXII, unange-
hängt Gr. III, 14. 19, unangenommen Lat. ged. XIII,
unangestoßen Gr. I², XIII, unaufgefunden IV, 797,
unaufgegeben I³, 181, unaufgehobene tafeln Wtb. I,
664, unaufgewogen XXIII, unausgebraucht Gr. I³,
XII, unausgeruht Sag. I, 69, unausgeschloffen Gött.
anz. 1824 s. 1839. Wtb. I, 278, unausgesogen Kl. schr.
I, 121, unausgezogen Wtb. I, LXXXI. Kl. schr. I, 121,
unbeigebracht Gesch. 876, unbeigelegt Kl. schr. II,
325, undargestellt Gesch. 916, undurchgeführt Gr. I²,
807, uneingesehn Myth. XXIX, uneingetragen Pfeiff.
I, 26, unentgangen Gesch. 676. Schulze VIII, unent-
zogen Myth. 260. Wtb. I, XXX, unerbracht Schulze
XXI, unerfunden Rechtsalt. 350, unergriffen Wtb. I,
474, durch die geschichte unerleuchtete neuerungen Gr.
I³, 217, unerloschen Wtb. I, 63, unerschöpft XXXV,
ungebogen Gr. I², 774, ungefettete waßersuppe Wtb.
I, 1512, ungemachte beute Gesch. 566, ungeleckt Wtb.
I, 1123, ungestalt (mhd.) Kl. schr. II, 267, ungetrunken Gr. II, 338, ungewaschener schlag Märch. II,
186, ungezahnte kinder Kl. schr. II, 271, unmitgeteilt
Wtb. I, XXXVI, unüberzeugt Merkel LXXVI, unum-
gesetzt Gr. I³, 330, ununterworfen Gesch. 495, un-
verschlungen Gr. I², 401, unverurteilt Rechtsalt. 886,
unzugedeckt Gött. anz. 1841 s. 353, unzugelaßen Wtb.
I, 763.

---

*) „ἀπενθής, nicht trauernd τηπενθής".

Ein seltenes part. mit zu ist in der verbindung „un-
auszugründendes wunder" (Schlegel III, 75) enthalten.

4. Adverbien und partikeln.

Mit bezug darauf, daß der adverbialen form -lich ihre
unterscheidende bedeutung so gut wie abhanden gekommen
ist (Gr. III, 117), verdienen angemerkt zu werden: kürzlich d. h. mit kurzen worten*) Gr. I², 18. Savigny II, 35.
Kl. schr. II, 334, kühnlich Meisterg. 141, klärlich Edda
164. Savigny I, 334. Gr. III, 590, leichtlich Meisterg. 4.
81. Edda 43, das überaus häufige fälschlich und andere,
statt deren heute insgemein die einfachen formen auftreten **). Ins mittelalter gehören die ausdrücke „dieb-
lich entführen" (Gesch. 554), „sich fräulich ankleiden"
(Sag. II, 208), „kampflich bestehn" (Wtb. I, 340),
„kämpflich auftreten" (Thomas X); für gemeiniglich
trifft man häufig das ältere gemeinlich, z. b. Savigny II,
65. Kl. schr. I, 1. Myth. I, 428. Wtb. II, 301. III, 745.
Das adv. abendlich f. abends (Ber. d. ak. 1850 s. 201
„abendlich beim niederlegen") kommt auch bei Göthe
vor; wenig üblich sind inhaltlich Savigny III, 80, vor-
namentlich Altd. w. II, 156; anstatt „dem namen nach"
heißt es Gesch. 732. Askania I, 166 namentlich.

Die kürzere form ebenwol herscht an zahllosen stellen
namentlich der grammatik, z. b. I², 40. 170. 580. II,
VIII. 124. 702. 850. III, 137. 146. 193. IV, 32. 319. 362;
auch ebenwenig kommt nicht selten vor, z. b. Kl. schr.
III, 408. Abh. d. ak. 1858 s. 82***). Mit je nachdem
wechselt bloßes nachdem Gr. I², 170. I³, 208. II, 1. III,
547. IV, 247. Savigny II, 81. Wtb. I, 1346†); unterdessen ist Altd. w. III, 89. Lat. ged. 89, inmittelst Edda

---

*) Sag. II, 343 bedeutet es „in kurzer zeit".

**) Zwar schwerlich ist sehr gängig, unterscheidet sich aber
von schwer, mit dem es Kl. schr. I, 44 verwechselt wird: „so schwerlich die würde der ganzen anstalt — erhalten werden könnte, ebenso
wenig —".

***) vgl. Gr. I², 113 ebenwichtig.

†) „nachdem es nahen oder bleiben ausdrückt". Dieser gebrauch
wird von Heyse II, 658 angegriffen.

Arbmann, J. Grimms sprache. 9

191 als konjunktion gebraucht. Nach analogie der demonstrativverbindungen heißt es Altd. w. II, 155: weasenungeachtet und Wtb. I, 1346 welchemnach; oft stößt man auf das zusammengesetzte seinerstatt, z. b. Gr. I¹, 142. 187. I², 437. 528. IV, 672. Die ausdrücke vaterhalb und mutterhalb (von väterlicher und mütterlicher seite), welche sich Altd. w. III, 44. Kl. schr. I, 80 finden, sind mittelalterlich; vgl. innerhalb f. inwendig Rechtsalt. 675. Von der richtung wird ziemlich regelmäßig darein, worein gesagt, nicht darin, worin, die den bloßen ort bezeichnen*), z. b. Altd. w. II, 106. III, 284. Meisterg. 5. Arm. II. 61. Märch. II, 82. Hall. l. z. 1812 s. 247. Ber. d. ak. 1857 s. 146. 1859 s. 417. Wtb. I, 1708. Für hierher oder dahin steht das von vielen gern gepflegte, in sich eigentlich widersprechende hierhin Ir. elf. 199. Gr. I¹, LI („hierhin gehören"; dag. 44 „hierher gehören", 165 „dahin gehören"). Wtb. I, 596 („eine hierhin dorthin**) schwankende sinnesart"). Was täglich gehört, selten geschrieben wird, liest man Kl. schr. II, 462. Schlegel I, 400. Wtb. I, 789: worum, aber jedesmal in relativer, nicht interrogativer bedeutung. Wie mitten selbst (vgl. s. 114) begegnet ohne rektion auch die zusammengesetzte und obendrein assimilierte form immitten Arm. II. 147; aus früher zeit rühren die verbindungen: „stehen dazwischen mittenein" Altd. w. II, 154, „mittendrein am herd sitzen" Märch. II, 211***). Eigentümlich heißt es Sag. II, 312: „der schwamm den Rhein herdan" (vgl. Gr. III, 212). Der volkssprache gehören zu die mit dem alten demonstrativ komponierten adv. haußen (Märch. II, 298) und heint, heunt (oben s. 27) nebst dem pleonastisch gehäuften heunt nacht †), heunt in der nacht (Sag. II, 325. Ber. d. ak. 1851 s. 100. Pfeiff. III, 49); ferner nimmer für das ihm zu grunde liegende nie mehr (mhd. niemer) Ged. d. mitt. 12: „plötzlich verschwunden und nimmer erblickt worden", ebenso Sag. I, 262. Gr. I¹, X. Kl. schr. I, 116. Gesch. 2. aufl. IV;

---

*) mhd. dar in unterschieden von dar inne.

**) anscheinend dem lat. „huc illuc" nachgeahmt.

***) vgl. zwischen in liegt Altd. w. II, 146, stand mitten in zwischen Meisterg. 20.

†) mhd. hinabt bi dirre naht, hinaht dise naht (Gr. III, 189).

auch etwa unterwegens Irmenstr. 9. Ohne den gewöhnlichen aber an sich nicht berechtigten umlaut läßt Grimm
Gesch. 5. 698. Rechtsalt. 470. Wtb. I, XIV zuvorderst
sehen (Urspr. 12. Kl. schr. III, 278 zuvörderst). Ein
altes und ungünstigerweise veraltetes gepräge tragen ohne-
des Sag. I, 22, unterweilen Gr. I², 817; ungewöhnlich
klingen absonders Altd. w. I, 138, außerweg Gr. I¹,
649, zu damal Sag. II, 251, durchall Gr. I², 64. 457.
611, halbweg Thomas V, jedmal Edda 197 im vers,
keinerdings Schlegel I, 405, mittlerzeit Gr. II, 256,
traumweise (im traume) Altd. w. I, 159.

Syntax.

Die in der grammatik wichtige und grundsätzlich notwendige sonderung des einfachen und des zusammengesetzten satzes erscheint für die gegenwärtige darlegung in
mehr als einer hinsicht unbequem und*unangebracht. Nach
maßgabe einzelner überschriften von zusammenfaßender bedeutung, jedoch mit möglichst nahem anschluß an ebenso
natürliche wie herkömmliche einteilungen und anordnungen,
wird nacheinander, was innerhalb des satzes und seiner verhältnisse aufmerksamkeit verdient, besprochen werden.

Mangel des persönlichen subjektspronomen *).

Das pronomen der 1. person fehlt Gr. I⁷, 632, wo es
heißt: den nom. pl. bezweifle; ebenso 510, ferner Z. rez.
d. d. gr. 26 zum Lehmann stehe — mit an; außerdem im
stil der Märchen z. b. I, 355 wills gewis nicht tun, 356
habs gekauft, — bin selber nicht dabei gegangen. Die
entbehrlichkeit des pron. der 2. pers. gehört ausschließlich
der vertraulichen rede an, zeigt sich daher wiederum in den
Märchen, z. b. I, 201 hast die kostbare zeit hingebracht,
214 sagt die ziege wäre satt und hast sie hungern laßen,
355 läßt die wurst freßen, das bier aus dem faß laufen,
und verschüttest noch unser feines mehl, hättest mirs
sagen müßen. Ausfall des pron. der 3. pers. findet nur
statt**), wenn ein vorhergehendes abhängiges subst. oder
pron. desselben zusammengesetzten satzes das neue subjekt

---

*) vgl. Gr. IV, 218. Lehmann Güthes spr, § 55.

**) abgesehen von der unterdrückung des grammatischen subjekts
in sätzen wie bei Merkel LXXII fragt sich f. fragt es sich (Wtb.
I, XVIII), d. h. es fragt sich; Gesch. 247 fragt sich um die deka-
den (desgl. 369, 604).

andeutet*), z. b. Sag. II, 259 sie schmeckten so herb,
daß sie ihr den mund zusammenzogen, warf sie weg —;
346 verdroß es den hauswirt, ließ den stein aus der
mauer brechen; — dem teufel war das unlieb und hätte
gern das heilige werk gestört; Kl. schr. III, 193 das gothische calendarium liefert Gutthiuda — und gleicht jenem
procopischen Γόυθοι. Die ergänzung des pronomens kann
sich auch auf die vereinigung zweier vorhergehenden begriffe beziehen; vgl. Sag. II, 295 nahm sieben männer,
und machten sich auf den weg. Mitunter trennt ein punkt
die sätze; in diesem falle ist es gleich, ob das bestimmende
wort im obliquen kasus steht oder nicht, z. b. Gr. I², 162
Diesen buchstab nenne ich asp., —. Gehört also —;
203 beispiele des ë —. Entspricht also —; Märch. I,
460 Lief hinab, setzte einen krug an, sprach —; 483
Kehrte also um und zog weiter. In den sätzen: „saß —
ein alter mann mit seiner frau, und wollten —" (Märch.
II, 478); „dem lehen steht sowol eigen als erbe gegenüber
und bezeichnen vererbbares allod" (Wtb. III, 710); „jetzt
merkte die herschaft, daß sie ihn sich nicht vom hals
schaffen könnten, kehrten also — " (Myth. I, 480): in
diesen sätzen fällt der mangel des pronomens vorzüglich mit
rücksicht auf die ungleichheit des prädikatsnumerus auf;
vgl. dag. Ir. elf. 40: lebte ein junges ehepaar, namens Mac
Daniel, und sie hatten —. Merkwürdig ist folgende kürze:
„ia, eigentlich im einzigen iag (ego) vorhanden, wird aber
jag geschrieben" (Gr. I², 549); „dem ahd. cheisur würde
eher ein goth. káisarus entsprechen, lautet aber káisar"
(II, 144).

Ausfall des satzbestimmenden verbs „sein".

In einem besonderen falle, welcher zugleich von dem
mangel des grammatischen subjekts begleitet ist, ohne den
er überhaupt nicht eintreten kann, läßt Grimm mit erkenn-
barer vorliebe die kopula eines formellen hauptsatzes weg:
nach der analogie nemlich einiger überall geläufigen kurzen

*) s. Gr. IV, 216, wo eine reihe mhd. beispiele aufgeführt werden.

wendungen wie „schade, daß —; kein wunder, daß —" u.
d. gl. pflegt er eine menge anderer wörter, vorzüglich adjektive an die spitze des satzes zu stellen und ihnen den
übrigen inhalt des gedankens unterzuordnen, z. b. Gr. I²,
45 merkwürdig, daß —; 46 bedeutend, daß —; IV,
833 auffallend, daß —; Kl. schr. III, 339 wahr, daß —;
Gr. IV, 89 seltsam, wenn —; Kl. schr. I, 386 beßer, er
wäre —; Gr. I², 112 möglich zwar, daß —, wahrscheinlicher, daß —; vgl. I², 81. 580. III, 541. IV, 83. Wtb.
I, 1188. III, 395. Ohne nachfolgenden nebensatz, also mit
dem subjekt des hauptsatzes verbunden: merkwürdig der
übergang Gr. I², 66, sonderbar der übergang 148.
Mehrmals schließt sich an einen voraufgegangnen gedanken
ein durch zeichen abgetrenntes begreiflich z. b. Gr. I²,
191*). 246. 581, ebenso unglaublich I², 51. IV, 822.

Häufiger als im hauptsatze findet sich die weglaßung
im nebensatze, gewöhnlich nach einer konjunktion, einzeln
nach dem relativ, z. b. Wtb. II, 476 weil der πύξος ein
krauses, krummes gesträuch (vgl. Gr. I², 108. Meisterg. 110.
Irmenstr. 62. Kl. schr. II, 17. Wien. jahrb. 45, 127); Myth.
222 da hier kurzer vokal (Gr. I¹, 547. III, 463. Kl. schr.
I, 310); Gr. IV, 747 wenn es nicht zusammensetzung (I²,
385. II, 384. III, 31); Gr. IV, 204 falls sit ein imp. (I²,
458); Gr. I¹, 251, daß er ein eigentlicher accusativ (Meisterg.
73. Irmenstr. 50); Gr. I², 49 zweifelhaft bliebe, ob nicht
lêkeis die ursprünglichere form; Meisterg. 71 je nachdem
sie ein- oder zweisilbig; 109 indem die letzte ohne band;
Gr. I², 154 nicht mit dem tr in trinken identisch, welches
dem goth. dr parallel; Wtb. III, 1600 von quelen, quälen,
das eigentlich dünsten, ersticken, tödten.

Numerus.

Der kollektivbegriff menge pflegt mit dem plural des
prädikats verbunden zu werden, zumal wenn ihm ein pluraler
genitiv nachfolgt; der singular wird insgemein seltener sein,
jedoch nicht eben bei Grimm (vgl. Gr. IV, 194). Den

---

*) „die lu sind des le an zahl etwas überlegen, begreiflich,
da — ist".

plural zeigt er Gr. I², V. I³, 188. 270. 304. 308. IV, 262.
Myth. 68. 681. Gesch. 356. 417; den singular Gr. I³, 2.
560. III, 440. IV, 203. 358. 411. 712. Myth. 37. 394.
Gesch. 390. Kl. schr. II, 345. III, 300. Wtb. III, 17. 411,
ziemlich auffallend Kl. schr. III, 408 in verbindung mit
einem andern pluralen subjekt: „weiblich gebildete
eigennamen und die menge von appellativen wird
— angówandt“. Bei zahl steht Kl. schr. II, 101. Abh.
d. ak. 1858 s. 35, bei teil Gr. II, 613 der plural*). Auf
gleichem hauptgrunde der logischen kongruenz ruhen folgende unstreitig sehr ungewöhnliche beziehungen: Gött. anz.
1823 s. 9 sorgsame einsicht der handschrift ließen — her-
auslesen; Kl. schr. III, 253 ihr herbeischleppen, das sich —
bezieht, — müßen den hörer kalt laßen und sind nichts
als gelehrter schmuck; Wtb. III, 888 das mhd. „mich er-
langet“ in seinen beiden bedeutungen — begegnen nicht
mehr; Kl. schr. I, 148 seine das ganze leben hindurch auf
die freiheit des vaterlands, des geistes und des glaubens gerichtete denkungsart bedürfen meiner anerkennung und
meines preises nicht. Leichterer art, obschon keineswegs geläufig ist der plur. Gr. I², 864: da sich in achter das f pl.
prät. und part. nicht in i und é trennen; III, 229 die analogie von tvis thris widerstreben; Schulze XIII das B in
cabere und habere träten nun auf eine linie. Das relativ
steht bisweilen in einem andern numerus als das subst., von
dem es abhängt, z. b. Gr. I², 518 gewährt eine doppelte
seite, die bei der buchstabenlehre besonders einleuchten;
596 muß man die flexionsendung von der voranstehenden
bildungsendung trennen, deren sogar mehrere verbunden
eintreten können; Reinh. XIX wie fast jede bearbeitung ihr
eigentümliches hat, um derentwillen sie nicht aus einander hergeleitet werden dürfen**); Kl. schr. I, 66 da die
slav. sprachen — zur hochdeutschitalienischen einrichtung
stimmen, mit welchen sie sonst — oft zusammentreffen***);
172 manchen abend bis in die späte nacht —, die ihm —

*) vgl. Pars militum caesi, pars capti sunt (Liv.).
**) Da sich der plur. sie auf den sing. jede bearbeitung be-
zieht, so ist in diesem satze die syncesis des numerus eine doppelte.
***) der plur. mit rücksicht auf die beiden sprachen, die hochd.
und die ital.

vergiengen; Gött. anz. 1833 s. 1595 nach siebenfachem text,
unter welchen der älteste —; Wien. jahrb. 32, 234 eines
höfischen, gebildeten dichters, an welchen — kein mangel
war; Altd. w. II, 104 nicht aber die komparative, der von
irri irriro, von unmet unmetiro haben würde; Gr. II, 819
alts. und ags. gelten â (für aa-), dessen länge —. Dagegen bemerke man die grammatische kongruenz: „heilige
baum, dessen in den deutschen wäldern eine unendliche
fülle wuchs" (Myth. I, 155); nach der logischen wäre auch
deren gestattet*). Auf attraktion beruht der sing. in dem
satze: „man sieht daraus, daß einzelne runen namentlich die
von O oder othil, es zu den markomannischen stimmt und
von der nord. gestalt abweicht" (Ber. d. ak. 1854 s. 529);
vgl. Reinh. XLVI: den fuchs und den wolf, den man täglich vor augen sah.

Wenn mehrere subjekte sich mit einem prädikat im
plural verbinden, so pflegt Grimm das ihnen gebührende gemeinsame im singular vorauszuschicken, während sonst insgemein entweder der plural gesetzt wird oder seltener wiederholung stattfindet, z. b. Gr. I², 301 wenn die verbindung im, ip — folgen; 813 der goth. nom. sg. ïk, thu
weichen selbst von einander ab; 52 das einfache i, m,
n machen (vgl. 144. 198. 465. 567. 902); Kl. schr. II, 7
das vokalische eiris: idisi gebieten; Abh. d. ak. 1845
s. 204 daß ein goth. bauan hauan — schreiten; ähnlich
Gött. anz. 1835 s. 1585 herr Ferdinand Wolf und Stephan
Endlicher**), Kl. schr. III, 46 den namen Archipoëta und
primas fanden wir —. Eine bequemere stellung, weil zugleich die attraktion am deutlichsten auftritt, behauptet der
plural, welcher sich auf das wort beides bezieht, dem unmittelbar darauf die erläuterung folgt, z. b. Wtb. I, 430
beides starke und schwache form sind gerechtfertigt, ferner Gr. I², 868. Myth. I, 135. Schmidt V, 454. Dieselbe
attraktion wirkt den plural auch im relativen falle; vgl. Ir.

_____

*) vgl. Rechtsalt. 506: edelster baum der mark sind eiche und
buche.

**) klingt, als ob dem zweiten der titel herr nicht zukommen solle;
vgl. dag. bei Thomas oberhof III: herr rat Schlosser und herr dr.
Euler.

elf. 181 ein junges ehepaar, Cornac und Marie, die sich
zärtlich liebten; Wtb. III, 1440 was wäre treffender als ein
goth. name faifalthô, faifalthei, faifalthrei, die wir nie belegen können? In dem satze: „es wird versengte haare
gemeint" (Schneidewins Philol. I, 342) gebürt dem singular
vielleicht der vorzug vor dem plural*).

Während bei der verbindung zweier oder mehrerer subjekte für den heutigen gebrauch das übergewicht des plurals
feststeht, verwendet Grimm im anschluß an die ältere weise
(Gr. IV, 198 fg.) mit einiger vorliebe den singular,
z. b. Märch. I, 206 wo die Else und die magd bleibt;
Myth. 447 kehrt storch und schwalbe heim; 450 burgermeister und rat empfängt**); Arm. II. 156 dem Tobias
gleicht Heinrich und Hiob; Haupt II, 260 Satan und sein
gefolge erscheint persönlich; Gr. I², XVI wie Schilter
oder Schorz — gelangt ist; Myth. 195 da liegt ihr
hof und ihre säle; ferner Gesch. 867. Gr. I², 125. 150.
III, 118. Reinh. CVI. Gött. anz. 1835 s. 1667. Wird
das prädikat von den verbundenen subjekten zusam-
mengenommen ausgesagt, so ist der singular eigentlich
nicht statthaft; dahin gehört Märch. II, 118: Es kam einmal ein schuster und ein schneider auf der wanderschaft
zusammen; Myth. 383 hier traf also ein heidnisches und
ein christliches wunder zusammen; Wien. jahrb. 46, 223
dann fiele auch das lat. gignere und vivere — zusammen.
Ohne einen wahrnehmbaren logischen grund***) wechselt
der numerus in den einander beigeordneten sätzen: „überhaupt reichen griechische und slavische zunge in vielen
stücken aneinander, deutsche und keltische gleicht mehr
dem latein" (Kl. schr. II, 453). Der durch eine präp.
vermittelten verbindung eines subjekts mit einem andern
pflegt der plur. zu folgen, z. b. Sag. II, 138 der könig samt
allem dem heer fielen; Myth. I, 447 das schrotel mit dem
zahmen wazzerbern entsprechen —; Kl. schr. III, 4

*) wogegen es natürlich heißen müstei es werden die ergrauten haare abgeschnitten.
**) wie im lat. senatus populusque romanus mit dem sing. (vgl. Krüger lat. gr. s. 370).
***) man möchte vermuten, damit der reim (reichen, gleichen) vermieden werde.

haben — einer nach dem andern einen dichter — angenommen.

Die zahlcomposita auf -lei beziehen sich bald auf den
sing. bald auf den plur.; vgl. Gr. I³, 385 sechserlei ursprung, Meisterg. 188 aus beiderlei grund, Kl. schr. II,
277 neunerlei holz und neunerlei blumen, Rechtsalt. 935
neunerlei prüfungen.

Genus des verbs.

Obgleich die umschreibung des aktivs durch die verbindung des part. präs. mit sein der nhd. sprache fremd
geworden ist (vgl. Gr. IV, 6), hat sich ihrer Grimm doch
ziemlich häufig bedient, z. b. Wien. jahrb. 70, 34 das wort
ist neu und allen übrigen mundarten abgehend; Gött.
anz. 1838 s. 138 vor diesen worten ist eine ganze zeile
fehlend; Pfeiffer II, 446 sind — sicher aus Logau her-
rührend; Merkel XLIII ist — ausdrückend; Kl. schr. I,
401 glauben, den es von der natur aller dinge hegend ist;
Wtb. I, LVI ist — name von nehmen abstammend; III,
126 überall ist hier das genitivische ës abstehend von
dem acc. ëȝ und anderes bedeutend*). Dieser gebrauch
dürfte nicht unabhängig dastehn von der stark hervortretenden neigung Grimms zu adjektivischer faßung einer menge
von partizipien, denen allgemein betrachtet bloß verbale
kraft verliehen zu sein scheint.

Bekanntlich wird in vielen fällen die aktive form des
infinitivs auch für die passive bedeutung verwendet (vgl.
Gr. IV, 61); der substantivische inf. vermag sogar reflexiven
sinn zu behaupten. Aktive und passive bedeutung machen
sich Märch. I, 491 neben einander geltend: „ein altes tier,
das höchstens noch zum ziehen taugt oder zum schlachten"; auf derselben seite (Gesch. 639) steht zu anfang:
„Plinius läßt den ganzen ingaevonischen hauptstamm von
Kimbern, Teutonen und Chauken gebildet werden",
hernach: „da auch Mela 3, 6 Codanonia von Teutonen be-
wohnen läßt". Da Grimm, wovon im verfolg besonders

---

*) Es bedarf nur der andeutung, daß an allen stellen das einfache
präsens der allgemein herschende ausdruck ist.

die rede sein wird, das verb sehen auch dann, wenn keine
unmittelbar sinnliche anschauung vorliegt, mit dem inf. verbindet, so kommt der fall vor, daß dieser passivisch zu
verstehen ist, z. b. Rechtsalt. 94: wir haben die dicke eines
zauns nach dem durchdringenden wurf einer axt bestimmen gesehen; vgl. Kl. schr. I, 153: „daß ein erzählendes
gedicht seinen eignen fluß unterbrochen habe und erst in
der mitte oder gar am schweif auszuarbeiten begonnen,
ihm zuletzt der kopf angehängt worden sei".

Die sogenannt passive verwendung des aktiven partizips
ist in der sprache Grimms, der diesem nicht bloß ängstlich
gemiedenen sondern auch als grob fehlerhaft *) bezeichneten
gebrauche zu ehren verholfen hat (vgl. Gr. IV, 64 fg.), verhältnismäßig nur sparsam vertreten. Vom transitiven verb
sind gebildet: Altd. w. II, 147 vorhabende prachtausgabe,
Kl. schr. I, 172 vorhabende untersuchung, Haupt II, 261
von gottes vorhabendem besuch, März. I, 135 mit schäu-
mendem munde und wetzenden zähnen**). Im intransitiven falle bezieht sich dem sinne nach der verbalbegriff
nicht auf das danebenstehende sondern auf ein unausge-
drücktes, meist persönliches substantiv, z. b. Myth. I, 26
jenes flehende niederfallen***), II, 1065 dem zagenden
erschallen des kriegesgesangs. Etwas anderer art, aber begleitet von demselben streben nach möglichster kürze des
ausdrucks sowol als vom mangel strenglogischer beziehung
sind verbindungen wie Myth. I, 325: ein alliterierendes
nebeneinanderstehen der drei stammhelden, 528 tropfende
entstehung (der riesen), Schmidt III, 353 die rechts oder
links scharende entscheidung (mit bezug auf das jüngste
gericht); vgl. Wtb. III, 682 die dehnende schreibung
„ihm", Kl. schr. II, 361. 362 zischende aussprache,
zischender nachschlag†), Sag. I, 257 mit wachenden
augen, Wtb. III, 1334 mit wortspielendem bezug, Gr.
IV, 78 in fragender wortfolge. Auf den reflexiven ausdruck scheinen sich zu gründen: „das nie leerende krüg-

---

*) von Heyse I, 789.
**) „schümende und wetzende" (Trist.).
***) vgl. Rechtsalt. 711: bisweilen geschah die abbitte kniend.
†) denen ebendaselbst „ein gezischtes erzengel" gegenübersteht.

lein" (Heid. jahrb. 1813 s. 855), „kein mit dem imp. sg.
mengondes präs. gip" (Gr. I², 930), „den spitzenden
keim" (Kl. schr. I, 170); während „das langsam drehende
rad" (Haupt IV, 512) in gerader beziehung dem intransitiv
zufällt, welches bei diesem verb neben dem transitiv und
reflexiv gilt. Gleicherweise leitet sich das auf feuer und
flamme Edda 64 und Irmenstr. 53 bezogene part. webend
vom intransitiv*). In dem schönen eingange der abhandlung über die namen des donners (Kl. schr. II, 402) heißt
es: „das laute gekrach des donners, der einen blitzenden
boten voraus entsandte"; hier stößt bloß die ungewohnheit
der persönlichen geltung auf.

Das umgekehrte verhältnis, der gebrauch des part. prät.
in aktiver bedeutung (Gr. IV, 69 fg.), zeigt einige stufen.
Am schwersten an sich eignet sich begreiflich das transitive
verb, fast ebenso schwer das mit haben konjugierte intransitive, während es bei intransitiven mit sein und bei
reflexiven am meisten auf üblichkeit des ausdrucks ankommt.
Grimm schreibt März. II, 146: der gelernte jäger, 240
ein gelernter dieb, ein ausgelernter jäger, 298 ein gelernter meister, Edda 45. 173 gespeist (coenatus), Uruspr.
22 die ersten ihr näher gestandenen menschen; dazu füge
man bereits nachgewiesene partiziplale adjektive wie voll-
gefreßen, ungetrunken und ungegeßen (März. I,
219), ungezahnt, unausgeruht. Wegen ihrer attributiven stellung mehr oder weniger ziemlich ungeläufig sind
folgende von intrans. mit sein gebildete partizipien: Uruspr.
31 eine in die geschichte gegangene gemeinschaft, Wtb.
II, 575 das entzwei gegangene kleid, Gr. II, 917 bei den
wirkliche komposition eingegangenen partikeln**), Gött.
anz. 1838 s. 548 der mit ihm in Utrecht zusammen getroffene dichter, 1833 s. 329 seine abgewichenen pfade und
steige, März. II, 217 drei ausgerißene soldaten, Edda
79 einer der eben angerittenen, Uruspr. 40 eine entsprungene lücke***). Adjektivischen charakter trägt
schon vom mhd. her das part. geseßen, z. b. Gött. anz.

---

*) vgl. Savigny II, 37: denkmäler, die voller alter poesie weben.
**) aus einem andern grunde weit bedenklicher.
***) vgl dag. eine entsprungene dieblu.

1838 s. 140 „der zu Schwaben geseßene Heinrich herr
von Aue". Der redensart „beholfen sin" (Gr. IV, 70)
scheint das bei Grimm beliebte, sonst nur in verbindung
mit der negationssilbe geläufige wort beholfen zu grunde
zu liegen: Gr. I³, 308. IV, 766. Urspr. 46. Wtb. I, 1044.
Gesch. 910 von formen und ausdrücken, Urspr. 27 „die
zähne mit beholfen zum sprechen"; der als heute nicht
mehr gebräuchlich Wtb. I, 1335 bezeichnete zusammengesetzte verbalausdruck selbst begegnet Ber. d. ak. 1845 s.
111: „Schöpflin war ihnen zu dem codex beholfen". Aus
der reflexiven verbalform gehen mehrere allgemein bekannte
part. prät. mit aktiver bedeutung hervor, denen sich minder
gewöhnlicho aus Grimms sprache hinzufügen laßen, z. b.
niedergelaßen Gesch. 739*), ein verkrochenes wiesenblümchen VIII, insbesondere erstreckt: Gesch. 709 weiter-
erstreckte Gothon, Urspr. 9 die weit erstreckte reihe,
Wtb. I, XV eine vom nordmeer an durch ganz Niederland
erstreckte sprache. Für fehlerhaft gilt in diesem falle
die beibehaltung des pronomens; vgl. Altd. w. I, 126 aus
den sich erhaltenen denkmälern, Schulze XX ihre vom
halbdunkeln vordergrund der geschichte sich gebildete
ansicht, Urspr. 32 die zur rechten zeit sich eingestell-
ten erfindungen.

So wichtig und notwendig die unterscheidung des transitiven und des intransitiven verhältnisses ist, ebenso bestimmt macht sich die erkenntnis geltend, daß eine auf bloß
äußere gründe und auf das übergewicht der beziehung ge-
stützte einteilung der verben in transitive und intransitive
das verständnis der spracherscheinungen nicht zu fördern,
wol aber zu schädigen vermag. Auch in diesem falle ist es
lehrreicher wirkliche oder sogenannte ausnahmen zu verfolgen, und überdem hat sich in früheren zeiten manches
anders und zu nicht geringem teile boßer verhalten als in
der jetzigen. Nachdem im mhd. die transitive bedeutung
von irren in vollstem gebrauche, die intransitive sehr selten
gewesen war, hat sich diese letztere im nhd. fast allein zu
behaupten gewust und pflegt hier durch zusatz des reflexiven

*) „der im südlichen teile Schwedens niedergelaßene gothische
stamm".

pron. verdeutlicht oder auch beschränkt zu werden: dagegen
zeigt Grimms sprache häufig jene alte transitive beziehung,
z. b. Gött. anz. 1830 s. 1943 „damit er nicht andere mehr
irre", ferner das. 1837 s. 1886. 1838 s. 186. 559. Schmidt
II, 271. Gesch. 724. Kl. schr. II, 380. Mit persönlichem
accusativ, der insgemein bloß der dichtersprache eigen ist,
begegnet singen bei Savigny II, 85, einen zu tod hungern
Reinh. LXIII, die glieder rasten Ir. elf. CXVIII; „in den
märchen werden rosen, edelsteine und perlen gelacht oder
geweint", heißt es Ber. d. ak. 1859 s. 423; dem persönlichen passiv vorbeigegangen werden (Gr. I³, XI. III,
V. Gött. anz. 1839 s. 557. Kl. schr. II, 28) liegt die aktive
konstruktion des transitivs zu grunde. Höchst befremdend
wird N. lit. anz. 1807 s. 569 gesagt: „der ganze fels um-
steht von schiffen".

Transitive verben treten gleichsam intransitiv auf, wenn
sie absolut d. h. ohne objekt stehn. Grimm hat die zum
teil ihm eigentümliche gewohnheit bei manchen transitiven
bald einen allgemein gedachten persönlichen, bald einen
sachbegriff, der sich fast immer auf unbestimmte quantität
bezieht, wegzulaßen, z. b. Gött. anz. 1829 s. 1291 unsere
heutige sprache sei vollkommener als die der vorzeit und
überhebe diese zu erforschen; Rechtsalt. 467 irrte nicht
zweierlei (vgl. 567); Gr. I², 500 wiewol hier der übergang
— halb entschuldigt; IV, 23 versichert das beigefügte
αὐτόν — der aktiven oder medialen bedeutung. Sehr häufig
stehn in solcher weise wundern und verwundern (Gr. I²,
758. I³, 97. 138. III, 330. 519), verlaßen und im stich
laßen (Gr. I², 377. I³, 165. II, 715. III, 113. IV, 336).
Sachliches objekt fehlt Gr. I², 334: so verliert die s. 126
vorgetragene meinung; 25 der wollaut mag dadurch gewinnen, ebenso häufig büßt er ein; I³, 37 die vergleichung urverwandter sprachen würde — einbüßen und
unsicher werden; Kl. schr. I, 147 wollte man den erfolgen
hier oder dort abreißen; Meisterg. 151 der eigentümlichkeit abbrechen; Gr. I², 25 jedes abwerfen und ausstoßen
— benimmt der anschaulichkeit; Haupt II, 266 benah-
men ihm gleichsam an würde; Gr. IV, 410 ihre verknüpfung
entzieht der bestimmtheit; Theol. stud. u. krit. 1839 s.
748 man kann sich denken daß wer fehlt damit noch nicht

übertritt oder verbricht; Wtb. I, XLV jedes hinzu-
tretende andere wort fügt seiner bedeutung hinzu*).

Mancher verben, deren intransitive bedeutung in der
jetzigen sprache entweder so gut wie verklungen oder doch
ziemlich unüblich geworden ist und sich etwa auf einzelne
beziehungen und redensarten oder auf poetischen und feierlichen gebrauch beschränkt, bedient sich Grimm zum teil
in vollem maße und gewöhnlich in charakteristischer weise.
Entsprechend dem im mhd. auch persönlich geltenden dun-
ken**) heißt es Edda 57: der könige bester zu dünken,
77 ein sittenloser knecht däuchtest du zu sein, 225 da
dünkst du mit feigheit geboren, 245 Hocken, der wäre oder
zu sein dänchte. Aus der älteren sprache ist intrans.
fügen behalten z. b. Myth. II, 1135 ein pflock, der genau
fügte, Wtb. III, 1503 wie es ihnen fügt; ferner bei Radlof spr. d. Germ. 401. Wtb. II, 344. Im mhd. war gründen weder transitiv noch reflexiv, wie gegenwärtig, sondern
intransitiv (gründ finden); diese bedeutung findet sich nachgeahmt Irmenstr. 63. Myth. I, XLVIII***). Anstatt des
heutigen mit dem reflexiv zusammengesetzten ausdrucks
diente bloßes getrûwen; ebenso hat Grimm einst Märch. I,
386. II, 179. Edda 13 getrauen gebraucht. Persönliches
frieren (vgl. Gr. IV, 250) begegnet Ber. d. ak. 1859 s.
417, persönliches träumen Kl. schr. III, 421. 422 (unpers.
422. 423); Märch. II, 515 heißt es: vor den menschen
scheuen, Wtb. I, 551: seine wolligen zweige — sehen
mehlbestäubt (vgl. Gr. IV, 55). Zwar neigen als intrans.
(Gr. I², 746. I³, 7. 71. 256. IV, 384) ist hinreichend bekannt, wenn auch keineswegs überall geläufig, fast unerhört
aber geneigen, dessen sich Grimm für geneigt sein
(Gr. II, 1007 sich geneigen) außerordentlich gerne bedient, z. b. Gr. I², 280. 376. III, 497. 570. 648. IV, 574.
Reinh. XCIX. Gesch. 286. 304. 544. Wtb. I, LX. Eigen

---

*) vgl. Wtb. I, XXXIII: der sprachvergleichung entgienge durch
beschränkung dieses wortvorrats; Gesch. X dem gewicht der stellen
wird also auf der einen seite zugefügt, auf der andern dürfen
abgezogen werden. Hier fehlt das subjekt, wie dort das objekt.

**) „swer niht wol gereden kan, der swige und dunke ein wiser
man" (Vridane).

***) „was hier gründete diente dort zu bestätigen".

verhält sich der intrans. gebrauch von reihen Gesch. 121:
„hieran reiht vielleicht der finnische Väinämöinen", 886
„an die anomalie von tun reiht die von stehn und gehn",
beidemal auch in 2. ausg.; das mhd. hat nichts dergleichen,
kaum die reflexive form. Ungewohnt erscheint angedeihen
ohne „laßen", z. b. Wien. jahrb. 32, 226: welche unehr-
liche behandlung dem geizigen — angedeihen solle; KL
schr. II, 146 die ihnen angedeihende schonung; Ber. d.
ak. 1859 s. 256 daß — ihm so unerwartete bestätigung an-
gedeiht (widerfährt, zu teil wird). Ebenso steht es um
bewenden bei Savigny XI, 386: muß es bei der hergebrachten lesart bewenden; vgl. Schmidt II, 269. Grimm
braucht als intrans. auch eignen Ber. d. ak. 1857 s. 146,
emporsträuben (vgl. mhd. strüben) Sag. I, 350, erstrecken bei Merkel LXVII, verdunkeln Gr. I², 353,
verwandeln 29*); Myth. I, 43 findet sich geschrieben:
„ich ziehe darauf, daß die Schlesier eselsfreßer genannt
werden" **). Wie bei einigen anderen schriftstellern begegnet neben und anstatt der passiven form häufig die intransitive verwendung mehrerer in transitivem sinne allgemein üblichen technischen verben der grammatik, z. b.
geminieren Gr. I², 66. 72. 168. 383, konjugieren 271.
297, syukopieren 125; einmal in demselben satze beides,
trans. und intrans. bedeutung: Gr. II, 326 „Er lautet auch
— den wurzelvokal um, während die übrigen mhd. belege
nicht umlauten".

Nachdem sich die umlautsform erröten, welche eigent-
lieb nur dem transitiv zustände, für die intransitive bedeutung uneingeschränkt festgesetzt hat, pflegt auch erharten
durch die dem trans. verhältnis zustehende form erhärten
vielfach zurückgesetzt zu werden: dieser gewohnheit scheint
auch Grimm nachgegeben zu haben, indem er zwar Gr. I²,
826 (vgl. II, 229) erharten schreibt, aber I², 531. II, 229.
III, 664. Meisterg. 98. Lat. ged. XV erhärten; wo das
part. erhärtet steht, kann auch das passiv des transitivs

---

*) „die mhd. formen -ege — verwandeln gern in —; nicht aber
verwandeln sich die formen -übe —".

**) wol kann verdruckt f. siele; vgl. Reinh. LXIV. LXXXIX
und öfter.

verstanden werden (vgl. Wtb. III, 839). Das mhd. verharten scheint vollends in verhärten (Gr. IV, 378) übergegangen zu sein, dagegen fügt sich verdörren (Sag. II, 56) auch dem gebrauche nicht. Bei nutzen und nützen nebst ihren zusammensetzungen sollte man nach der sprachanalogie gleichfalls den eigentlichen unterschied der intrans. und trans. beziehung voraussetzen (vgl. Wtb. I, 82); doch zeugt dafür die ältere sprache in keiner weise, so daß in der gegenwärtigen sich mischungen nach allen seiten offenbaren. In Grimms schriften findet sich nutzen als intrans. z. b. Gr. I², 201. I², 123. 247. IV, 467. Kl. schr. I, 22. Wtb. I, LXIV („meinem bruder nutzt und schadets"), als trans. Gr. II, IX. 618. IV, 142. Kl. schr. I, 154. II, 342. Ber. d. ak. 1845 s. 111. Haupt V, 236 („hat mich Löbe zwar genutzt aber nicht ausgenutzt"), seltener dafür nützen (Gr. IV, 28); auf abnützen (Gr. I², 1053) folgt „sich abnützen" (Gr. IV, 922. Gesch. 877), aber Gr. IV, 939 wird „sich abnutzen", Kl. schr. III, 275 „einander abnutzen" gelesen; vgl. „sich vernützen" Gr. I², 1040. Ungeachtet des richtigen, bekannten und allgemein gebräuchlichen unterschiedes*) wird Gesch. 35 „das junge säugende schaf" und 1001 „das säugende kind" (vgl. 906 gesäugte kind), beidemal auch in 2. ausg. geschrieben. Darf die vermutung raum gewinnen, daß hier der umlaut einer bisweilen bemerkbaren dialektischen eigenheit, die ihm auch in andern fällen nachgewiesen werden kann?**)

Obgleich die erhebung intransitiver verben in ein unpersönliches passiv in sehr vielen fällen gradezu empfohlen zu werden verdient, gibt es doch wörter, welche überhaupt derselben zu widerstreben scheinen, z. b. kommen; mindestens klingt ungewöhnlich: „so lange nicht zu hilfe gekommen wird" Gr. I², 376, „auf diesen zusammenhang

---

*) Kl. schr. III, 134 die säugende scrofa, das säugende ferkel.
**) Nach ober- und mitteldeutscher gewohnheit sagt Grimm regelmäßig schwätzen, z. b. Altd. w. I, 67. Sendschr. 100. Gr. IV, 834. Wtb. I, 1120. 1159. 1323; die transitiven zusammensetzungen indessen zeigen lieber das reine a, ja das wörterbuch führt nur ab-, an-, ausschwatzen auf: beschwatzen und beschwätzen wechseln Wtb. I, 1455. 1493. 1570. 1571. 1587. 1601, ausschwätzen steht Altd. w. I², 46. Wtb. I, 924.

soll noch zurückgekommen werden" Myth. 290, ebenso
Abh. d. ak. 1845 s. 195. Kl. schr. II, 373. Wtb. III, 1304;
vgl. Gr. IV, 244 „da noch später auf diese redensarten zu-
rückzukommen sein wird"*). Aehnlich beschaffen dürfte
die konstruktion sein: „was von der grundlage unseres
sprachgebäudes gewust werden mag" Gött. anz. 1837 s.
1882, „bevor an die grenze der weiterstreckten Gothen gereicht wird" Gesch. 709. In persönlicher beziehung eine
passivform des intransitivs zu gebrauchen gilt bekanntlich
für nicht erlaubt, hauptfall ist das berüchtigte „gefolgt
von"; diesen bequemen, andern sprachen unverwehrten ausdruck trifft man in Grimms schriften ziemlich oft, z. b. Gr.
I², 186. 233. 237. 311. 976. I³, 79. 212. 347. Ber. d. ak.
1849 s. 241. Myth. II, 848, außerdem Sag. I, 9 „die be-
gegneton leute"**).

Reflexive verben, welche der mhd. zeit nicht bekannt
erst später sich eingedrängt haben, aber dem heutigen geschmacke wieder als fremd und unwillkommen gelten, finden
sich mehrere zugelaßen, besonders in der frühsten periode,
z. b. Altd. w. I, 11 sich anfangen, 185 sich geschehen,
Gr. I¹, 602. Z. rez. d. d. gr. III sich gebrauchen, Wien-
jahrb. 32, 237 sich knion, März. I, 463 sich ekeln,
Edda 47 sich verheißen. Auch in dem satze: „wo es
sich nicht zu einem andern subst. gehört" (Gr. II, 626)
kann die hinzufügung des pronomens auffallen; anstatt
„wechseln" heißt es Gr. I², 61 u. 116 „sich verwechseln".
Ein reflexives sich belesen (Z. rez. d. d. gr. II), welches
dem partizipialen adj. belesen nicht übel zu grunde läge,
wird weder vom mhd. noch vom nhd. wörterbuche aufgeführt.

Den s. 141 nachgewiesenen attributiven part. sich erhalten, sich gebildet gesellt sich eine zum erstaunen
beträchtliche menge unpersönlicher passivformen mit dem
pronomen, deren unzuläßigkeit nicht leicht bestritten wird;
es ist nützlich die beispiele einzeln aufzuführen, weil

*) Ein solcher passivausdruck scheint den ganz eigentümlichen
partizipialen „das zukommende" (kommende, zukünftige), welcher
Altd. w. III, 239 angetroffen wird, hervorgebracht zu haben.

**) „Ausgegeßene leute" (Myth. 609) sind solche, denen das herz
von einer hexe herausgenommen und gegeßen ist.

sich der gebrauch von der ältesten bis zu der jüngsten zeit erstreckt und charakteristisch auftritt: Altd. w. III, 29 es wird sich ausdrücklich darauf berufen; Sag. II, 313 hierauf wurde sich zum streit gerüstet; Wien. jahrb. 28, 2 daher sich der benennung enthalten werden sollte; 7 die person, an die sich gerichtet wird; 32, 254 deren sich — bedient werden muste; Gr. II, 791 dessen sich entäußert wird; III, 247 wobei sich — erinnert werden kann; IV, 69 daß sich darum gerißen wird; 297 vor seiner gewaltigen hand wird sich geneigt; Rechtsalt. 84 wohin sie ans land trieben, wurde sich niedergelaßen; 520 daß — sich des holzes — bedient würde; Myth. 383 auf den sich dabei bezogen wird; 640 seiner kann sich versichert werden; I, XIII an farbe und gehalt der mythen ist sich noch schonungsloser vergriffen worden; Reinh. CXXI es wird sich dabei — berufen; Gött. anz. 1830 s. 267 wird sich auf ein buch bezogen; Thomas XI wurde sich rates erholt; Schneidewins Philol. I, 341 wo sich auf deutsche lieder berufen wird; Haupt II, 261 worauf sich hier bezogen wird; Kl. schr. I, 8 um meine anstellung wurde sich nun gleich noch denselben winter beworben; II, 110 wird sich vor dem wege geneigt; Wtb. I, LXXXV konnte sich nicht auf die einzelnen drucke eingelaßen werden. Wegen ihrer passiven bedeutung gehört auch die verbindung des inf. mit zu ganz hierher: Sag. I, XII an die worte war sich — zu halten; Gr. I¹, XLV ist sich — zu verlaßen; I², 767 doch ist sich darauf nicht zu verlaßen; II, 592 aus 1 ist sich zu erinnern; 679 ist sich daher nicht zu verwundern; 936 wiewol — sich kaum zu verlaßen ist; Gött. anz. 1824 s. 26 war sich dabei an etwas zu erinnern; 1837 s. 1888 an welche sich vorerst zu halten ist; Reinh. CXLIX für welche schreibung — ist sich hier zu entscheiden? Wtb. III, 672 wenn sich hier auf den ausdruck zu verlaßen. Derselben beurteilung fällt der dativ sich in dieser konstruktion anheim: Lat. ged. 90 wie sich — die gestalt — vorzustellen sei; Rechtsalt. 109 wie sich jene wirklichkeit — zu denken sei; Gesch. 585 kaum ist sich Baduhenna — hinzuzudenken.

10*

Unter den unpersönlichen ausdrücken sind zu merken:
mir gedenkt (vgl. Gr. IV, 241) Kl. schr. I, 181. II, 108,
mir zweifelt (Gr. IV, 241) Kl. schr. I, 191, es nahet
dem tage*) Sag. II, 265, es braucht hier nur einiger
beispiele Gr. II, 420. An sehr vielen stellen begegnet mit
abhängigem satze das nicht allgemein geläufige positive
„mir entgeht" im sinne des lat. practerit mo, fugit me,
nescio.

Modus.

Mit beziehung auf das unsichere und durch die mannigfachen vorschriften der grammatiker, die sich der haltlosig-
keit ihres gegenstandes jeden augenblick bewust sein müßen,
nicht hinreichend erläuterte verhältnis des modus gewisser
abhängigen sätze, welche z. b. in der lat. sprache kaum
einem zweifel raum geben, sei zuvörderst der sogenannten
kasus- oder inhaltsätze mit daß gedacht und namentlich
hervorgehoben, daß Grimm auch dann, wenn der gedanke
eine wirkliche tatsache voraussetzt, sehr häufig den konjunktiv gebraucht, z. b. Gr. I², 266 so ergibt sich, daß —
sei; 403 daß w — diene, folgt —; 432 es ist regel, daß —
bleibe; 469 daß die mundart kein reines e mehr kenne,
beweisen —; 580 die bisherige übersicht lehrt, daß — unterliegen, daß aber — sei, vielmehr — erfolge; 793
daß — werde, ist etwas anders; 830 es ist selten, daß —
stimme; 835 läßt sich angeben, daß — habe, — zufüge,
— besitze; 1011 daß — ausfalle, versteht sich; Abh.
d. ak. 1846 s. 22 wir wißen, daß — stehe; — übersehe ich
nicht, daß — zutreffe; Kl. schr. I, 236 das geschieht oft
in der welt, daß die — willenskraft unglimpf erleide; III,
104 bei dem diphthong au ist ferner zu beachten, daß wo
er — hat und — wird, er sich — wandele und — wech-
sele. Sehr richtig wird Gr. II, 818 folgendermaßen unterschieden: „man kann nicht sagen, daß eine der vier ahd.
formen vor der andern etwas altertümliches voraushabe,
bloß daß ur- unter allen die seltenste ist"; damit vgl. man

---

*) vgl. dô ez dem âbende dô nâhen begonde (mhd. wtb. II, 1.
294*).

Kl. schr. III, 299: „ergibt sich, daß — zusage, daß aber auch — müße, während — wird".

In einem ziemlich auffallenden gegensatze zu diesem konjunktiv steht der indikativ im indirekten fragsatze, wo er zwar im allgemeinen berechtigt ist gleich dem konj. aufzutreten, z. b. Gr. II, 320 frage wäre, ob — ist; 822 frage ist, ob — wird; III, 59 fragt sich, ob — ist; II, 618 kann bloß zweifelhaft sein, ob — ist (vgl. III, 11); I³, 88 ob — sind, bin ich unschlüßig; Wth. III, 1256 bleibt zweideutig, ob vehere oder vehi gemeint ist; Haupt IV, 508 zu erforschen und vorauszusehen alles was sich im jahre ereignen wird, wie — soll oder nicht, ob — sein wird. Nach lat. weise heißt es dagegen Gr. III, 752: Ich weiß nicht, wer es sei; ich weiß nicht, ob er komme*). Wiederum ans latein erinnert ein konjunktiv anderer art bei Pfeiffer II, 380: „proben kann man entnehmen wo man wollo"**); ferner Wtb. I, LXVIII „darf ich behaupten, daß, gelinge es das — werk zu vollführen, der ruhm erhöht sein werde"; Kl. schr. I, 247 „da keine wißenschaft erschöpft oder erschöpflich ist, so wird an jeder stelle, wo man in sie eindringe, gewinn aus ihr erbeutet werden, wie aus dem boden, wo man in ihn senke, quellendes waßer zu ziehen ist"; Schlegel I, 405 „eßens sollst du satt haben, soviel dir nur gefalle und mehr als du aufeßen könnest".

In gewissen konzessiven nebensätzen neigt sich Grimm dazu dem konjunktiv den vorzug vor der beliebten umschreibung mit „mögen" zu gestatten, z. b. Lat. ged. 317 habe nun wirklich ein unbekannter nachgeholfen, es wird —; Gr. I³, 205 auch die ungenauen reime verdienen rücksicht, habe sie nun — herbeigeführt; Ged. d. mitt. 41 habe Marner — umgearbeitet, die andern gedichte des buchs reichen —; Abh. d. ak. 1845 s. 197 Scandinavien, habe ihm das altertum — verliehen, heißt —; Reinh. LII Fromunds tierfabel habe deutsche grundlage oder fremden ursprung,

---

*) vgl. Götzinger d. spr. II, 249.

**) Verschieden ist der konj. Wtb. IV, 94: „den freigelaßenen heißt der herr gehen wohin er wolle"; der ind. könnte sich auf den herrn beziehen.

sie sei aus Fredegar abzuleiten oder beruhe —, so beweist
sie —; Gesch. 69 seien die Germanen — gewesen, sie
müßen —; Myth. 494 bezeichne das — oder — sei es
—; vgl. Gr. I³, 162. 177. 209. 347. 554. 567. III, 633. IV,
709. Konzessivsätze mit wie und so entbehren gleichfalls
in der regel der umschreibung, z. b. Kl. schr. II, 9 wie
störend — sei, 461 wie ungünstig man von diesem volke
denke, Gesch. IV in wie ungelegener zeit nun mein buch
erscheine; Urspr. 53 so beseelt er scheine, Myth. I,
IX Bothos angaben so unkritisch sie seien fordern rücksicht, Candidus VI so erhaben und gefühlvoll er gehalten
sei, Haupt IV, 509 so viel seltsames oder lächerliches vor
ihre augen komme. Dieselbe umschreibung mangelt in der
formelhaften verbindung wie dem sei (Altd. w. II, 155.
Gr. I³, 111. III, 501. Haupt VII, 455. Reinh. LII. Gesch.
51. 134. 727. 951), wie ihm sei (Myth. 70. 148. 528. Gr.
I³, 561. IV, 496. Kl. schr. II, 339), ebenso Gr. I³, 597.
IV, 475 wie man davon urteile, III, 176. 624 wie sich
das verhalte, Myth. 117 wie es darum stehe; vgl. Ber.
d. ak. 1850 s. 77 wo man nur unser altertum anrühre,
ist neues zu finden.

Tempus.

Nicht selten wechselt in demselben satze, sei es innerhalb des beigeordneten oder des untergeordneten verhältnisses, ein prät. mit einem präs., ohne daß dazu ein hinreichend berechtigter anlaß deutlich zu tage träte, z. b.
Edda 129 da verlangte er eine unterredung und fragt;
Schlegel I, 414 setzte sich auf den ofen und ruft; 413
der fuhrmann war zornig und wartet nicht erst lange,
sondern schlug gleich zu; Irmenstr. 50 ein gott, der die
welt befuhr, zu den dreien menschenstämmen reist; Reinh.
XLVII warf ihn an die wand zu tod und entschuldigt
sich; Myth. I, 406 einen ring, den erzbischof Turpin aus
dem munde des leichnams wegnimmt und in einen see bei
Achen warf; Kl. schr. I, 363 wenn also Benecke — aufstellt, so war das eine unmögliche form; II, 39 als Hlödhr
— forderte, nennt er —; 430 andere götter, wenn sie
erscheinen, nahmen menschengestalt an, reden also

menschlich, doch erscholl Poseidons stimme —; III, 237
als — die flexionen sich abstumpften oder erloschen,
treten nochmals pronomina außen zu und leisten —;
Myth. I, 365 nachdem er — hatte, trügt er —.

Daß imperf. und perf. nebeneinander auftreten, kann
sehr guten grund haben, z. b. Gött. anz. 1826 s. 1586 die
schottischen und irischen mönche glossierten wie die sächsischen und alemannischen und haben es diese vielleicht
zuerst gelehrt: vgl. dag. Gr. I³, XIV nicht nur unser
eigentum haben wir dadurch genauer kennen lernen,
früher unverstandnes wurde uns plötzlich erschloßen,
sondern auch steg und brücke geschlagen; Kl. schr.
II, 442 wer zu Rom war, hat — angeschaut; Ber.
d. ak. 1856 s. 437 wer zu Venedig war, hat dort —
gesehn; Göthes kunst u. alt. IV, 70 stieg aufs hohe
ros in aller schnelle —, ist zum schloße Belgrad hinge-
ritten.

Imperf. statt perf. findet sich begreiflich oft genug,
z. b. Gr. I³, 130 aufmerksamkeit lehrte mich, daß —, II,
65 das altn. haukr — entsprang aus lavokr.

Die konj. nachdem steht mit dem imperf. verbunden
Sag. II, 127. Kl. schr. I, 113. 400. Wtb. III, 126. 1618
und an vielen anderen stellen.

Infinitiv.

Da dem infinitiv das vermögen auszusagen mangelt,
tragen folgende anscheinend dem franz. nachgeahmte kurze
fragwendungen, denen man in der deutschen schriftsprache
seltener als im täglichen umgange begegnet, einen ellipti-
schen charakter: Gr. I³, 205 warum schilt schreiben?
248 wozu es verschieden schreiben? Gesch. 552 aber welchen text — herstellen? 559 wie aber — deuten? 560
wozu das wort — leiten? 566 wie sie nun deuten? 983
wie — erklären? Kl. schr. II, 205 wie nun — einigen?
Ber. d. ak. 1849 s. 133 wie nun Targibilus auslegen?
241 wie nun Montoisor deuten? Kuhn I, 436 wie nun —
faßen? Wtb. I, VII wozu — vorlegen? Ebenso in abhängiger stellung: Myth. 693 wuste nicht, wo sein pferd

anbinden*), Gesch. 507 ich bin aber unschlüßig, wie diese
namen erklären; vgl. Myth. II, 879 da war guter rat
teuer, was anzufangen.

Während hier mit dem prädikat gewissermaßen auch
die aussage in dem infinitiv enthalten ist, fehlt er selbst an
anderen stellen, sei es daß er, ein paar zweifelhafte und
schwierige fälle abgerechnet, an und für sich (vgl. Gr. IV,
136) oder aus dem zusammenhange verstanden, oder endlich
in bloß formeller hinsicht vermist werde, z. b. März. II,
28 wir wollen ins holz, du must mit; Pfeiffers Germ. 1368
h. 3 s. 372 nach Mailand darf ich kaum gedenken, 383 nach
Westfalen gedenken**); Myth. II, 798 sei sie — da, wo sie
hin verdient habe; Gr. II, 255 mânôt besteht, sogar mit
unverdünntem ableitungsvokal, wie es bei vereinzelten bildungen pflegt***); Wien. jahrb. 28, 26 andere stämme
will ich auf andere partikeln hier nicht versuchen†); 70,
40 mag behält sein a auch im pl. magum, ahd. scheint man
aber zwischen mae, magum und mae, mugum††); Gr. I²,
61 dem ahd. ags. altn. i entspricht goth. ei, warum sollte
dem û jener mundarten nicht das goth iu? 88 im laut
müßen sie fast ganz übereingekommen; 273 würde sich —
entfaltet haben und der inf. — zusammengefallen.

Es fügt sich hier ein besonderer fall ein, der bei seiner
wirklich großen einfachheit, obgleich sich der gebrauch in
Grimms schriften sehr viel weiter erstreckt als im allgemeinen, vielleicht kaum erwähnt zu werden verdiente, wenn
er nicht bei grammatikern anstoß bereitet und zu unbegreif-
lich verkehrten erklärungen, welche zum teil noch bis in
die gegenwart reichen, anlaß gegeben hätte†††): nemlich
scheinen mit dem präp. inf. passiver bedeutung der mo-
dalität, z. b. Gesch.*†) 67 wenn franz. averon solle avoine

*) vgl. mhd. wtb. III, 788.
**) beidemal im brief an Laßberg.
***) d. h. wie gewöhnlich; ebenso lat. ut solet, nemlich fieri (Seyffert zu Cic. Lael. s. 34).
†) prägnant zu verstehen?
††) scheint für scheidet etwa verdruckt?
†††) s. Herrigs arch. f. d. stud. d. n. spr. XII, 224 und XIV, 177 fg.
*†) Die beschränkung der beispiele auf dies eine buch soll zugleich die voraussetzung unterstützen, daß sich ihrer auch in den übrigen schriften eine überaus reiche anzahl findet.

bedeutet, scheint es zurückzuführen auf haveron; 369
die irische schreibung scheint bloß historisch zu rechtfertigen; 732 die auskunft scheint doch als natürliche
vorzuziehen; 787 volksnamen Paemani, welcher zu leiten scheint vom —; 819 von solcher tracht scheint der
Chatten name zu deuten; 828 die lautverschiebung scheint
minder physisch als geistig zu erklären; 902 aus thairba
scheint mir tharf abzuleiten; 1027 unser heutiges launc
scheint von veränderlichkeit der mondphasen abzuleiten.
An ellipse des inf. zu sein ist gar nicht zu denken*), sondern wie im lat. videri**) erweist sich scheinen als mo-
difizierte form der prädikatsbeziehung, die ebenso stattfindet,
wenn das prädikat andrer art ist, wie Gesch. 1011 σάρξ
scheint schwerer deutung; 1022 in der flexion scheint
von gewicht die analogie der lat. vokallaute; Gr. III,
507 wörter, die —, scheinen vorzugsweise dieser deri-
vation; Ber. d. ak. 1856 s. 438 Harald der hohe — scheint
Harald Sigurdson; Myth. II, 1169 perala — scheint
aus beryllus. Man nehme insbesondere stellen wahr, in
denen der inf. mit einer andern prädikatsform wechselt, z. b.
Gr. II, 186 scheint genau das ags. softe, folglich hierher — zu rechnen, 355 scheinen selten, aber nicht
abzuleugnen. Bisweilen zeigt der satz neben der passiven
auch die aktive bedeutung, z. b. Altd. w. I, 186 scheinen
mir die verba — zu verständigen und sonderlich an —
zu erinnern; Gr. II, 764 samarart scheint — samar-art
zu nehmen, oder wenigstens für samar-art zu stehen.
In dem satze: „solche den beginn und schluß jedes lieds
begrenzenden abschnitte scheint der verwirrung jener alles
unterbrechenden — weit vorzuziehen" (Gött. anz. 1851
s. 1750) wird dem sing. scheint, falls es unerlaubt ist
einen misgriff des numerus anzunehmen, die prägnante bedeutung von scheint richtig, angemeßen beiwohnen,
der inf. mithin aktivisch zu nehmen sein. Zur erläuterung

*) Einzeln kommt der zusatz vor, z. b. bei Savigny I, 324 „das
lösegeld in seiner gewis ursprünglichen und volksmäßigen bedeutung
scheint mir gut zu verteidigen zu sein". Man hat in der tat
diese schwerfällige wendung als die logisch richtige der andern ent-
gegengehalten.

**) vgl. Krüger lat. gr. § 293. Haase zu Reisigs vorles. anm. 605.

und insbesondere zur abwehrung der ellipse werde noch hinzugefügt, daß auch stehen und bleiben in derselben weise
und struktur sehr häufig auftreten, z. b. Gesch., um wiederum bei dem einen werke zu verweilen, 430 aus thairhvis
— steht aber zu folgern, daß —; 486 während beide
letztere niemals aus pis zu erklären ständen; 692 wenig
oder nichts zu gewinnen steht für die flexion; 724 nicht
zu bezweifeln steht, daß —; 182 weiter anzuschla-
gen bleibt der spätere sprachgebrauch; 310 zu erwägen
bleibt vairtha; 351 es bleibt noch ihr wechsel — zu betrachten; 730 es bleibt noch eine andere nebenform
vorauszusetzen; 895 hier bleibt nun einiges — zu erörtern.

Wenn die deutsche grammatik die regel aufstellt, daß
die infinitive mit um zu, ohne zu, statt zu sich nur auf
das hauptsubjekt beziehen dürfen*), so scheint sie doch
selbst nicht ungeneigt bisweilen einige nachsicht walten zu
laßen. Wie in andern fällen ist auch in diesem die frage
wichtig, ob das verständnis leicht und bequem oder ein misverständnis augenblicklich zu erwarten sei. Vorzüglich gilt
es festzuhalten, daß es für die richtigkeit des ausdrucks
vollkommen hinreichen müße, wenn mit dem logischen subjekte, das zufällig nicht zugleich das grammatische ist, übereinstimmung stattfindet. Grimms sprache bietet eine beträchtliche zahl von beispielen der genannten konstruktion,
in denen das infinitivsubjekt mit dem grammatischen, zum
teil auch mit dem logischen subjekt des regierenden satzes
nicht übereinstimmt, z. b. Märch. II, 509 schickte sie einen
nach dem andern in die welt, um sich ihr brot zu suchen;
Savigny II, 78 in den liedern werden oft ringe entzwei ge-
schnitten, um beiden teilen im fall der trennung mitgegeben
zu werden, hernach die einigung wieder zu erkennen**);
Gr. I², 818 das bildende n fehlt dem nom. durchaus, wol
um den acc. von ihm zu sondern; III, 213 um die formeln — zu erklären, müsten sie öfter vorkommen; Rechtsalt. 701 des bestreichens mit honig, um in brennender sonne
den stichen der fliegen preisgegeben zu werden, ge-

---

*) s. Lehmann § 136.

**) In diesem satze erscheint die kongruenz allerdings gestört.

denken auch neuere sagen; Myth. 204 saxum müste die benennung des steinfelds gewesen sein, um davon ein saxanus
zu formieren; II, 794 die britischen barden laßen die
seelen, um in die unterwelt zu gelangen, — in das meer
schiffen; Kl. schr. I, 189 um meiner untersuchung halt —
zu verleihen, sind in einem anhang alle wörter — erörtert worden; Gesch. 620 um von Wesel aus an diese
stelle zu gelangen, darf man dem Germanicus nur einen
tag und eine halbe nacht einräumen; — Heidelb. jahrb. 1812
s. 853 ohne ihn vorschnell diesen trojanischen krieg ganz
abzusprechen, so ist gewis der stil —; 1817 s. 891 hier
hätte sich, ohne — fragen zu wollen, etwas dankens-
wertes leisten laßen; Meistergos. 99 daß — ohne diese
analogie vor augen zu haben, der — name meister eine
ähnliche bestimmtheit erhalten hat; Savigny I, 324 das
— bieten und geben der lösung, worin, ohne auf deren
inneren wert zu sehn, eine vergütende demütigung liegt;
Gr. I¹, 376 daneben ist der — artikel beibehalten, und
ohne seine innere einrichtung genau fortzufühlen, immer
üblicher geworden; I², 241 da die vokalreihe, ohne sie (die
doppellaute) ins spiel zu bringen, vollständig abgeschloßen
wird; 963 ohne die mundarten rein zu scheiden, scheint
wäste Wolfr. — zumeist gerecht; Reinh. CCLVII geschieht
eines abts, ohne ihn zu nennen, erwähnung; Gött. anz. 1826
s. 734 die konjugationen werden zusammengeworfen, ohne
einen grund dafür beizubringen; Rechtsalt. 65 indem, ohne
sich auf mauer und zaun zu erheben, die zu bewerfende
gegend weder gesehn noch getroffen werden würde; Urspr.
15 diese stimme wird vom tier hervorgebracht, ohne sie
erlernt zu haben; Kl. schr. II, 16 ohne den namen des
Phol — auf sie zu beziehen, könnte er doch — ihnen
hinzugetreten sein; — Gr. I², 540 statt die menge von
regeln — abzuhandeln und auf meine vorstellungsart zu
beziehen, mögen hier — genügen.

Mit einem von sehen, finden und einigen anderen
verben abhängigen accusativ wird bekanntlich sehr häufig
ein inf. verbunden. Ohne daß der behauptung eines deutschen sogenannten acc. c. inf. oder der frage nach der vertretung des partizips durch den inf., welche beide hier in
betracht gezogen werden können, eine untersuchung gewidmet

werde, liegt es daran abweichungen von der gewöhnlichen
beschränkung aus den schriften Grimms nachzuweisen. Während nemlich nach dem allgemeineren sprachgebrauche die
genannte konstruktion nur dann einzutreten pflegt, wenn
das verb in eigentlichem sinne steht und eine unmittelbare
wahrnehmung vorausgesetzt wird, so daß z. b. video vos
ignorare sich der wörtlichen übersetzung entzieht, bieten
diese schriften eine menge stellen, in denen jene verben
auch in nicht eigentlich sinnlicher bedeutung obwol noch
lange nicht mit der freiheit anderer sprachen ebenso konstruiert werden. Die beispiele, um die es sich bei s e h e n
handelt, scheinen sich gleichmäßig auf eine vergegenwärtigung *) desjenigen zu beziehen, was entweder vorher ausdrücklich mitgeteilt worden ist oder als allgemeiner bekannt
vorausgesetzt werden darf: Irmenstr. 57 s a h e n wir aus
jener säule des Bavo vier rote und drei schwarze straßen
laufen; Ged. d. mitt. 25 auch das fünfte s e h e n wir an
Reinald gerichtet und eine art vision b e s c h r e i b e n; Gr. I³,
XII die wir in das innere d r i n g e n und sich die sprache
zum unmittelbaren zweck m a c h e n sehn; 71 wir s e h e n
ihn den unterschied der schwachen konjugationsform b e-
s t i m m e n; 256 das echte *i* s e h e n wir nach *ê* n e i g e n; 332
wie wir *ê* — e n t s p r i n g e n, *i* — d a u e r n sehn; 542 s e h e n
wir es — zu *o* w e r d e n, d. h. die richtung — e i n s c h l a-
g e n; III, 762 wir s e h e n die meisten fragwörter — er-
l ö s c h e n; IV, 510 so s e h e n wir — nicht nur ablaute und
reduplikationen a u s s t e r b e n und — e r s e t z t w e r d e n,
sondern — sich e i n d r ä n g e n; 782 das goth. *bi* mit dem
acc. s a h e n wir *ixl* oder *de* b e d e u t e n; Myth. 56 wir s e h e n
alle bekehrer eifrig das beil an die heiligen bäume der heiden s e t z e n und feuer unter ihre tempel l e g e n; II, 922
Donars kostbaren hammer — s a h e n wir in sieben jahren
wieder hinauf t r e i b e n; 1207 wir s a h e n ihn (Wuotan) den
schlegel w e r f e n; Gesch. 891 wir s a h e n goth. -da für-

---

*) Der im konkreten atmende, poetische schriftsteller nimmt diese
vergegenwärtigung als einen rein sinnlich wahrnehmbaren vorgang.
Am lebendigsten tritt die konstruktion da auf, wo der abhängige gedanke wie von selbst auf sinnliche deutung drängt; infinitive abstrakter
geltung stehen im nachteil.

dada — eintreten, also das wesen der schwachen form auf
bloßem T beruhen; Abh. d. ak. 1858 s. 52 eben sahen
wir Indus — den namen eines flußes und volkes abgeben;
62 da wir den wörtern — gallische namen — entsprechen
sehen; Kl. schr. II, 143 andere — werden wir den mar-
cellischen begegnen sehen, 220 wir sahen dem brennen
— die vorstellung — unterliegen; 354 sahen wir einen
dienstmann Dietrich heißen; 444 der kaiser, den wir ein
heidnisches regengebet als das einzig rechte muster aufstellen sahen; Haupt VII, 466 das ahd. kinâda — sehen
wir die bedeutung gratia — entfalten; Wtb. I, 1 unsern
ablaut sehen wir — springen; 579 dem worte arg sahen
wir die vorstellung der feigheit anklebeu, II, 613 wir
sehen ihn τέχνον durch barn — übertragen; III, 1225
dem wir die bedeutung — zustehen sahen. Bei finden
scheint die anschaulichkeit weniger hervorzutreten, die abhängigen infinitive sind im ganzen abstrakter; statt des plur.
„wir" stellt sich oft der kühlere sing. „ich" ein; in vielen
fällen zwar dürfen beide verben wechseln. Beispiele: Gr.
I², 251 finde ich — beiderlei form untereinander schwanken; 546 findet man den gebrauch — abnehmen; 675
obgleich ich dieses nie reimen finde; II, 151 das man —
deklinieren findet; Kl. schr. II, 51 altn. teigr finde
ich bald arvum bald pratum bedeuten; Gesch. 111 finden wir den zweiten monat — folgen; 331 unter den romanischen sprachen finde ich nur die neapolitanische zuweilen das R vorausschieben; 832 finden wir im epos
Düringe Dänen — entgegentreten; Abh. d. ak. 1845 s.
181 finden wir den — diphthong — beharren. Wie
sehen leidet Kl. schr. II, 89 wol ausnahmsweise erblicken
dieselbe konstruktion: „erblickt Väinämöinen die schöne
tochter des nordens auf dem regenbogen sitzen, ihre goldne
weberspule hin und her werfen"; obgleich hier die wahrnehmung eine sinnliche ist, befremdet das verb selbst*).
Ueber sätze wie bei Schlegel I, 409: „weil ich aber nun
meinen leib befinde stark und leicht zu sein"; Wien.
jahrb. 32, 224 „etrurische lehren, die schon die ersten

_____

*) vgl. Kl. schr. I, 77: das heutige Italien fühlt sich in schmach
und erniedrigung liegen.

christenbekehrer auszurotten fanden" vgl. Gr. IV, 119.
Wtb. III, 1646. Ungewöhnlich wird auch sein: „niederschrift, der ich zutraue über das 12. jahrh. hinauf zu
reichen" (Haupt VIII, 6); „wenn sie als resultat aus einzelnen faktischen sätzen hervorgegangen zu sein gezeigt werden kann" (N. lit. anz. 1807 s. 676), beidemal,
wie es scheint, latinisierend.

Gehen mit bloßem inf., heute nur noch in gewissen
formeln allgemein üblich (vgl. Gr. IV, 97), begegnet Märcb.
I, 208 bei arbeiten, II, 274 bei stehen.

Wenn man die vorschriften und warnungen, welche mit
rücksicht auf den gebrauch des subst. inf. besonders von
der philosophischen grammatik aufgestellt worden sind, an
die gewohnheit der täglichen rede sowol als an den stil der
besten schriftsteller hält, so wird sich der allergröste abstand zwischen jener theorie und dieser praxis ergeben.
Dort wird gelehrt, daß der subst. inf., welcher sich dem
unbestimmten artikel weigere, eigentlich nicht wol die beziehung auf einen andern begriff zulaße, am allerwenigsten
aber mit einem genitiv des leidenden objekts zu verbinden
sei*). Wie wenig Grimm geneigt gewesen ist sich der an-
gefochtenen weise zu enthalten, ja daß sich ihm sogar die
kühnsten rektionen dieses inf. aufgedrängt haben, verdient
anschaulich dargelegt zu werden. Zuvor jedoch sei von
einem falle die rede, den jene grammatik unbesprochen zu
laßen pflegt, nemlich von dem verhältnis des pronomens in
dem subst. inf. reflexiver verben. Den nach Gr. IV, 259
aus dem mhd. nachgewiesenen und für das nhd. empfohlenen
wegfall des pron. zeigen folgende beispiele: Gr. I², 13 das
stufenweise abschwächen der doppellautigen endungen;
I², 283 daß die echte länge unter dem erweitern, die
echte kürze unter dem verengern eines wortes leide; II,
679 über dessen stattfinden, haften, mischen mit ableitungs-
vokalen und wegfallen die nämlichen wahrnehmungen gelten; Irmenstr. 63 dem sehnen der menschen nach oben
und dem spiegeln des erdedeckenden, wärmenden himmels auf dem boden; Gesch. 375 zu diesem verhalten
der zusammensetzungen muß das tilgen des spiritus in der

*) Becker I, § 49.

mitte von compositis genommen werden; Kl. schr. III, 425
ursprung und fortbreiten der sprache und sage. Dagegen
findet sich das pron. behalten: Reinh. CCXC das sichtodt-
stellen; Myth. II, 970 von dem sich verschreiben oder
geloben in die hand des teufels; Urspr. 37 des — wachsens und sich aufstellens der wurzeln und wörter; 42
dem sich vermählen beider geschlechter.

Die fähigkeit der älteren sprache dem subst. inf. den
verbalkasus zu laßen gilt nicht für die neuere (Gr. IV, 716.
756); daher dürfen folgende stellen, in welchen die form
der zusammensetzung (vgl. s. 123) gemieden ist oder werden
muste, als ausnahmen gelten: „dies Godhheim suchen,
oder wie es gleich darauf heißt, dies ‚at hitta Odhinn‘,
Odin aufsuchen hat sprechende ähnlichkeit mit dem gehn
zu Zamolxis bei den Geten“ (Gesch. 768); „die vorstellung
des seinen grund in etwas tragens“ (Wtb. I, 1233);
vgl. Savigny II, 88 das mehr oder weniger schneiden;
Kl. schr. II, 210 sinnliche entfaltungen, wie die des
hand ausstreckens *). Geht ein adverbialbegriff dem
inf. voraus, so ist der ausdruck im allgemeinen unbequem, z. b. Haupt IV, 500 durch das bei sich tragen dieses stabs; Volksmärch. d. Serb. IX das ab-
hauen der hände und wieder anheilen; Myth. 648
das rückwärts gehen und nackend stehen; I, 109
das zerbrechen, zermalmen und in den see werfen der
bildseulen; II, 842 aus dem neben einander auftreten
identischer götter und göttinnen; 980 unterschied des oben
oder unten wachsens; Dietrich russ. volksm. VII des zu
boden fallens gleich der habergarbe; Gr. IV, 5 des
nicht aufhörens der handlung; Wtb. I, 59 vom enger
stricken; 776 von dem kniend trinken; 938 der sinn
eines übel abfertigens, übel zurichtens; 1132 das
nicht barfuß vor frauen gehn; 1572 das viereckig
hauen eines baumstamms. Zusammenschreiben dürfte hier
und in ähnlichen fällen dem gebrauche zum teil angemeßener erscheinen, andrerseits wird sich bei der verbindung
mehrerer wörter diese form vielleicht weniger gut ausnch-
men; vgl. Gesch. 608 ihrer aller nichtkennen der — laut-

---

*) Hier fehlt nur zusammenschreibung.

verschiebung; Gr. IV, 6 das entspringen, das ebenein-
treten der handlung; Ir. elf. CVII nicht bloß die eigenschaft des alpseins sondern auch des vom alp beseßen
seins; Haupt VI, 2 dem fahrenlaßen des wurzelvokals;
Kl. schr. I, 235 aus einem stillstehnbleiben; Gr. I²,
248 das geschiedenbleiben der lingualen in- und auslaute; 373 von dem tonloswerden und endlichen wegfallen der vokale; 942 dem härterwerden der med.; IV,
27 zum seltnerwerden der passivform; Berl. spr. u. sitt.
1817 s. 280* das wacherhaltenwerden; Altd. w. I, 164
seinem samt dem pferd getragenwerden übers gebirg*);
Gr. I², 643 des beidemhausewohnens; Rechtsalt. 786-
beiseitegehn der jury zur beratung. Wenn der adverbialbegriff dem inf. nachfolgt, so scheint der ausdruck im allgemeinen unter denselben bedingungen zu gelten wie beim
eigentlichen abstrakten subst.; ein attributiv gesetztes, von
einer präp., welche die beziehung auf den verbalbegriff vermittelt, nicht begleitetes adverb ist auch beim subst. nicht
gebräuchlich. Hiernach sind zu beurteilen: 1) Kl. schr. I,
11 auf das unterbringen der bücher anderswo; Wien.
jahrb. 45, 118 das häufige vorkommen der weistümer
ebenda; Gött. anz. 1820 s. 407 daß — dieses o durch sein
rundes schließen oben und herabhängen der beiden
striche unten dem geschnittenen typus ähnlicher erscheint;
Wtb. I, 760 des auflegens und aufsetzens oben auf
etwas; — 2) Lat. ged. 385 das mehrbesprochne anfügen der
häupter an die leichen konnte sich in älterer überlieferung
auf ein solches wiedererwecken der helden zu erneutem
streit beziehen; Gr. IV, 422 vom herabsinken des pronomens im artikel zur fast bedeutungslosen form; Myth.
687 das laufen um das haus, um das dorf gleicht jenem
tragen des widders um die stadt; Wtb. I, 635 vom
kunstfertigen aufpressen der formen auf papier und holz.

　Der heranziehung besonderer belege für das verhältnis
des objektiven oder passiven genitivs bedarf es um so weniger, als sich im vorhergehenden eine hinreichende anzahl

---

*) Ein solches beispiel steht ungefähr an der spitze desjenigen,
was in dieser richtung zu hören oder zu lesen allerdings empfindlich
sein kann.

bereits von selbst eingestellt hat; man begreift aber in der
tat nicht, weshalb diesem genitiv eine beziehung auf den
subst. inf. sollte verwehrt werden, da seine stellung beim
abstrakten subst. so geläufig ist. Was klingt einfacher und
natürlicher als z. b. „befehl zum scheuern des hauses,
zum streuen der maien und schmücken der kinder"
(Haupt II, 264)? Es muß zwar zugegeben werden, daß in
manchen fällen, zumal jedoch wenn eine mehrfache beziehung
der begriffe vorliegt, dem eigentlichen inf. oder einem abstrakten subst. oder endlich einer umschreibung der vorzug
gebürt; allein dies trifft den objektiven genitiv nicht mehr
und nicht weniger als den subjektiven oder als jedes der
übrigen verhältnisse. Man vergleiche in dieser hinsicht:
Savigny II, 96 das setzen abgelebter eltern auf den alten
teil; Arm. II. 201 durch laßen von wenigem blut; Gr. I²,
VI dieses nachweben jedes glänzenden stoffs, den das
ausland trägt, diesrs wenden und link machen unsrer
eignen alten röcke; IV, 822 das finden der vollen wahrheit; Rechtsalt. 65 des aufsteigens zu pferde. wegen; 66
das sitzen zu pferd im waßer; 642 das emporhalten
einer schüßel mit beiden händen auf dem haupt; Wtb. I,
LXVIII ihrem armen flicken am zeug; 913 beim an-
legen der letzten hand ans werk; Dietrich VI das reiten
durch siebenundzwanzig länder in das dreißigste; — das wachsen nicht nach tagen, sondern nach stunden; Gött. anz.
1835 s. 657 von verdrängen oder beeinträchtigen des
Homer durch die Nibelungen; Kl. schr. I, 282 der beiden
letztern sprachperioden aneinander halten; 341 an das
lästige häufen der hilfswörter, wenn pass., prät. und fut.
umschrieben werden, an das noch peinlichere trennen des
hilfsworts vom dazu gehörigen part.; Myth. 375 vom pflanzen des hollanders vor ställen, vom gießen des waßers
unter den hollander; 384 jenes opfermäßige anstecken
der pferdehäupter in Deutschland in bestimmter richtung;
413 von dem rauschen der untergehenden sonne in dem
meer zwischen Spanien und Afrika; 450 von dem einho-
len des maiwagens aus dem wald in die stadt unter feier-
lichem geleite des maigrafen; 665 das laufen der kuh
verhindert durch einmauern eines lebendigen blinden hunds
unter der stalltür; I, 348 das legen des nackten schwerts

zwischen die neuvermählten; Altd. mus. II, 235 das stehlen der eier aus dem nest unten dem brütenden vogel weg.
Ein in der akademie gehaltener vortrag führt den titel:
„über das anfertigen des sarges bei lebzeiten" (s. Ber.
d. ak. 1850 s. 207). Die beziehung des adverbialbegriffs
auf den inf. fällt am schwersten, wenn er in der form eines
nebensatzes auftritt, z. b. Wien. jahrb. 45, 125 das frühe
vorkommen des ackerbaus unter deutschen völkern, fast
so weit unsere geschichte reicht; Reinh. CCLXIX
das geforderte und umständlich auseinandergesetzte leihen
einer abzuziehenden haut, als wachse sie wieder nach.

Aus der menge der herangezogenen beispiele geht
Grimms mehr als gewöhnliche neigung zum mannigfaltigsten
gebrauche des subst. inf. hinreichend hervor; vielleicht aber
würde er sich doch, wenn er den rasch zuströmenden gedanken eine längere frist der gestaltung und verzeichnung
hätte einräumen wollen, mancher wendungen enthalten haben.
Bemerkenswert sind die worte, mit denen er Gr. IV, 716
die alte konstruktion „um sein leicht ufsetzen land und leut"
begleitet: „wir sagen heute: wegen seines leichtsinnigen aufs
spiel setzens von land und leuten, oder lieber umschreibend:
weil er land und leute aufs spiel setzte".

Partizip.

Wie der inf. (s. 152) kann im vertraulichen tone der
erzählung auch ein leicht zu ergänzendes partizip wegge-
laßen werden (vgl. Gr. IV, 137), z. b. Sag. II, 42 da sie
aber nahe an die grenze und die Baiern noch in der gesellschaft waren; Märch. II, 523 war zur ewigen hochzeit.

Hinsichtlich der beziehung eines in einem erweiterten
satze auftretenden unflektierten part. trifft man wenig, was
von dem allgemeinsten gebrauche sich entfernte. Sätze wie
Edda 175 daß sie — ihn mordeten liegend und unge-
rüstet; Gr. I³, 459 ich behaupte den laut ae, verengt und
zusammengezogen; II, 770 ich kann die partikel allein-
stehend nicht beweisen; IV, 80 übrigens legt Lachmann
die stelle fragend, nicht ausrufend aus; Rechtsalt. 457

wer sein kind aussetzt, getauft oder ungetauft; Myth.
556 in allen übrigen gliedern wie ein mensch geformt, verrät ihn das bocksohr: diese sätze sind überall verständlich
und erleiden selten anfechtung. Allein auch gegen folgende
ist nichts wesentliches einzuwenden, obgleich grammatiker*)
wenig geneigt sind sie gelten zu laßen: Gesch. 163 einge-
zogen — in den Peloponnes hat sich — ihre ruhmvolle
kraft entfaltet; Wtb. I, VII aufgelegt zum betrieb der
naturwißenschaften — wird ihm auch sonst das unnütze und
schlechte verleidet; Myth. I, 355 in einer handschrift der
Casseler bibl. eine reise in die Türkei enthaltend sah ich
—; N. lit. anz. 1807 s. 569 von schiffen, erfüllt von leichen und unermeßlichen haufen liegengebliebener schätze
und reichtümer; — der satz: „zarter weißlicher sand, aus
dem mit kienruß vermengt die metallarbeiter ihre formen
bilden" (Wtb. III, 1902) hat nur vorübergehend auffallenden klang.

Auf dem überreichen gebiete der sogenannten partizipialkonstruktion zieht es zunächst und hauptsächlich an
solche fälle herauszuheben, welche ersichtlich und unwillkürlich an die edle einfachheit der altklassischen ausdrucksweise erinnern, mögen auch umschreibungen dem bedürfnisse der gegenwärtigen deutschen sprache meistenteils angemeßener sein, z. b. Schulze VIII widerstrebte nicht die
abgehende lautverschiebung; Gött. anz. 1835 s. 1671
deren mir entgangene einsicht ich bedaure; Rößlers d.
rechtsdenkm. II wie schon die unterbliebene zusammensetzung kund gibt; Abh. d. ak. 1845 s. 191 jenes heranzu-
ziehen untersagt die mangelnde lautverschiebung (ebenso
205); 241 wer Graffs wörterbuch aufschlagend mag
sich — zurechtfinden? Wtb. III, 492 die erlöschende
starke flexion ändert darin — nichts; Gr. I², 447 dem
schließenden 13. und beginnenden 14. jahrh.; Wien.
jahrb. 32, 255 aufklärung, die das ausgehende 17. jahrh.
— voraus hat; Reinh. CXXX nun gereut ihn der dem fuchs
versprochene hahn; XLII dem zürnenden wolf stiebt
der bart; XLIX den bittenden Gothen als feldherr — gegeben; CXXXIV ein aufgesuchtes kraut — stellt ihn

*) s. Heyse II, 491. 715.

11*

augenblicklich her; Haupt IV, 503 dem fragenden jäger
sagt der hirte; Lat. ged. 72 dem erlegenen feinde pflegt der
sieger gewöhnlich das an den locken erfaßte haupt abzu-
hauen. Ueberaus häufig begegnet der präpositionale ausdruck einer adverbialbestimmung, z. b. Myth. 56 nach ge-
pflogenem rat mit den übergetretenen Hessen; II, 1052
nach abgelegten kleidern; Thomas III nach eben
vollbrachter samlung frankfurtischer annalen; Gesch.
IV nach dem abgeschüttelten joch der Römer; 2. aufl.
vorr. nach fehl geschlagnen edlen hoffnungen; Kl.
schr. I, 2 nach zuerst empfangenem heiligen abend-
mahl; II, 241 nach vorher beigebrachtem todesstoß;
459 nach hinterlegtem teile des opfers; Wtb. I, 748
nach genoßener herber und saurer speise; 1646 nach
aufgegebnem baß; II, 1 nach überwundner erster
scheu; 570 nach inwendig geküster hand; Gr. I², 832
mit synkopiertem v (das. mit synkope des v); Rechtsalt. 899 mit angerührtem stab des richters; Ber. d. ak.
1857 s. 146 woraus mit weggeworfnem mittleren kehl-
laut unser kelter entsprang; Weist. III, 729 mit wegge-
laßener überschrift ungenau abgedruckt; Abh. d. ak.
1845 s. 207 mit verändertem neutralen in weibliches
geschlecht; Wtb. II, 39 aus der birke schnitt man, mit
haftender rinde, becher; Z. rez. d. d. gr. III bei vieler angeregten teilnahme; Wtb. I, 664 dichterisch ist
es, bei verstandenem trinken, bloß zu sagen: er hub
auf; Sag. II, 80 unter ausgesprochener drohung gegen
jeden frevler; Gr. I², 784 im mhd. bestehen wegen der
ausgestorbenen dualform nur fünf possessiva. Nicht
selten erscheint das part. in dieser konstruktion beinahe oder
völlig überflüßig (vgl. Gr. IV, 918), z. b. N. lit. anz. 1807
s. 353 nach einigen angestellten bemühungen; Kl. schr.
I, 14 nach Strieders erfolgtem tode; Gr. I², 597 nach
geschehener darstellung; IV, 153 nach dieser gewonne-
nen übersicht; Märch. I, 153 nach gehabtem mahl; II,
353 nach dem gehabten schrecken; Liebrecht XIX nach
gehaltener hochzeit; Pfeiffer I, 235 nach dieser vorge-
nommenen landesteilung; Myth. 446 unter angestimm-
ten klageliedern; Kl. schr. I, 109 auf diese erhaltene
antwort; 117 vierundvierzig verfloßene jahre hatten mich

und Sie in wechselnde lagen — gebracht: Myth. II, 1148
auch wurde zuweilen die gegrabene wurzel nach ge-
machtem gebrauch wieder eingegraben; Gesch. 684 deren
ursache bald in eingetretene überschwemmung des
meeres, bald in ausgebrochene hungersnot gesetzt zu
werden pflegt; Rechtsalt. XI angestellte nachforschun-
gen sind bisher fruchtlos geblieben; Wtb. I, 584 die
getroffene vorkehrung zum auslangen; 1752 ein tier,
das seine gebornen jungen in einem beutel am bauch
trägt.

Häufungen von partizipien innerhalb eines satzes finden
sich in großer anzahl, z. b. Altd. w. I, 60 Wie sollte auch
in dem an der Loire gelegenen Benediktinerkloster ein
ganz auf deutscher überlieferung ruhendes, die örtlichkeit
des Oberrheins voraussetzendes, überall deutsche eigennamen darbietendes gedicht entsprungen sein? Gr. IV,
765 auf jeden fall bleibt die sinnlich unbewuste wirkung
dem worte angewachsener partikeln verschieden von dem
stärker auftretenden anspruch ihm unvereinigt vorge-
setzter; Götl. anz. 1825 s. 518 an den irgendwo von Gräter
an einem außerhalb Scandinavien gefundenen bildchen
herauserklärten bronzenen Heimdallr; 1826 s. 81 kaum
heimgekehrt von einer langen und mühevollen, hauptsächlich zur erforschung des eifriger geglaubten als gründlich nachgewiesenen zusammenhanges zwischen dem germanischen und kaukasisch-indischen sprachstamm unter-
nommenen reise; Wtb. I, VI diese willfährig aufgenommene erkenntnis traf aber glücklicherweise zusammen mit
einer vom sanskrit her erregten vergleichenden sprachwißenschaft, welche keiner sie nah oder fern berührenden
spracheigentümlichkeit aus dem wege gehend — muste;
Leipz. l. z. 1812 s. 2411 Rez. gesteht freimütig und bescheiden, nicht das ausland schmälernd, aber sein vater-
land erkennend, daß er neulich bei wiederholtem lesen
des Orlando furioso doch recht den abstand empfunden, der
zwischen dieser auf keinen grund gebauten, in der luft
gewebten, nicht von der erde in die luft steigenden,
wol zusammengehaltenen aber nicht zusammenhal-
tenden, verwickelungen übergebürlich häufenden komposition und den treu gemeinten, glaubenden und glau-

benlaßenden einfachen und herzlichen altdeutschen gedichten waltet.

Ein aktives part., welches das prädikat eines nebenge-
dankens enthält, wollen die grammatiker nicht gern am
schluße des ganzen satzes vertragen. Auch davon weicht
Grimm oft ab, z. b. Gr. II, 321 aus verbis auf - inón gebildet und ihr - in daher habend; IV, 719 ausfluß dieses
eigentum und besitz bezeichnenden gen. ist der pronominale,
neben den poss. geltende; Abh. d. ak. 1858 s. 68 Cassio-
dor läßt sich aber zuweilen vom goth. gefühl beschleichen,
die accusative Quidilanem, Tatanem bildend; 86 in der
griechischen rückte die männliche flexion schon vor, den
nom. und gen. sg. einnehmend; Meisterg. 152 entstand —
eine poetische gesellschaft, sich alle jahr im mai versam-
melnd und goldene und silberne blumen für den sieger im
gesang aussetzend; Myth. XVIII überlieferung, ähnlich
der bei Griechen und Römern, aber auch bei Nordmännern
im schwang gehenden; 184 der Wiener cod. wäre — der
vierte das stück enthaltende; 196 nur die in krankheiten
und vor alter gestorbenen, nicht die im kampfe gefallenen,
walhalla einnehmenden; Gesch. 286 schädigt das zend
den Alaut, für skr. madhjas maidhjas — schreibend; Kl.
schr. II, 27 ziehe die altn. mythologie beglaubigung des alters
— aus unsern handschriften des 8., 9., 10. jahrh. für die
ihrigen mühsam das 12., 13. erreichenden.

Die beschränkung des aktiven part. auf das präsens
trägt dazu bei, daß es bisweilen auf eine vorhergehende
handlung angewendet wird, z. b. Lat. ged. 81 das schwere
streitgewand ablegend streckte er sein haupt in den
schoß der jungfrau; Göthes kunst u. alt. IV, 68 hörend
das — saß sie nieder kummervoll; Kl. schr. II, 345
Friesen, ihren sitz verlaßend*), hatten im wald Meri-
wido wohnungen aufgeschlagen; Vuk IV Karentanern
aber predigten — zu ihnen reisend deutsche oder italieni-
sche missionare; Ber. d. ak. 1856 s. 439 worauf er nach
Gardarike zurückkehrend dort Ellisif — heiratete;
Gesch. 609 wie die Gothen seit undenkbarer zeit, vom Pontus
und aus Thrakien heranrückend, an der Donau saßen.

---

*) lat. sede relicta.

Andrerseits kann die durch das part. präs. ausgedrückte
handlung in wirklichkeit sogar der haupthandlung nachfol-
gen, während die form gleichzeitigkeit andeutet; vgl. bei
Göthe a. a. o. Stieg hinunter in den niederkeller —
holend den geweihten trauungsbecher; Andr. u. EL IX
kehrt froh in die stadt zurück, neben einer ehernen
seule sich niedersetzend und was kommen sollte er-
wartend.

Wie im latein*) tritt die partizipialstruktur mitunter
als ausdruck für ein nicht bloß äußerlich temporales sondern
überwiegend inneres verhältnis auf, z. b. Gr. I¹, 159 frühere
und reinere bewahrte quellen würden —; II, 960 aufgelöst kommt die misform gleich an tag; Myth. 572 ausgegeben kehren solche heckethaler immer wieder zurück;
607 ins waßer geworfen schwimmen sie oben; 696 gut
aufgenommen laßen sie ansehnliche verehrungen zurück;
II, 878 einen stein, der weggeworfen — ins haus zurückkehrt; 1107 losgelaßen fallen sie über die leute her; 1228
wunschtuch, das gebreitet alle gewünschten speisen aufstellt; Z. rez. d. d. gr. 45 was bewiesen das wichtigste
wäre; Lat. ged. 301 eingeladen — sind sie bereit dazu;
Wtb. I, 175 die unterdrückt sich noch immer regt; 191
findet sich angerufen von selbst ein; 618 von wilden
klettertieren und großen vögeln, die gejagt zu baume fallen, springen, fliegen; 1124 der bär greift die menschen nicht
an, wehrt sich erst angegriffen.

In den schriften Grimms, älteren und neueren, gibt es
eine menge beispiele eines besonderen falles partizipialer
kürze, dessen logisches verhältnis mit beziehung auf wendungen ähnlicher art dem tadel verfallen ist, z. b. Savigny
II, 398 ähnliche verordnungen würde eine uns abgehende
samlung — noch andere nebeneinander stellen können; Z.
rez. d. d. gr. 43 so müste diese durch den gerade mangelnden kompositionsvokal — geknüpft werden; Gr. I¹,
XLVI daß ihre gewis vorhanden gewesenen helden-
lieder untergegangen sind; 604 wenn man ein vielleicht
verschlucktes i dazu fügt; I², 265 entspringt aus einem
gewöhnlich wegfallenden ableitungs-i; 269 sind die

---

*) vgl. Krüger § 498.

gänzlich mangelnden vokalzeichen auch hier anzusetzen;
I³, 25 fruchtbar müste ein seit Ihre nicht recht wieder
aufgenommnes schwedisches dialektlexikon ausfallen; II,
846 folglich kann neben mikiliths ein nicht vorhandenes
gamikiliths eintreten; III, 659 aus μάλα läßt sich ein nie
erscheinendes μάλος folgern; 766 das hier hinzuge-
fügte nein könnte dort fehlen; IV, 147 ein niemals erscheinendes gaggjan begehren; Gött. anz. 1830 s. 278
nur vermißen wir zu den drei ersten bänden das bei dem
elften nicht fehlende örtliche verzeichnis; 1835 s. 657
Gervinus hat sich hier von dem ärger übernehmen laßen,
den ihm erfolglos gebliebene vorschläge einiger männer
das Nibelungenlied auf schulen zu lesen unnötig verursachen;
1838 s. 1363 schaltet auch das bei Pertz nur unvollständig gedruckte — carmen de S. Gallo ein; Gesch.
364 daß hinter ihnen ein nachher ausfallendes T folgte;
761 in einem abgehenden verlornen prolog würde vielleicht die edda leiblich eingeführt werden; Weist. I, III es
bedarf aber — weiterer gewis' lohnender nachspürung;
Urspr. 28 daß Gott das gesetz mit seinem finger in die hernach von Moses zerbrochene steintafel geschrieben
habe; Kl. schr. II, 241 die wiederum mangelnde angabe - - darf — gefolgert werden; Ber. d. ak. 1859 s. 517
und ein, gleich seinen übrigen, verloren gegange-
nes stück — verfaßter Wtb. III, 1 müste dem meistens
mangelnden circumflex entsagt werden. Man sieht, was
in diesen partizipialen zugaben dem anstoße ausgesetzt ist:
mögen sie einen notwendigen gedanken enthalten oder aber
sich aus dem inhalte des satzes von selbst verstehen, in
jedem falle würde für die mitteilung, welche der eigentlichen
aussage nicht angehört, schicklicher eine andere form eintreten; am meisten wird sich die parenthese eignen, bisweilen mag ein relativsatz angemeßen sein.

Sind in den vorhergehenden darlegungen mehrfacher,
nach charakteristischen erscheinungen eingeteilter partizipial-
verbindungen viele beispiele anzutreffen, in denen umschreibung durch einen relativsatz den vorschriften der grammatik
mehr entsprochen hätte; so bleibt noch eine gemischte, aber
nach einzelnen unterschiedenen merkmalen doch einigermaßen geordnete reihe von dergleichen konstruktionen zu

verzeichnen übrig, statt deren diese umschreibnng ebenfalls
und zum teil in noch höherem grade gefordert werden
dürfte. Absichtlich sollen bloß solche sätze aufgeführt werden, in denen nur ein einziges part. in betracht kommt:
Kl. schr. I, 144 es könnte geschehn, daß unter den be-
seßenen tauben man die unrechte greife; Heidelb. jahrb.
1812 s. 49 seine sich etwa dafür gemachten regeln;
Meisterg. 183 welche strafe noch leidlicher ist als die sich
selbst auferlegte; Gr. II, 74 in aus reinen ablautenden
wurzeln gezeugten — verbis; Wtb. I, VII von an der
oberfläche klebenden arbeiten; Förstemanns n. mitteil.
II, 506 mit einem schon auf bloßem leibe getragenen
kleidungsstück; Gr. III, 630 scheinen aus superlativen —
gebildete komparative —, zu einer zeit, wo —; Urspr.
34 die ein paar entstehen laßende schöpferische kraft;
Wtb. II, VI auf volle befähigung — schließen laßende
hülfe; I, 1746 im gegensatz zur einschneidenden blut fließen
machenden wunde; Gr. III, 21 die entwickelte, ein der auf
ih und dû zu beziehen verbietende grundregel; IV, 886
die den kasus vertreten helfenden präpositionen; Z. rez.
d. d. gr. 1 eine sonst schwerlich vor das publicum zu treten
bestimmte kritik; Irmenstr. 5 den zu nehmen geglaubten gang der untersuchung; Gesch. 583 die sonst zu erklären schwer fallenden wetterauischen ortschaften; Myth.
115 die älteste seiner meldung tuende urkunde; Gr. I²,
442 dem sich zuweilen unentbehrlich machenden vorstehen-
den ge —; Ber. d. ak. 1857 s. 157 von der geburt des hernach den erzbischöflichen stul in Mainz besteigenden
Willigis; Ged. d. mitt. 13 Johann von Winterthur, seine
chronik in der mitte des 14. jahrh. schreibend, gedenkt
—; Schmidt V, 460 diese statt der notwendigen beweise
gründe aus der luft greifende kritik; Gött. anz. 1837 s.
1881 dessen nächste wiederkehr keinen der es diesmal mit-
begehenden noch am leben finden kann; Heid. jahrb.
1812 s. 849 bei künftigen, schwerlich ausbleibenden auf-
lagen; Wtb. I, 253 unsere frühere das „wie" noch nicht ver-
gleichend anwendende sprache.

Gegenüber allen bisher vorgeführten konstruktionen mit
dem partizip steht die absolute stellung desselben (Gr. IV,
893 fg.), deren sich Grimm, mag es dabei auf übereinstim-

mung oder verschiedenheit der beiden subjekte hinauslau-
fen*), sehr häufig bedient, z. b. Gr. I³, 147 *i* und *ê* zu-
sammengenommen und den *a, e* entgegengestellt,
zeigt sich —; 164 auf solche weise alle veränderungen
entfernt, stellt sich —; 354 bairan angenommen, wie
sollte —? II, 67 vokale nach orientalischer weise für gleich-
gültig angesehen, in den konsonanzen harte, zu keiner
zeit erlaubte wechsel zugelaßen, kostete es —; 154
wenn, ihn hinweggenommen, klare wurzel zurückbleibt;
383 mögen — entsprechen, *st* in *cht* verwandelt und *h*
weggeworfen; 587 ihn aufgegeben, fiele —; 704 wenn,
die partikel abgelöst, das einfache subst. nicht bestehen
kann; IV, 174 die phrasen ins nhd. übersetzt, würde
—; 507 die kasus erwogen, so scheint —; Altd. w. II,
104 so beide wörter getrennt, fällt auch die alliteration;
Gött. anz. 1829 s. 350 eine Casseler glosse gibt prëhan-
präwêr, die erste silbe durch einen strich über dem *p*
ausgedrückt; Rechtsalt. 432 nachdem er —, das schwert
zwischen beide gelegt, —; Myth. 227 rumnas statt runas
geschrieben, erhielte man —; Gesch. 7 wie wenig, für
sich erwogen und den gehalt ihrer denkmäler redlichst
angeschlagen, unsere sprache —; Kl. schr. I, 129 das
wahrgenommen tue ich kühnen seitenschritt; 176 abge-
wandt den blick — offenbart sich —; Wtb. I, 29 diese
geschichte der form vorausgeschickt laßen die bedeutungen —; III, 750 ihn aufgegeben erweitert sich die
vergleichung; 1559 dies alles voran gesandt und fortgesetzter prüfung anempfohlen legen wir —; Göthes k. u.
alt. V, 25. 26. 27 das vernommen; 28 sie gemauert in
den grund des turmes, — werde haften uns des baues burg-
wall; Wien. jahrb. 32, 223 die sogenannten indiculi —
zu grunde gelegt, was sich — vorfindet hinzugetra-
gen und den volksglauben — zur erläuterung gebraucht,
würde ein werk —; Kl. schr. I, 400 muste, poesie und geschichte sich auseinander scheidend, die alte poesie
— flüchten. Der acc. des subst. unterbleibt Heidelb. jahrb.
1817 s. 890: als ob sich, hinausgesehen über die richtige
bedeutung und den sinn, die wörter —; Wtb. III, 817 alle

---

*) s. Zeitschr. f. d. gymnasialwesen 1869 s. 177 fg.

höflichen, höfischen wörter, ihnen auf den grund gesehen,
geben —; Schlegel I, 397 überall und verglichen mit
handschriftlichen quellen stößt man auf grund und stamm-
ähnlichkeit; Kl. schr. I, 115 von der tür eintretend an
der wand zur rechten hand ganz hinten fand sich auch ein
quartant; Myth. 307 bis Gustav gekommen, reißt wieder
ein loch. Von ausgenommen pflegt behauptet zu werden,
daß es keinen einfluß auf den kasus auszuüben brauche,
wenn ihm das nomen nachfolge; dagegen läßt Grimm
Heidelb. jahrb. 1811 s. 148 den nominativ vorangehen: „von
dem alles untergegangen ist, der ruhm ausgenommen".
Der absolute genitiv währendes druckes (vgl. Gr. III,
270) findet sich Abh. d. ak. 1858 s. 58; zu der konstruktion
„aller sich durchkreuzenden ausnahmen uneracht"
(Gr. I², 571) „ein waßergerichtsweistum läßt die biene,
ungenetzt und unverletzt ihrer füße, des waßers
trinken" (Haupt VI, 190; vgl. Rechtsalt. 79) s. Gr. IV, 911.

Nomen.

In der sprache des umgangs sowol wie der dichter folgt
dem satzbeginnenden subst. nicht selten eine neue bezeichnung mittelst eines pronomens in demselben kasus unmittelbar nach, wodurch jenes an nachdruck gewinnt (vgl. Gr.
IV, 423. Kl. schr. III, 337); diese weise hat auch Grimm
bisweilen angewendet, z. b. Ir. elf. 113 mein großvater, der
dachte —; Märch. I, 45 ein bauer der hatte —; 138 einem
reichen manne dem wurde seine frau krank; 345 das pferd
das fraß nicht, der vogel der pfiff nicht, und die jungfrau
die saß und weinte; Kl. schr. I, 204 und der mann der
findet am seltensten muße. Zwischen subst. und pron. tritt
Wien. jahrb. 32, 238 ein attributivsatz: „die gestirne, die
jetzt ob uns sind, die sind zu mitternacht unter uns".
Größere wirkung hat der vorausgesandte, absolut stehende
nominativ (vgl. Gr. IV, 888. Kl. schr. III, 333 fg.), auf
den sich im nachfolgenden satze, welcher in Grimms schriften vorwiegend ein modaler fragesatz ist, ein persönliches
pronomen gleich viel in welchem kasusverhältnis bezieht,
z. b. Gesch. 150 die heilighaltung der knochen gleicht

sie nicht jenen einzelnen bräuchen der Griechen? 437 die
vordersten und rührigsten in der großen bewegung,
— wird es nicht erklärlich, warum sie alle — schritten? Ber. d.
ak. 1850 s. 75 die unglaublichen namen — sollten sie
nicht verlesen sein —? Abh. d. ak. 1845 s. 214 genug beispiele, haben sie uns nicht — versichert? 1858 s. 37 die
trilogie der geschlechter des nomens, findet sie nicht
—? Reinh. CCLXVII die fabel vom kranken löwen empfängt sie nicht —? (vgl. CCLXXXI); Wtb. I, I unmuße,
und die freiwilligste war genug da, sie wäre nimmer ausgegangen, was frommte ihrer mehr zu bereiten? Leipz. l.
z. 1822 s. 2153 das dem cachas kurz voraufgehende
lugues, hält es rez. für verdruckt, oder wofür? Myth. I,
XXX die formel vom wechselbalg wurde sie — getragen, und der mythus vom donnerkeil überkam ihn
vom Griechen der Slave? Edda 53 Helgi und Svava,
wird gesagt, daß sie wieder geboren wären*); Kl. schr. I,
103 das spinnende alte mütterchen — ist es nicht —?
201 der unvergängliche, diesen augenlosen greisen zu-
gefallne ruhm, offenbart sich in ihm nicht —? 209 die
natur gütig und grausam zugleich, mit dem einen auge
scheint sie —; 293 die englische sprache, von der —
worden ist, sie darf —; II, 281 das wettrennen, wen
mahnt es nicht —? III, 210 seine Gutae und Daucio-
nes, wer erkennt in ihnen nicht —? 411 das — ein-
lenken in die männliche flexion, ist es —? — dasselbe weibliche αι regiert es nicht —?

Von dem grammatischen geschlecht eines persönlichen
subst. entfernt sich das pronomen des folgenden satzes, indem es das natürliche bezeichnet (s. Gr. III, 324. IV, 267);
nur im falle des nächst anschließenden relativs dürfte dieser
wechsel für unsere jetzige sprache ziemlich ungewöhnlich
genannt werden, z. b. Sag. II, 42 das weib, die —**);
240 ein böses mutterpferd, die —; Reinh. XXIII ein weib-
chen, die —; Myth. II, 847 ein klagendes frauenbild,
die —.

---

*) dem original möglichst angepast; vgl. dag. 121: von Helgi und
Sigrun wird gesagt, daß sie wären wiedergeboren.
**) in der älteren sprache ganz gewöhnlich; viele beisp. Gr. IV, 268.

Obgleich die deutsche sprache das pron. es sehr häufig
teils als prädikat anstatt eines vorhergehenden nomens teils
mit benutzung des verbs tun als ausdruck für einen durch
den zusammenhang gegebenen verbalbegriff zu gebrauchen
pflegt, z. b. Gr. II, 520 „hêrscaf —, das mit hêr komponiert
scheint, aber es auch mit hêriro sein könnte"; I³, 62 „wie
sich ái und áu gegenüberstehn, tun es auch ei und iu":
so scheint dabei doch die bedingung obzuwalten, daß wirklich zwei grammatisch unterscheidbare sätze vorliegen. Wo
dies nicht der fall ist, fehlt die leichtigkeit des verständ-
nisses, z. b. Hall. l. z. 1812 s. 250 daß ja diese bestimmt
ansehenden substantiva es darum nicht sein können; Rechtsalt. 930 mehrere in Indien gebräuchliche prüfungen sind es
auch in Pegu; Haupt VII, 475 Kaufungen bei Cassel, seit
kaiser Heinrich 2. eine heilige stätte der christenheit, war
es vielleicht schon lange vorher unter den heiden*). Etwas
unbequem lautet auch Reinh. LXXXV: hingegen tut er des
bischofs Anselm von Dornik meldung, der es von 1146 an
bis 1149 war; vgl. Altd. w. I, 128 rühren sämtlich von
Angelsachsen her, das auch Alcuin war. Enthält der nachsatz ein hilfsverb, so läßt Grimm gerne das vertretende tun
weg, eine kürze welche durch die beigabe des pron. wesentlich unterstützt wird, z. b. Gr. I², 1013 wo rückumlaut im
prät. ind. schwankt, darf er es auch im part.; III, 576 die
schon im positiv umlauten, müßen es auch in den beiden
andern graden; IV, 147 wie sich in hafjan, bôf schwache und
starke form mischen, können es in gaggan, gaggida starke
und schwache; 340 so gut sik neben dem inf. steht, darf
es auch das poss. seins; I³, 61 wer dies vom *l* einräumt,
muß es darum auch vom *û* (vgl. 121); Gött. anz. 1838
s. 546 wenn auch einzelne dichter wiederholt an ihr werk
hand angelegt haben, nicht alle werden es.

Artikel.

Der auffallende eintritt des bestimmten artikels zwischen
das unbestimmte zahlwort und den superlativ in den beiden

*) Diesem satze wohnt zugleich, wie sich auf den ersten blick er-
kennen läßt, eine logische schwierigkeit bei.

stellen: „gleich anderm dem edelsten menschenwerk"
(Kl. schr. I, 156) und „nach so vielen don buntesten
bildern" (II, 426) scheint mit einem mhd. gebrauche zusammenzuhangen, nach welchem der bestimmte art. vor dem
superl. und subst. auf den unbestimmten folgt, z. b. ein der
schoenest man (Gr. IV, 417).

Um bekannte regeln der wiederholung des artikels beim
zweiten und den folgenden subst. oder der vertretung des
ersten subst. durch art. oder pron. hat sich Grimm sehr
wenig gekümmort; vgl. Reinh. LXII der hirsch, widder und
boek; CXXIII auf den könig und wolf; Lat. ged. XLI das
lied von den Nibelungen und von Gudrun; Ber. d. ak. 1859
s. 523 scheiden zwischen einer sprache der götter und menschen; Rechtsalt. 913 ein bischof zu Münster und abt zu
Werden lagen in streit*). Mehr hat die fortlaßung des artikels zu sagen, wenn das nachfolgende subst. anderes geschlechts als das erste ist**), z. b. Arm. II. 173 wie eine
jungfrau oder kind; 205 der sitz des lebens und kammer
des bluts; Rechtsalt. 324 den ersten sohn oder tochter; Ir.
elf. XX eine bestimmte wohnung oder aufenthaltsort, 215
sie bekamen einen solchen schrecken und angst. Ebenso
verhält sich der mit einer präp. zusammengezogene artikel,
z. b. Märch. II, 325 im busen oder tasche***), Reinh. XL
im pilgergewand und schuhen. Zwar gehören dergleichen
beispiele vorwiegend der älteren zeit an, allein in einem
gleichen, demnächst beim adj. zu berührenden falle steht die
unregelmäßigkeit auch aus der neueren aufzuweisen.

Von ganz anderer art und bedeutung ist die unterdrückung des artikels, wenn sie in der inneren beschaffenheit eines einzelnen, an sich selbst zu beurteilenden substan-
tivischen begriffs ihren grund hat. Hier spielt die sprache
Grimms eine große, überraschende rolle, und nicht zum geringsten teile offenbart sich gerade in diesem punkte jener

---

*) Der numerus des prädikats deckt den ausfall des artikels.

**) Die wiederholung des artikels in der dreigliedrigen zusammen-
stellung „aus der völlig verschiedenen manier, art und dem geist"
(Altd. w. II, 152) hat einen ziemlich steifen klang.

***) Etwas leichter fällt, weil im zweiten gliede kein artikel nötig
ist: im heutigen Island und andern norweg. gegenden (Gr. I², 295); im
drama und reichgebildeter prosa (Gesch. 829).

anregende und erwärmende hauch poetischer empfindung,
dessen seine weise überhaupt, wohin man nur seine blicke
wendet, erfüllt ist. Höcht wirksame personifikationen, verwendungen des kollektivs oder der gattung für das indi-
viduum, abstraktionen und verallgemeinerungen nebst anderen eigentümlich und oft schwer merklich modifizierten
faßungen der begriffe und ihrer beziehungen: solches alles
wechselt ab mit den einfachsten ausdrücken und redensarten,
dergleichen die sprache schon früher eine menge als vorbild
hingestellt hatte. Man vergleiche Sag. 1, 25 taube hält den
feind ab; Altd. w. 1, 20 schwarz wie rabe; 23 weiß wie
hermelin oder wie schwan; Edda 61 rabe sprach zum
raben; Myth. 659 eine wie hahn erkrähende henne; I, 305
wie zauberinnen und hexen auf wolf, bock und katze
reitend vorgestellt werden; 11, 638 wandlungen des storchs
in mensch und des menschen in storch; 1051 verwandlung
in katze; 1231 ragt wie pferdefuß, hahnkralle hervor; Liebrecht XVII eine arme witwe hinterläßt für ihre
drei söhne backtrog, brotkorb, katze; XVIII hinterläßt ein sterbender müller seinen drei söhnen müle, esel
und katze; XIX arme leute konnten auf ihre drei söhne
nichts vererben als keßel, pfanne und kater; Ber. d. ak.
1859 s. 421 verwandlung in fliege und floh; Gesch. 22
rindes bedarf der wagen; 44 unsern jägern stand habicht
oder falke auf der linken brust; 176 nachtigall und
schwalbe fliegen den Griechen aus Thrakien zu; Ged. d.
mitt. 4 wo der glückliche vater zweien seiner fünf söhne
schwert gab; 43 mit geld, kleid und pferd so reich be-
gabt; Wtb. I, 1143 frau, die einen knaben über taufe hält,
kann davon bart bekommen; III, 1521 falke, nachtigall
kommt geflogen; Haupt III, 157 daß nicht bloß hand der
hand, sondern auch hand dem fuß beistehen solle; IV, 511
dessen der jünger der weisheit so wenig entraten kann als
ein doctor der philosophie hutes, mantels und stabs.

Zur beurteilung der mannigfaltigkeit, in welcher die
weglaßung des artikels auftritt, mögen noch folgende beispiele dienen: Myth. I, 551 Rhea schlug in Arkadien quelle
mit dem stab; Reinh. CXXIV wenn er aus türe, grube
oder höle gehe; Wtb. I, 1376 zimmerleute führen axt; III,
325 sein futter in krippe oder trog bringen; Sendschr. 65

diesseit Rheins; Candid. V jenseit Rheines; Kl. schr. I,
61 Engelsburg, Vatikan, Peterskirche vermögen dagegen nicht aufzukommen; II, 93 bräutigam mit seinem
geleit; Myth. II, 650 kindes genesen (mhd.); Wtb. I, 433.
1248 kindes entbunden; Gött. anz. 1841 s. 357 mit kinde
gehen; Pfeiffer III, 3 aus erlenzweigen gitter geflochten;
Andr. u. El. XII schon war flut zu solcher höhe gestiegen;
Gesch. 75 sollte sonnenzeit sich mit der des mondes
einigen; 209 nur weicht geschlecht ab und schilderung
der pflanze; Urspr. 13 fast die ganze natur ist lautes und
klanges erfüllt; 14 gangs unfähige pflanzen; Märch. I,
321 waldes ende; Wtb. III, 739 falle stellen; Gr. III,
179 außerhalb reims; I², 444 in und außer reim; 756 wird
rede sein; 988 fügte schreibung ein d hinan; Gesch. 159
daß den Griechen schrift nicht mangelte; 234 frage bleibt;
737 mag sich — spur weisen laßen. Oft ist dem subst.
ein adj. hinzugefügt, z. b. Myth. I, 404 ein jäger steht
unter hoher eiche; Wtb. I, 45 von losbrennendem ge-
wehr; Urspr. 11 schlafenden funken weckt; 14 harte
flügeldecke an einander reiben; Gesch. 21 es gibt nirgends steife, gleichzeitige grenze zwischen beiden;
114 unter hehrem baum wurde rasen erhöht; 146 wird
der reiche in doppelten oder metallnen sarg geschloßen;
Z. rez. d. d. gr. I ermattet auf unergiebiges schriftstellers dürrer heide; Vuk I zwischen adriatischem,
schwarzem und baltischem meer; II einfluß slavi-
scher zunge auf gothische mundart; Pfeiff. II, 477
daß das lied — königlichen urheber habe; Kl. schr.
II, 92 goldnes meßer trägt er; Gesch. 16 anschaulich-
stes bild solcher wagen; Gr. I², 411 heute noch hört man
letztes wort zuweilen; I³, 451 wichtigstes beispiel
ist —; Kl. schr. I, 245 aller auffallendste eigenheit
der akademie; Z. rez. d. d. gr. IV ältestes „täts“ ist im
j. 1672, ältestes „schafts“ 1642 aufgetrieben. Von einer
präp. begleitete ausdrücke, in denen sonst insgemein der
artikel gesetzt wird, sind: Altd. w. I, 80 auf spur kommen;
Myth. XII an tag bringen; Gr. I¹, 337 in augen fallen;
I³, 299. 542. II, 730. Myth. XXII an seite setzen; Gr. II,
807. Myth. II, 840 an seite stellen; Gesch. 60 in hand
halten; Gr. I³, X in hand liefern; I², 103. 232. I³, XV.

.

74. 167. 494. 572. Wtb. I, XXX an hand bieten; Gr. I²,
257. 281. 453. I², 37. 250. 568. IV, 370. 480. 552. Wtb. I,
LXVIII an hand geben; Gr. IV, 105. 300 an hand reichen; III, 175. IV, 67. 278. 378. Gesch. 18 in weise; Abh.
d. ak. 1845 s. 190 auf ersten blick; Reinh. LX. CXXV.
Lat. ged. 293 an hof*); vgl. Wtb. I, 1379 in keller gelegt, Reinh. III an himmel versetzt (XCVI mit art.).

Wäre es unserer gegenwärtigen sprache, in welcher die
flexionen des subst. eine so nachteilige abschleifung erlitten
haben, nicht ein unabweisbares bedürfnis sich des artikels
als eines bequemen trägers der kasusverhältnisse zu bedienen**), so würde unzweifelhaft ein schriftsteller wie Grimm,
der auch darin mit Göthe zu vergleichen ist***), in noch
viel mehr fällen demselben anzuweichen anlaß genommen
haben. Denn man darf ja urteilen, daß in sätzen wie:
„wandlungen des storche in mensch und des menschen in
storch", „daß nicht bloß hand der hand, sondern auch hand
dem fuß beistehen solle" die beigesetzten artikel der bezeichnung des kasus zu dienen haben; vgl. Kl. schr. II,
368 sie bedürfen lichtes und der luft†). Ganz eigentümlich verhält sich der satz: „tiere sind anführer aus-
wandernder ansiedelungen" (Reinh. III).

Adjektiv.

Was in grammatischen lehrbüchern angemerkt zu werden pflegt, daß der superlativ im prädikat nicht ohne artikel
stehe, findet sich in der sprache Grimms nicht immer
beobachtet, z. b. Gr. I², 32 im mhd. ist zim, zir u. s. w.
häufigst; Ged. d. mitt. 36 ist nun der ganze eindruck —
allergünstigst; Wtb. IV, 225 hier wäre die schreibung
froheit ratsamst.

Dieselbe ungenauigkeit des kürzeren ausdrucks, welche
bei der verbindung zweier oder mehrerer subst. verschie-

*) teils von der richtung teils vom ort gebraucht.
**) weshalb er auch eigennamen bisweilen vorgesetzt wird (vgl. s. 79).
***) Lehmann § 66.
†) für das gewöhnliche „licht und luft".

dences geschlechts in betreff des artikels wahrgenommen
worden ist (s. 174), zeigt sich dann und wann beim adj.,
pron. poss. und unbestimmten zahlwort, wobei außer dem
genus auch der numerus beteiligt ist*), z. b. Altd. w. I, 7
ihren besondern reiz und lebendigkeit; 12 von so
schwarzem haar und augbraunen; D. beid. ält. d. ged.
75 frische kraft und samen; Schlegel I, 403 sein elend
und große torheit; 405 in solches leid und schaden; Altd.
w. III, 98 ihr geschlecht, alter, trächtigkeit; Reinh. XXX
rotes haar und bart; XL zu dieser sprache, gebärden,
trachten; Sag. I, 162 kein zeichen oder spur**).

Wie im lat. häufig ein adjektivisches statt eines sub-
stantivischen attributs gefunden wird, z. b. conjux Hectorea,
sanguis fraternus, victoria civilis, furor vinolentus, cursus
maritimus: ebenso besitzt die mhd. sprache eine beträchtliche menge adjektivischer ausdrücke, an deren stelle heute
substantive, namentlich substantivzusammensetzungen auftreten, z. b. geburtlicher tac (dies natalis), österliche zit,
garbe heberin (hafergarbe), fröuwine schar (frauenschar);
vgl. Gr. IV, 258 fg. 720 fg. Verfolgt man Grimms stil
mit rücksicht auf das adjektiv, so stellt sich nicht bloß
jene lateinische und ältere deutsche weise dar, sondern es
begegnen in größerer anzahl noch verschiedene andere verbindungen äußerlich derselben art, denen auch in logischer
hinsicht aufmerksamkeit gebürt. Die in sehr reichem maße
vorhandene neigung zu der von personennamen gebildeten
form auf -isch wird bei genauerer betrachtung der s. 110
zu anderem zwecke mitgeteilen beispiele hinreichend veranschaulicht; an diesem orte mag hinzugefügt werden,
daß es z. b. mit bezug auf ein später vermehrtes und
verändertes gesetz aus der zeit des königs Waldemar ohne
weiteres heißt: „in der älteren waldemarischen gestalt" (Savigny III, 90). Die adjektive vertreten, wenn
man sich nach der vorherschenden gewohnheit des ausdrucks

*) Lehmann § 57. Heyse II, 530. In keiner weise darf aber an-
gefochten werden: Gesch. 584 ihr herz und mut, Wth. I, XIV sein
geblet und umfang, womit sich in gewisser hinsicht vergleichen läßt
mit und ohne kennzeichen Gr. I¹, 200, mit oder ohne zeugen
Rechtsalt. 608, ebenso Kl. schr. I, 90. Pfeiffer I, 21.

**) vgl. vir et consilii magni et virtutis (Krüger s. 386).

richten will, bald den gen. des subst., z. b. Ir. elf. LXXXV
diese elfische gegenwart; Gr. III, 643 untergang des
superlativen gefühls in den zahlen; Rechtsalt. 142 frei-
laßung aus der herrlichen gewalt; Gött. anz. 1836 s. 1789
noch erlangen wir den wahren gothischen eindruck; —
bald eine präpositionale verbindung, z. b. Ged. d. mitt. 45
des sängers französischer aufenthalt; Rechtsalt. 708
knechtische strafe*); Gesch. 843 dies hebräische aufgehn des präs. im futur; · Gr. IV, 706 diese spanische
neigung zum dat.; — bald endlich eine zusammensetzung,
z. b. Wtb. I, 1324 sächliche vorstellung eines wortes**);
Myth. I, 206 das männliche kloster; Kl. schr. II, 338 als
stiftischen beamten; Wtb. I, 633 jägerischer ausdruck.
Einigemal mag keins dieser verhältnisse zur auseinander-
setzung vollkommen ausreichen, sondern eine umschreibung
deutlichere dienste leisten; vgl. Lat. ged. XV abrichtung
der bären zu aufrechtem einertragen. Bedenklicher als
„plattdeutsche bücherkunde“ (Gött. anz. 1825 s. 1122)
scheint „prädikantische hochzeitfeier“ (Gött. anz. 1850
s. 755) d. h. feier der hochzeit eines prädikanten, während
„ungeborne lämmerfelle“ (Rechtsalt. 428; vgl. 379 felle
der ungebornen lämmer) freilich noch kühner auftreten, jedoch den verrufenen „elastischen landweber“ der grammatiker lange nicht erreichen. Nach abhandlung der einzelnen fälle scheint es bei der unleugbaren wichtigkeit des
gegenstandes, welcher insgemein ziemlich einseitig behandelt,
hie und da den gewaltsamsten folgerungen unterworfen
wird***), nützlich zu sein noch eine reihe lehrreicher beispiele vorzuführen, deren erklärung der einen oder andern
weise anheimfällt: Wtb. I, 1106 die bank galt für de-
mütiger; 1160 in der weichen, flüßigen bedeutung†);
Ged. d. mitt. 46 da die romanische aufnahme den namen
Wieland in Galans ändert; Rechtsalt. 898 der bairischen berührung des zopfs gleicht der friesische männereid auf die
locken; Gött. anz. 1863 s. 1375 von französischem durch-

---

*) für stehlende knechte.
**) der mit dem worte verbundene sachbegriff.
***) Man hat in allem ernste herausgebracht, daß auch „römische
geschichte, französische stunden“ zu sagen eigentlich unerlaubt sei.
†) bed. einer welchen, flüßigen substanz.

12*

gang zeugen Schanteeler und Pinte; 1834 s. 883 beide deutungen, die jülichische und lothringische*); Gr. IV,
12 ihr gothisches nebeneinanderstehn; III, 116 der mit-
telhochdeutsche vorteil des rückumlauts; Wtb. I, XIV
bei voller und alphabetischer ausarbeitung der sprache;
LXVII mit jägerischem spüreifer; 342 einem solchen
vegetabilischen angehn und geraten; III, 1887 der
gaunerische ursprung; Andr. u. El. 122 adjektivische
auslegung; Abh. d. ak. 1845 s. 211 mit lingualem einschritt; 266 gutturale aussprache; 322 vokalische schreibung; Gr. III, 605 jene adverbiale hinneigung von ubil;
Haupt II, 5 der diphthongischen auslegung; Myth. XIII
die allväterliche eigenschaft des Zeus; Rechtsalt. 140
das lehnliche händelegen, knien und küssen; 374 adliche
und bäurische abgabe; 584 einteilung der sachen in
männliche und fräuliche, Gesch. 17 fräuliche habe,
Gr. III, 356. 451 fräuliches gewand, Abh. d. ak. 1858
s. 62 fräuliche beinamen, Myth. II, 847 die fräulichen
tugenden, Radlofs spr. d. Germ. 399 des fränlichen artikels. Viele von den s. 139 verzeichneten attributiv gestellten partizipien gehören ebenfalls hierher.

Wie sich aus „zu frieden" ein vollständiges, wolklingen-
des, nimmer entbehrliches adj. zufrieden gebildet hat, das
an sich gleich beschaffene vorhanden, ferner anderweit
(s. 121), ungefähr**) und ungeachtet aller warnungen der
sprachlehren ebenfalls die eigentlichen adv. kürzlich, neulich auch als attributive adj. gebraucht werden***): ge-
radeso steht es um die mit dem subst. „weise" und einem
andern subst. zusammengesetzten adverbialausdrücke, deren
in den sprachbüchern fast überall †) mit nachdruck be-

---

*) mit bezug auf falsche vermutungen über den grundcharakter des
Reinh. Fuchs.

**) Berl. spr. u. sitt. 1817 s. 349* das ungefähre zeitalter, Gr. I²,
7 nach dieser ungefähren übersicht.

***) Aus der sprache des täglichen lebens gehört hierher: ein
weher finger, eine zue tür (vgl. Schulze V), ein entzweies glas,
noch eine weitere betrachtung (Gr. IV, 460), der welteste stein
(Savigny II, 61).

†) jedoch vgl. Götzinger I, 714, dagegen die befangenheit Leh-
manns § 104 anm.

kämpfte adjektivische verwendung in den schriften Grimms umfangreich entgegentritt *), z. b. Gr. I², XVII eine teilweise oder gänzliche umarbeitung, 597 teilweise spuren, Kl. schr. I, 19 holländische teilweise übersetzung, Wtb. III, 1135 nicht mehr die teilweise, nur die volle einwirkung (vgl. Gr. I², VIII 378. 597. 665. I³, 475. II, 10. 615. 702. 797. III, 246. IV, 324. 610. 744. Reinh. XL. Myth. 400. Gesch. 247. Haupt II, 267); Gr. I², 120 ausnahmsweise ableitungen, 600 den ausnahmsweisen vokal, 669 ähnliche ausnahmsweise dativkürzungen (vgl. I¹, 78. I², 385. 387. 393. 445. 458. 732. 869. 988. I³, 454. II, 4); I², 13 das stufenweise abschwächen, 137 einer stufenweisen entstellung (vgl. 484. I³, 559. Andr. u. El. LIII. Myth. II, 981); Gr. I², 96 in dem spurweisen übergang, 208 nach dem spurweisen ia und ie (vgl. 379. II, 832); Wtb. I, 102 stückweise zahlung.

Komparation.

Den „fehler" nach einem komparativ wie für als (mhd. denne) zu setzen (vgl. Haupt VIII, 388. Wtb. I, 251) zeigen nur ältere schriften einzelne male, z. b. Sag. II, 7 langsamer wie; Gr. I¹, 135 geringere wie; Altd. w. II, 37 mehr als zufall und ausnahme wie —; 158 wahrscheinlicher daß —, wie daß —; Berl. spr. u. sitt. 1817 s. 346* häufiger wie **).

Da der geminierte plural mehrere nicht die bedeutung des komp. von „viele" hat sondern, entsprechend dem lat. complures und franz. plusieurs, als unbestimmtes pronomen gebraucht wird, so sind abweichungen im komparativen sinne anzumerken, z. b. Haupt VIII, 8 mehrere als ich jetzt aufzuzeichnen habe ***); Gr. I², 191 mehrere als wir

---

*) Vielleicht hat die berührung mit dem adj. „weise" der bequemlichkeit des ausdrucks vorschub geleistet.

**) Das volkstümliche pleonastische als wie, nach Wtb. I, 249 in prosa zu meiden, findet sich nicht sowol bei komparativem als bei positivem vergleiche (Märch. I, 227. Meisterg. 124. 128).

***) dag. Kl. schr. I, 126: dazu bieten sich mehr als eine deutsche wurzel an.

jetzt belegen können; III, 112 aus T. und W. habe ich
kein beispiel, desto mehrere aus N.; Wtb. III, 1583 diese
drei gehen auf das wärmende, glühende, viel mehrere
auf das leuchtende, scheinende feuer; vgl. Gr. I², 696. II,
216. 298. 306. 326. 387.

Vermischung von letztere und letzte findet in so
fern statt, als jene form bisweilen in dem verhältnisse von
mehr als zwei gliedern gebraucht wird (Gr. I², 41. 90),
diese häufiger auf nur zwei beschränkt ist (Gr. I², 126.
336. II, 851. IV, 3. 394. 536. 741. I³, 85. 125). Des wortes
erstere scheint sich Grimm überhaupt seltener bedient zu
haben; vgl. Gr. IV, 272, wo nur von zweien die rede ist:
„letzteren immer das genus der ersten erteilt".

Bei der vergleichung des grades zweier eigenschaften
an demselben gegenstande, wo der lateiner am liebsten
beidemal den komparativ setzt, gilt es der deutschen
sprache bekanntlich als regel durch 'mehr' und den positiv zu umschreiben. Viel weniger genehm ist ihr die
weise, deren sich Grimm mehrmals bedient hat, daß der
komp. die erste, der pos. die zweite stelle einnehme*): Altd.
w. II, 112 leichter als nützlich, Gr. I², 496 sinnreicher als statthaft, Rechtsalt. 351 rührender und
dichterischer als wahr, Gesch. 676 sinnreicher als
haltbar.

Den vergleichungssätzen mit als daß geht anstatt des
adv. zu mit dem positiv bisweilen nach lat. weise der komp.
vorher, z. b. Myth. XI bezeugt das alles doch ein tieferes,
festeres element des glaubens, als daß —. Formell unausgedrückt ist die höhere intensität im hauptsatze Hall. l.
z. 1812 s. 241: „noch immer griff das alte mit seinen armen
in das neue hinüber, als daß es hätte vergeßen werden
können", Gesch. 575 „es gebricht uns an genauen meldungen
—, als daß eine berichtigung tunlich wäre"; vgl. die
mischung Gr. II, 180: steht — zu häufig und wird nie mit
kurzem u geschrieben, als daß sich die länge des vokals
bezweifeln ließe.

---

*) vgl. vehementius quam cauto (Tac.).

Kasus.

Nominativ.

Die unabhängigkeit, welche der nominativ im satze behauptet, macht es begreiflich, daß zwischen ihm und einem andern kasus schwankungen nicht leicht eintreten können; nur in sehr wenigen fällen vermag er mit dem accusativ um den vorzug zu streiten. Am schluße der abh. über einige fälle der attraktion (Kl. schr. III, 347) führt Grimm viele beispiele beider kasus nach „laßen" mit „sein" auf, indem er den nom. unangezogen, den acc. angezogen nennt. Er selbst setzt bei Haupt VIII, 541 den acc.: „das laß dir deine kleinste sorge, deinen geringsten kummer sein". An jenem orte finden sich auch belege zu wechselnden konstruktionen wie Gr. I¹, LXXIII „einer der tätigsten erwies sich Joh. Schilter", Wtb. III, 690 „weil aber der andere sich auch als dritten denken läßt", Wigands archiv II, 65 „hat sich — nicht als einen kenner der älteren sprache gezeigt". Ueber vorausgesandte nominative vgl. s. 171.

Genitiv.

Auf die in der schriftsprache ungewöhnliche, in der mündlichen rede sehr bekannte hinzufügung des pron. poss. zu dem im gen. stehenden namen des besitzers (Gr. IV, 351) stößt man, wie es scheint, nur in den Märch., z. b. 1, 248 nach des herrn Korbes seinem haus, II, 115 des einen seins war blind, des andern seins lahm.

Grammatiker merken an, daß es der deutschen sprache widerstrebe von einem gen. einen andern gleichgeformten gen. abhangen zu laßen und empfehlen erforderlichenfalls vertretung des einen durch die präp. „von"*). Die frage nach der richtigkeit dieser vorschrift, die etwa in einen negativen und positiven teil zerfällt, welche sich keineswegs immer mit einander vertragen**), bei seite gelaßen, so bietet

---

*) Götzinger II, 466. Becker II, 104. 109.
**) Ein beispiel wie „die geschichte von der erbauung der stadt" kann Becker leicht bilden und empfehlen; soll etwa in der verbin-

Grimms sprache genug beispiele solcher doppelten genitive,
wie: Ir. elf. 88 das gänzliche vergoßen des allerliebsten
gesichtes des küchenmädchens; Wien. jahrb. 46, 215 die
abweichung des plurals des pronomens zweiter person;
Reinb. LXIII durch den faden des alters des wolfs;
CCLXI des bestimmten alters des wolfs; Gr. I³, 524 über-
bleibsel des altn. umlauts des a durch u; Rechtsalt. 95
bestimmung der weite der wundöffnung; Andr. u. El. X
das empörende verzehren der leichen der wächter.

Sehr reichen stoff für eigentümliche wahrnehmungen
bietet der partitive genitiv. Wenn in der heutigen prosa
im ganzen nur noch selten auf quantitätsbegriffe der gen.
folgt, so scheint Grimm diese alte und echte, die meisten
sprachen durchdringende konstruktion sogar vorzuziehen;
vgl. Gr. I³, 152 es sind der O beträchtlich, fast um die
hälfte weniger in den wurzeln der sprache als der E,
die jedoch in zwei verschiedne arten zerfallen; mit jeder
derselben verglichen, möchten der o einige weniger als
der e, einige mehr als der ö vorhanden sein; 160 es
werden der u und ü fast gleich viel, oder der letzten noch einige mehr sein; da der endungen mit ur-
sprünglichem i eine größere zahl als der mit u ist; I²,
931 viel solcher gestumpften inf. (ebenso XV. 7.
28. 64. 217. 374. 525); Sag. I, 188 des sollte leicht noch
mehr da sein; II, 311 bis ihm ihrer zu viel wurde;
Märch. II, 241 wie viel ist denn deines schatzes?
Myth. XV des übereintreffenden slavischen und
deutschen aberglaubens ist außerordentlich viel; XXII
das heldenlied von Gudrun, das uns viel alter stamm-
sage bewahrt; Altd. mus. II, 308 daß des zweiten ver-
rats — nichts vorkommt; Wtb. III, 1105 im ganzen Ulfilas, so viel wir dessen übrig haben; Savigny II, 87 so
und so viel fleisches; III, 123 wie viel seiner alten
einrichtung; Merkel XVI mehr kopfbrechens*); Gr.

---

dung „am tage der gründung der stadt" der eine genitiv auch durch
die präp. verdrängt werden? Uebrigens ist es strenggenommen nicht
einmal einerlei, ob gesagt werde: „die geschichte der erbauung" oder
„d. gesch. von der erb.".

*) Ueber kein bleibens (Ber. d. ak. 1851 s. 99) s. Wtb. II, 95.

I², 162. 391. I³, 149 beweises genug; Wtb. I, LXIII
genug grundes; Myth. XXV altertums genug. Wie
in den ausdrücken „was neues, was rechtes" der gen. des
neutralen adj. steckt, so verbindet Grimm das pron. auch
mit eigentlichen subst.*), z. b. Sag. II, 109 was mannes
ihr seid (mhd.; s. Gr. IV, 451. 452. 737); 210 was bringst
du guter märe (mhd.)? Altd. w. I, 179 was an ihm der
kräfte sei (mhd.; s. Gr. IV, 737); Gött. anz. 1838 s. 558
was jener prahlhaften verheißungen ist bisher in
erfüllung gegangen? Bei einer bestimmten zahl ist der gen.
zwar auch heute sehr gebräuchlich, doch wird eine gewisse
beschränkung auf den fall vorherschen, daß der begriff des
ganzen ein gegebener sei; seltener kommen genitive vor
wie: Gr. I², 440 zwei solcher ht, IV, 744 dreißig edler
leute; vgl. zwei ganzer jahre (Liebrecht XIV). Während
ferner in der gewöhnlichen rede dem partitiven gen., welcher ohne attributives adj. dem subst. folgt, die endung
insgemein entzogen wird (Gr. IV, 721), läßt Grimm sie sehr
oft absichtlich bestehen, z. b. März. II, 327 hundert fuder
schmalzes, sechzig fuder salzes; Gr. III, 426 feinere art
brotes; Gesch. 128 stück fleisches; Myth. II, 856 drei
trünke des mets; Wtb. I, 98 ein bestimmtes maß ge-
tränkes; III, 354 ein stück zeuges; 1700 eine gattung
flachses (1704 ein gebund flachs). Häufig tritt der un-
angelehnte, alleinstehende gen. als subjekt des satzes auf,
namentlich die plur. ihrer**) und solcher, z. b. Kl. schr. III,
295 aus Aristophanes laßen sich ihrer nachweisen; Gr. I²,
532 sind ihrer s. 46 fg. mitgeteilt worden; 526 solcher
altn. gia, kia, akia sind — anzutreffen; Pfeiffer XII,
119 solcher stunden sind mir — nicht beschieden; vgl.
außerdem Wtb. III, 223 er muß das zeug, tuch so nähen,
daß inwendig noch davon bleibt***); Ged. d. mitt. 43 da
— weder M. noch der jüngern commentatoren des
decamerone sich auf die hübsche fabel eingelaßen haben;

---

*) vgl. den ausruf: was menschen!

**) überhaupt als partitiv beliebt; vgl. Gr. I², 7 ihrer so viel.
I³, 211 ihrer eilf, Sag. II, 63 ihrer ein teil, 311 ihrer zu viel.

***) wie franz. en.

Sag. II, 264 da wurde auch dieser speisen ritter Ulrich
vorgetragen. Nicht anders verhält sich der objektive fall,
z. b. Gr. I², 206 wenn es ihrer gäbe (ebenso I³, 105. II,
118. Wien. jahrb. 28, 41); Gr. I³, 9 hat ihrer die goth.
(vgl. Wien. jahrb. 45, 118); Gött. anz. 1827 s. 322 um
ihrer — anzuführen; Wtb. III, 124 bringe ich ihrer aus
ersterm; Gr. I², 648 wir besitzen solcher verbaladjek-
tive; D. beid. ält. d. ged. 39 wiewol auch das ags. und
die E. II. solcher letzteren zuweilen darbieten.

Dem attributiven gen. der qualität, dessen vertretung
durch eine präp. heute im ganzen ungleich häufiger stattfindet (Gr. IV, 721), verleiht Grimm in vielen fällen einen
sehr bemerkbaren vorzug, z. b. Ir. elf. 177 ein spring-
brunnen so reines, klares waßers; Gött. anz. 1828 s. 841
blätter etwas dicken bräunlichen pergaments, gleicher und sorgfältiger, nicht sehr schwarzer schrift;
Gesch. 464 alle weißer haut, blonder haare; Myth.
137 götternamen dunkles oder übles anklangs; 317 ein
mann seltsames ansehens: 565 man sagt von einem
bräunlicher gesichtsfarbe; Gr. II, 65 der lange vokal-
laut, schwerfälligerer natur; 71 ein verlorenes beilun
—, dunkler bedeutung; 102 gothische, einfacher ableitung, sind —; IV, 800 beide unsichrer herkunft;
I³, 148 einsilbige wörter des häufigsten gebrauchs.
In prädikativer stellung hat dieser gen. zwar auch im allgemeinen weiten umfang; doch gibt es in der sprache
Grimms genug ausdrücke und verbindungen solcher art, in
denen eine präp. oder eine andere wendung üblicher zu
sein scheint, z. b. Gr. II, 49 kann hiefa dieser wurzel
sein? III, 243 ähnlicher bildung aber abweichender
bedeutung sind die lat. part.; IV, 366 der deutsche artikel ist meistens ungelenker form; I³, 375 wie selbst
das mhd. ö geringes umfangs — ist; Meisterg. 82 der
ganze streit mag viel älterer anregung sein; Vuk II
höchst unsichrer auslegung sind einzelne — eigennamen; Myth. 392 sein erscheinen ist böser vorbedeu-
tung; Kl. schr. I, 26 ich bin keiner so weichlichen
gelaßenheit; Ber. d. ak. 1854 s. 528 alle namen — sind
des sechsten jahrhunderts; Schulze XII hvapjan ex-
stinguere, hvapnan exstingui sind klarer form wie be-

deutung; Wtb. I, XII was ihres vermögens nicht ist;
Gr. II, 42 dieser wurzel scheinen — folgende wörter;
167 sie scheinen dritter schwacher konj.; Rechtsalt.
141 sie scheint hauptsächlich sächsisches rechtes; 150
diese legende scheint viel späterer abfaßung; Abh. d.
ak. 1845 s. 209 das c — scheint der ableitung nicht der
wurzel; 1858 s. 68 einzelne namen bleiben schwerer
deutung; Gr. I³, V eines langsamen, bedächtigen
gangs mag sie immer bleiben. Als prädikat begegnet
der gen. auch bei transitiven verben, z. b. Gr. II, 66
viele etymologen halten wolf und wölf für einer wurzel; Lat. ged. 312 gibt sich für italienischer abkunft aus; Gesch. 601 galten beide für desselben volk-
stamms; Myth. 565 sie wird sanfterer gemütsart dargestellt.

Beim objektiven gen., dessen freiheit überhaupt sehr
weit reicht, machen sich einzelne verbindungen bemerklar,
in denen für gewöhnlich eine präp. vorgezogen werden
dürfte: Gr. I², 229 meine ansicht des abd. é (ebenso II,
720); Myth. I, 350 sein hatte noch die altengl. dichtung
manche jetzt verschollne kunde; Altd. w. I, 4 heißt es objektiv: „ihre erinnerung“.

In der rektion der adjektive (Gr. IV, 729 fg.) stellen eine
menge nicht mehr überall geläufiger beispiele das vermögen
der alten sprache anschaulich dar; herauszuheben sind: Gr. I²,
440 Wolfr. scheint der falschen ht — frei zu sein; Sag. I,
334 der ratten gar nicht los werden; II, 51 fröhlich
seiner tat; Merkel LXXXII ihres haarwuchses stolz;
Kl. schr. III, 428 bar herodotischer ausführlichkeit
(oben s. 108); Wtb. III, 385 lichtes leere nacht; Myth.
II, 761 der leere des himmels besorgt; Urspr. 13 lautes und klanges erfüllt; Myth. 280 menschen, deren
der nix gewaltig wird; Kl. schr. I, 68 niemals erstarkte
die macht des deutschen kaisers zu der stufe, daß sie —
der herzöge, fürsten und grafen gewaltig geworden
wäre; 144 wer tauben im taubenhaus hält, ist ihrer gewaltig und besitzt sie; III, 305 der goth. weise werden
wir nicht kund. Neben adj. wie müde, satt, zufrieden
in verbindung mit sein oder werden begegnet der neutrale
gen. es (s. 90), z. b. Mhrch. I, 18. 440. 445. Ir. elf. 8. 14.

Rechtsalt. 861; ferner neben abredig Myth. XVIII, ge-
ständig Liebrecht X, überhoben Candid. V *).

Den alten gen. bei maßbostimmungen (Gr. IV, 730)
zeigen ausdrücke wie: hauptes kürzer Edda 50. 201. 203.
Gr. IV, 133, daumes groß Märch. I, 226, zweier gewöhnlichen tische breit Sag. I, 237.

Die abhängigkeit des gen. von verben erstreckt sich
zunächst auf die fälle, in welchen dieser kasus mit dem
accus. wechselt oder streitet (Gr. IV, 646 fg.), sei es daß
die ältere sprache bloß den gen. vertrug oder boide kasus
nebeneinander in merklich verschiedener bedeutung gestattete; einigemal ist das verhältnis partitiv. In erste linie
stellt sich ein lieblingswort Grimms, das starkformige pflegen (ob. s. 95), dessen genitivrektion (Gr. IV, 659) in
großenteils ungewöhnlichen beziehungen umfangreich hervortritt, z. b. Sag. II, 141 schlafes, Gr. I³, 25 der
schreibkunst, IV, 153 einer ausdrucksweise, Reinh.
CCXLII deutscher zunge, Urspr. 20 harter gutturale,
Myth. IV althergebrachten rechts, Gesch. 39 gleicher namen, 820 gesangs und saitenspiels, Wtb. I,
1128 behaglicher ruhe; ferner gewahren Altd. bl. I,
290. Lat. ged. 80. Abh. d. ak. 1858 s. 36. Reinh. CXXV.
CXXXV (CCXIX mit d. acc.). Kl. schr. II, 409**). III,
426. Wtb. I, 213. Minder häufig kommen andre verben
vor; vgl. Myth. 259 die menschen achten der elbe nicht;
Gesch. 794 sie hüteten der grenze; Myth. 460 des
riesenbrunnen hütet ein weiser mann; Altd. w. III, 240
der vielwandernden volkssänger zum auftrag von
botschaften zu gebrauchen; Myth. 220 des stammna-
mens haben die lieder vergoßen; Gr. I², 26 des alten
zustandes ist vergoßen***); Schulze IV die einer und
derselben wurzel begehren; Sag. I, 21 gab allen ihren
hausgenoßen dessen zu trinken; Haupt VI, 190 des
waßers trinken; Edda 155 des goldes zu schaffen.
Bei den beiden zuletzt genannten verben läßt sich statt des

---

*) vgl. ich habe es kein hehl (Myth. 452).
**) „eines seltnen frauennamens".
***) daher auch das part. adj. mit aktiver bedeutung (Gr. IV, 70).
z. b. Sag. II, 74 der woltat — vergeßen, Kl. schr. II, 205 des
alten — sinnes vergoßen.

acc. dem jetzigen gebrauche zufolge vielmehr die präp.
„von" vergleichen. Dasselbe oder ein anderes präpositionales
verhältnis vertritt der gen. an folgenden stellen: Sag. II,
26 die hürten ihrer ankunft; Märch. I, 346 die jungfrau hörte weinens auf; Rechtsalt. 815 länger als sonnen-
untergang wurde keines gewartet; Märch. II, 323 habe
deiner acht; Rechtsalt. 136 seines lebens verzichten
(vgl. Gr. IV, 679); Sag. I, 102 damit ich der unruhe und
mühe — einmal abkomme; 163 kam er dieses lagers
völlig wieder auf. Das verb ist reflexiv: Myth. II, 1086
der sich nectars berauscht hatte; Myth. 155 die
menschliches umgangs gesättigte göttin; Meisterg.
189 sich ähnlicher wendungen beholfen; Sag. I, 35.
Rechtsalt. 192 sich des kampfes, des landes unter-
winden; Uraspr. 20 sich sprechens unterfangen (vgl.
Kl. schr. II, 27. Gr. I², 325. 414); Rechtsalt. 835. Wtb. III,
363 sich rechts erholen*); Edda 47 Hedinn verhieß
sich eines gelübdes auf Svava. Aus der reihe der verben, welche auch heute keinen andern kasus als den gen.
regieren, muß geschweigen deswegen hervorgehoben werden, weil Grimm nach mhd. weise das ganze verb mit deutlicher vorliebe in anspruch nimmt, während sich der sprachgebrauch nur zweier formen desselben redensartlich bedient
(geschweige, zu geschweigen); vgl. Gesch. 699 aller dieser
völker geschweigt Strabo, Wtb. I, 1128 deren die mhd.
denkmäler geschweigen, Gr. III, 639 bisher war der
ordinalzahl — geschwiegen worden, ferner Myth. 844.
354. 367. Rechtsalt. 424. 585. 639. 782. 926. 929. Abh. d.
ak. 1845 s. 227. Kl. schr. II, 26. Gesch. II: einfaches
schweigen mit dem gen. begegnet bei Vuk I. Ansprechend
ist die mit der adjektivischen zu vergleichende konstruktion:
„die fürsten ermüden der minnelieder nach und nach"
(Meisterg. 31); der gen. des satzes: „eßens sollst du satt
haben" (Schlegel I, 405) muß vielleicht partitiv verstanden
werden. Zu den ausdrücken: todes verfahren (Sag. I,
163), todes verurteilen (II, 104), des hauptes verfallen (II, 342) vgl. Gr. IV, 673.

----

*) Bekannter ist sich rats erholen (Sendschr. 69. Thomas XI.
Kl. schr. I, 173. Wtb. III, 790).

Unter den verben, an deren konstruktion mit dem acc.
oder dat. als zweiter abhängiger kasus ein gen. beteiligt
ist, sind folgende auszuzeichnen: Schlegel I, 400 wessen
du mich batest (vgl. Gr. IV, 632); Sag. II, 110 den ge-
währte Karl der bitte (Gr. IV, 634); Sendschr. 72 aller
begangnen verbrechen losgezahlt werden; Gr. I²,
446 solcher reime freizusprechen sind Gotfr. Hartm.;
I³, VIII den gebildeten störendes überflußes er-
laßen (Gr. IV, 635), Urspr. 16 erließe man sie dessen;
Sag. II, 111 ermahnte ihn seines versprechens (Gr.
IV, 633); Myth. 638 gemahnt des dreifußes; 360 man
wird dadurch des webenden Johannishauptes erinnert; Gr. IV, 475 ihres sträflichen wandels erinnert
— werden; Sag. II, 304 berichteten den pilgrim der
ganzen geschichte (Gr. IV, 633); 124 ward unterrichtet aller dinge; 325 die Sachsen wurden von den Franken des sieges gerühmt; 135 loben wir gott seiner
großen barmherzigkeit (Gr. IV, 633); Kl. schr. I, 214
darum verdrießt es die wißenschaft jeder ihr in den
weg gerückten schranke*); Sag. I, 138 ein mittel dessen ihr mir danken sollt; II, 88 da dankte er gott
seines beistandes (Gr. IV, 670); 135 daß mir gott seiner hülfe gönne (Gr. IV, 685); Gesch. 181 dem Domi-
tian weigerten sich die Quaden und Markomannen des
mitzugs.

Dativ.

Da in der nhd. sprache kein subst., welches seinen
charakter vollständig bewahrt hat d. h. nicht adjektivisch
geworden ist, den dat. unmittelbar zu regieren vermag; da
ferner von den adj., die mit ihm verbunden zu werden
pflegen, keines sich der neigung zu einem andern kasus zu
überlaßen scheint: so bietet die nominalrektion nur wenig
merkenswertes. Aus der volkstümlichen sprache des täglichen lebens findet sich für den gen. der dat. verwendet
in verbindungen wie: mit einer schüßel schönem eßen

---

*) Anders verhält sich die konstruktion: „laße ich mich die mühe
nicht verdrießen" (Haupt VII, 389).

Märch. II, 80, einem stück grobem filztuch 95, mit einer schale gebranntem waßer Ir. elf. 172, voll innerm zorn Sag. 11, 45. Es mag zwar nahe liegen den ausfall einer präp. anzunehmen, doch fügt er sich nicht gleichmäßig den einzelnen beispielen; für die drei ersten möchte man versucht sein eine ganz andere erklärung vorzuschlagen.

Wie es dem gen. pleonastisch beigesetzt wird, verbindet sich das pron. poss. auch mit dem dat. (vgl. Gr. IV, 351 fg.), doch wol nur in den Märchen, z. b. I, 166 in dem wolf seinem leib, II, 18 dem Falada seinen kopf. Anderer art ist der dat. Sag. I, 67 „nur daß — man ihm seine grüne zähne sieht", für das einfache verständnis zwar überflüßig, doch mit ethischer färbung; vgl. Kl. schr. III, 232 daß ihm ein lanzenträger Ούλιαρις hieß. Jenes erste ihm läßt sich durch eine präp. auflösen, statt deren auch sonst der bloße dat. angetroffen wird (vgl. Gr. IV, 705), z. b. Myth. II, 1075 diese stelle ahmt Wirnt nach, dem auch Wigalois auszieht; Schlegel I, 404 wo er sich beistand und helfer fände; Reinh. 274 eine verderbte stelle, der ich keine hülfe weiß *).

Der dat. in der verbalrektion (Gr. IV, 683 fg.) veranlaßt mancherlei bemerkungen. Richtig heißt es der älteren sprache gemäß Reinh. CVI bettet er ihm auf seines kapellans haut (vgl. Gr. IV, 693); Märch. I, 326 liebkoste ihm (Gr. IV, 685); Sag. II, 134 wir sollen ihm richten (recht sprechen; s. Gr. IV, 692). Bei rufen im sinne von „zurufen" findet sich teils der dat. Gesch. 36 ruft man der ziege hitz! hetz! Märch. II, 16 rief ihrer kammerjungfer „steig ab"; teils der acc. Märch. a. a. o. rief ihre kammerjungfer „steig ab", Göthes k. u. alt. IV, 67 rief er seine gattin Angelia —: „Angelia —", 70 rief schleunig er die gattin —: „hast mir —". Wie dieses rufen hat auch locken, wenn darunter eine kundgebung oder aufforderung durch zeichen verstanden wird, den dat. bei sich, z. b. Wtb. 11, 26 dem tier locken. Bei lehren scheint nur in der früheren zeit (Märch. I, 22. II, 146. Altd. w. III, 107) der dat. zu stehen, sonst der

---

*) s. Götzinger II, 71.

acc.; Märch. I, 351 lautet es: „kostet dir dein leben“,
aber 454: „kostet dichs dein leben“, wie überhaupt regelmäßig (vgl. Gr. IV, 238). Nicht durchaus auf den ton der
Märchen ist die konstruktion von heißen mit dem dat.
und inf. beschränkt; vgl. außer II, 229. 299. 328 (acc. 249.
345) z. b. Reinh. VII. CVI. Vollkommen sprachgemäß verhält
sich Kl. schr. III, 275: macht mir, ihm, einem nicht
heiß*); der acc., welcher häufiger gehört werden mag, hat
geringen grund. Das aus dem mhd. bekannte was wirret
dir? (Gr. IV, 234. 962) ist Sag. II, 309 nachgeahmt worden; das. I, 68 begegnet: wurmte ihm, Märch. I, 134
diesem reute sein versprechen. In älteren schriften trifft
man oft dünken (s. 100) mit dem falschen dat. der person
(Gr. IV, 240), z. b. Edda 5. 7. 48. Ir. elf. 14. Altd. w.
I, 69. 146. II, 152. 160. Meisterg. 6. Hall. l. z. 1812 s. 269.
Savigny I, 332. II, 99. Gr. I¹, XXV. L. 179, doch auch
noch Gr. I³, XIV. Auf überwiegen, welches im mhd.
den acc. erforderte**), läßt Grimm den dat. folgen, z. b.
Wtb. I, IV muß auf die länge aller lebendigen sinn-
lichkeit des ausdrucks überwiegen, ferner Gr. III, 271.
I³, 178. 340. 393. 501; vorherschen und vorragen
(Myth. II, 841. 994) sind nach „vorgehen, vorstehen“ zu
beurteilen; „einem dorf vorüberkommen“ begegnet Sag.
II, 79. Bei nachahmen kommt es auf die unterscheidung
zwischen persönlichem dat. und sachlichem acc. anscheinend
nicht immer genau an, mindestens wird Wtb. IV, 73 gelesen: man ahmte Franzosen, Engländer nach; wenn
es dagegen bei Savigny II, 36 heißt: „je nachdem es (das
recht) mehr treu dem alten herkommen blieb, oder schon
auswärtigen statuten und fremdem recht nachzu-
ahmen ausgieng“, so darf an personifikation des rechts gedacht werden. Die persönliche passivstruktur mit dem dat.
setzt zugleich den sachlichen acc. des transitiven aktivs voraus (einem etwas nachahmen), z. b. Gr. I², 823 die schwache
form des adjektivs erscheint — der mangelhaften sub-
stantivdeklination nachgeahmt; III, 548 da das gram-

---

*) vgl. Gr. IV, 933 das adv. bei tun. Der ausdruck kriegts
angst und bang (Märch. II, 237) gehört ebenfalls hierher.

**) „einen slac der den ersten überwac“ (Krone).

matische genus dem natürlichen nachgeahmt — ist; 630 sie scheinen — dem dänischen närmere nachgeahmt.

Accusativ.

Unter den von „sein" oder „werden" begleiteten adjektiven der genitivrektion (s. 187) befinden sich mehrere, welche auch den acc., der sich ihnen in späterer zeit aufgedrängt hat, zulaßen (s. Gr. IV, 756 fg. Haupt I, 307), z. b. März. I, 348 fleisch bin ich satt; II, 27 das war er zufrieden; Gesch. IV dessen alter die politik müde sein muste (ebenso März. I, 482. II, 132. Sag. I, 237).

Mit dem pron. poss. verbunden begegnet der acc. März. II, 90: „den teufel sein rußiger bruder", so daß nunmehr alle drei obliquen kasus (vgl. s. 183 und 191) an dieser familiären konstruktion teilnehmen.

In einem gegensatze zu früher genannten verben, denen Grimm anstatt des üblicheren acc. läufig den gen. verliehen hat, stehen andere, auf die er den acc. folgen läßt, obgleich der ihnen an sich gebürende gen. vom gebrauche keineswegs zurückgewiesen wird. Aus der grammatik, um bei diesem buche stehen zu bleiben, gehören hierher: entbehren (I², 994. I³, 512. 580. II, 92. 121. 126. 401. 840. 842. IV, 31. 48. 72. 330. 384. 420. 451. 479. 558), bedürfen (I², 1045. II, 175. 270. 542), erwähnen (II, 590. III, 82. IV, 448), schonen (III, 558); der konstruktion „die schon vorhin gedachte formelle auszeichnung" (III, 331) hilft das partizip. Auffallender heißt es bei Vuk XIV: „die Serben sollen die eigentümlichkeit ihrer schönen muttersprache walten"; Ir. elf. LXXXIX. März. II, 186 wird spotten wie verspotten konstruiert. Bei pflegen (s. 188) beschränkt sich der acc. auf einige stellen vornemlich älterer schriften (Sag. II, 138. 287. Vuk XVI. Myth. Stammtaf. XXXII), während das part. gepflogen durchaus persönlich gebraucht wird, namentlich als attribut (belege s. 95). Der ausdruck mich bescheiden (mir deuten, kundtun), welcher Sag. II, 211 angetroffen wird, ist altertümlich, desgleichen Ir. elf. 101 der acc. des satzes: „ihr möchtet mich wol weis machen, die binse — sei ein pferd". Der älte-

ren freiheit gemäß (Gr. IV, 614 fg.) wird gesagt: half
mich all mein weinen nicht (Sag. II, 109), von dem freier
habe ich meine tochter geholfen (Märch. I, 177). Beispiele des acc. beim trans. schweigen s. 110. In übertragener bedeutung des verbs heißt es Berl. spr. u. sitt. 1817
s. 341*: die erste ausgabe vorbeigehen (übergehen),
Rechtsalt. 430 ich muß hier vieles vorbeigehen, Hall.
l. z. 1812 s. 243 das dänische nie vorbeigehen; zugleich aber bei Schlegel I, 404: weder hund noch hündin,
die er vorbeigegangen wäre*), Gr. I¹, 145 die grenze
vorbeischreiten. Daß der satz: „soweit diese charakteristik noch vorhanden oder historisch nachzuspüren
ist" (Gött. anz. 1826 s. 83) ebenfalls hierher zu rechnen
sei, darf bezweifelt werden; wahrscheinlich ist im zweiten
gliede der dat. „ihr" zu ergänzen, wie der acc. „sie" in
der satzverbindung „welche christenkindern nachge-
stellt und heimlich gemordet" (Arm. II. 173).

Zu der menge von verben, neben deren objektsaccusativ
noch ein zweiter acc. eines adj. oder part. ergänzend auftritt, laßen sich einige aus Grimms sprache hinzufügen, bei
denen diese unvermittelte konstruktion entweder nicht allgemein geläufig oder fast unbekannt zu sein scheint. Dies
trifft besonders das verb glauben, z. b. Vuk XI insofern
man es auch zu grundverschiedenen sprachen hinreichend
glaubte; Myth. 455 das gespinst — gebreitet glauben; ebenso 638. Gr. IV, 138. Reinh. CLXXXIII. Ged. d.
mitt. 36. Wtb. II, I: ferner vergleiche man Gr. I³, 354
meine ich s. 51. 52 beigebracht; IV, 174 kann auch nur
jenes ausgelaßen vermutet werden; Myth. 481 merken sie den nachen gedrängt voll geladen; I, 533 daß er
jene aus diesen erschaffen behauptete; Gr. I³, 552 im
französ. gewahren wir — ai aus a — entsproßen;
Myth. 665 da verlangte die vile von den drei ehfrauen
des königs die, welche — werde, in den grund gemauert**).

---

*) Ueber das persönliche passiv s. 142.
**) vgl. 481 verlangt über den strom gebracht. Ungewöhnlich
ist konstruiert N. lit. anz. 1807 s. 356: nehme ich den gegenstand
für viel zu interessant.

Präpositionen.

Mannigfache erscheinungen ungewöhnlicher ausdrucksweise offenbaren sich auf dem gebiete der präpositionen, sei es daß die ungewohnheit des wortes an sich oder bedeutung und gebrauch oder endlich und insbesondere das bloße rektionsverhältnis in betracht kommt.

Die alte, zwar schon im mhd. beinahe unüblich gewordene, jedoch noch in heutigen oberd. mundarten erhaltene präp. **ab** findet sich Kl. schr. II, 199 verwendet: „wird vom könig der ring **ab** der hand gezogen"*). In der prosa hat auch die präp. **ob**, welche dichtern sehr bequemen dienst leisten kann, seit langer zeit zu veralten begonnen; Grimm bedient sich ihrer gleichwol mehrmals in eigentlicher sowol als übertragener bedeutung, z. b. Wien. jahrb. 32, 238 die gestirne, die jetzt **ob uns** sind; Edda 9 die schönste sei **ob allen weibern**; Andr. u. El. 8 wundert sich **ob der** jugendlichen schönheit; Ged. d. mitt. 43 **ob ihrem** großen reichtum berühmt; Kl. schr. III, 234 wer ärger nimmt **ob dem plauderhaften** — Davu**s**. Der ausdruck durch **abenteuer** (Sag. II, 300) erinnert an die geläufigkeit desselben im mhd., wo die präp. den zweck bezeichnet; altertümlich gehäuft ist „d**urch** und d**urch** das erdreich" Wien. jahrb. 32, 238**); ungewöhnlich aber sehr bezeichnend heißt es Myth. II, 892: „zwischen d**urch** die ohren des pferdes schauen". Der volksprache gehört an: **vor** jetzt N. lit. anz. 1807 s. 685, **vor** geld sehen laßen Märch. I, 228 (vgl. Schmidt II, 272), auch wol: bräutigam **mit** einem — mädchen Ir. elf. 186. In dem satze: „die sich wahrscheinlich **über** zwölftausend wörter belaufen" (Gr. II, X) scheint die präp. **über** den ausfall der für die konstruktion unentbehrlichen präp. **auf** veranlaßt zu haben; oder liegt ein sonst nicht bekannter wechsel vor?***). An lat. brauch mahnt der ausdruck „schwören **in** die worte" (Kl. schr. I, 235), an franz. „schöpfen **in**" (246).

---

*) zugleich nachahmung der vorhergehenden altn. worte: tök gullring af hendi.

**) s. Wtb. II, 1568.

***) wie man umgekehrt Kl. schr. I, 37 liest: „stark ist die gewalt des rechts und der tugend **auf** das noch uneingenommene gemüt".

13*

Von einigen präp. wird bisweilen ein kasus abhängig
gemacht, den ihnen die grammatik des nhd. sprachgebrauchs
nicht zugesteht, z. b. Ir. elf. XLIII seit ihres vorigen
besuches*); Sag. II, 326 um der unnatürlichen tat
allen menschen verhaßt; Pfeiff. XI, 382 daß michs um des
verhunzten schönen stoffs oft ekelt; Myth. II, 858
um die sünde der menschen willen**). Sehr gerne verbindet Grimm mit der präp. während den dat., z. b. Savigny II, 47. Gött. anz. 1827 s. 333. Reinh. LXVIII. CXLI.
CLXXXVII. Rechtsalt. 355. Myth. 6. 7. 61. 699. Wtb. III,
1372; ausnahmsweise mit gegen und mittelst, nemlich
Sag. II, 244: gelübde gegen gott, dem ewigen licht,
Kl. schr. II, 201: mittelst dargereichtem und empfangenem schwert und mantel; äußerst häufig wiederum
hat ihn außerhalb neben sich (Gr. I¹, 574. 726. I³, 201.
III, 427. IV, 132. 596. Ber. d. ak. 1850 s. 114. Myth. 410.
459. Urspr. 11. Kl. schr. I, 304. II, 404. Wtb. I, VIII. XV.
III, 1211), innerhalb z. b. Sag. II, 303. Wtb. I, XLVIII,
oberhalb Sag. I, 307, unterhalb Kl. schr. III, 209. Zur
bezeichnung des richtungsverhältnisses wird der präp. innerhalb Gött. anz. 1832 s. 258 sogar der acc. verliehen:
„er hat sich auf das bedürfnis der landleute und innerhalb die grenzen häuslicher familienvertraulichkeit —
einschränken müßen"; derselbe grund ist Wien. jahrb. 46,
212 in der auch sonst nicht unbekannten verbindung „außer
allen zweifel gestellt" bemerkbar; vgl. 70, 41 statt mit
dem acc. Auf unweit läßt Grimm einigemal den dat. anstatt des gen. folgen, z. b. Myth. 36 unweit dem berge
Meisner, II, 917 unweit den trümmern, ferner Ber. d.
ak. 1849 s. 240. Weist. I, 209. II, 267; auch findet sich
Gesch. 205: „dem mythus ungeachtet"***). Diesen
beiden zuletzt genannten uneigentlichen präp. stehen nach

---

*) im mhd. statthaft.

**) Durch diese letzte stelle wird die annahme unterstützt, daß in
den beiden vorhergehenden an um willen gedacht und zu denken
sei; wird hierfür von manchen nicht selten willen allein gesetzt,
so mag umgekehrt einem andern bloßes um, einmal da diese präp. der
erforderlichen bedeutung nicht unfähig ist, in die feder geraten.

***) vgl. demungeachtet (Arm. II. 137. Altd. w. II, 180) für das
richtigere dessenungeachtet (s. Wth. II, 919).

form und bedeutung die überhaupt nicht für präp. geltenden unfern, unbeschadet an sich gleich; ihre verbindung mit dem dat. begegnet Ber. d. ak. 1859 s. 417 unfern dem königshofe, Altd. w. II, 170 dem sinn unbeschadet. Bei dem adv. entlang, welches neben der präp. längs gebraucht wird, zeigt sich der im wörterbuche tadelhaft genannte dat. in diesem buche selbst (III, 1234 dem faden entlang), außerdem Edda 7. Gesch. 199*). Nach art der präp. stehn noch andere adv. mit einem kasus, z. b. Sag. II, 108 schloffen sie dem tor hinein; 80 dem offenen tor hinaus; Myth. II, 885 gewahrte sie, den andern kindern hinterdrein, ein kleines; Ir. elf. 34 liefen nebenan dem ufer mit; Kl. schr. III, 195 nordwärts dem Pontus; Gesch. 1003 ostwärts des Schwarzwalds; Ber. d. ak. 1859 s. 415 rückwärts der Asen; Gesch..771 südlich des Isters; Kl. schr. III, 221 östlich des stromes, 227 östlich des Lechs; Sag. II, 379 mitten des 8. jahrh.**), Kl. schr. I, 164 mitten der individualität (oben s. 114). Beim adv. bis, welches wie lat. usque auch allein den acc. nach sich zu ziehen vermag (Sag. I, 262 bis den heutigen tag, II, 141 bis den andern morgen), gesellt sich März. II, 510 eigenttümlich und doch erklärlich zur präp. in der dat.: „sie schliefen dreihundert jahre, bis in der nacht, worin der weltheiland geboren wurde".

Am schwersten in syntaktischer beziehung wiegen diejenigen präp., welche in der verbalrektion***) nach bedürf-

---

*) „der Donau entlang", wo freilich auch der gen. gemeint sein kann. Den gebräuchlichen acc. haben Gesch. 574. Merkel LXVII. Wth. III, 1557.

**) Auf die frage „woher" wird einmal das mhd. adj. gewagt (vgl. Gr. IV, 517), welches heute nirgends mehr bekannt ist: „aus mittem 14. jh." (Kl. schr. I, 85, v. j. 1842).

***) Unabhängig von derselben kehrt sich in den beiden adverbialausdrücken in keine weise (Wien. jahrb. 82, 238) und auf jedem fall (Gr. II, 806) das gebräuchliche rektionsverhältnis geradezu um; der acc. bei in scheint aber dem im ahd. und mhd. ganz gewöhnlichen in wis (Gr. III, 164; vgl. lat. in modum) nachgeahmt, während in dem zweiten beispiele die annahme eines leichten druckfehlers freisteht.

nis bald den dat. bald den acc. erfordern. Die auch sonst
nicht unbekannten ausdrücke: an gewalt war keiner über
mich (Sag. II, 109), ist über allen zweifel (Wtb. II,
42) dürfen elliptisch genommen werden (vgl. ob. s. 162).
Richtig heißt es bei Pfeiff. I, 19, obwol auch der dat. zu-
lässig wäre: „alle übrigen müßen mit ihnen und auf ihre
grundlage weiter gebildet werden". Unter den hierher
gehörenden präp. ist bei die einzige, der man die doppelte
kasusrektion überhaupt abzusprechen pflegt; dagegen will
das wörterbuch den gebrauch des acc. als vorteilhaft für
möglichst genaue bezeichnung zunächst der umgangsprache
gewahrt wißen. Indessen scheint sich, abgesehen von einigen erläuternden beispielen, welche das wörterbuch an verschiedenen stellen bietet (I, 284 der bei das haus gehende,
1205 bei das feuer gesetzt, 1346 setze dich bei mich,
— der bei das feuer gehende) der acc. auf die märchen
zu beschränken, z. b. I, 171 auf den herd bei die warme
asche, 360 da gieng es bei sie, 361 wie sie bei das
land kamen, II, 447 setzte sich an den tisch bei die fe-
dern, 506 beis feuer.

In dem satze „als er an ein buschwerk vorüber
kam" (Märch. II, 141) wird der acc., der sich mit dem
s. 192 angemerkten dat. „einem dorf vorüberkommen"
nicht wol zu vertragen scheint, ohne rücksicht auf das adv.
vorüber, welches etwa als „im vorübergehen" verstanden
werden kann, zu erklären sein; dagegen erinnert Meisterg.
189 die beziehung „in unsere gegend angekommen"
an lat. konstruktion. Nach gewöhnlicher faßung und bezeichnung kehren sich in den beiden sätzen: „stellt sich
im hinterhalt" (Kl. schr. II, 87) und: „stellt er unter
seine sächsischen denkmäler auf" (Gött. anz. 1826
s. 1723) die kasus gerade um; dort aber hat man eine rich-
tungspartikel hinzuzudenken, und hier ist die richtung zweimal ausgedrückt. Was Irmenstr. 63 geschrieben steht: „auf
diesem heimlichen verhältnis — gründet die sage"
ist nach dem, was s. 143 über die bedeutung des mhd.
gründen bemerkt worden ist, zu beurteilen; die doppelte
konstruktion des jetzigen reflexivs in dem satze: „auf ihm
sollte die kirche als auf einen felsen gegründet werden" (Kl. schr. II, 426) scheint sich der sprachlichen er-

klärung zu entziehen *). Anstatt des dat. „klopfte jemand
an der türe" (Märch. II, 99), „hätten die Deutschen am
namen anspruch" (Hall. l. z. 1812 s. 264), „barg sich
unter ihrem mantel" (Sag. II, 342) durfte vielmehr der
acc. erwartet werden; eigentümlich dagegen verhält sich
dieser bei Schlegel I, 410: „tummelte auf seinen bauch
herum". Es wechseln Märch. II, 250 „vergrabs vor
der haustür" und 251 „vergrubs vor die haustüre",
bei Savigny 1, 337 „hält ihn — in der höhe" und Kl.
schr. II, 200 „hält ihn in die höhe", mit sehr deutlichem
grunde der unterscheidung Ir. elf. CXV „kehrt unterwegs
in einem dorfe ein" und CXVI „kehrt in die küche
ein". Sehr richtig wird Märch. II, 492 gesagt: „wünscht
sich irgend wohin, und wärs am ende der welt", obwol auch
der acc. statthaft wäre. — Mit nieder zusammengesetzte verben leiden die präp. mit beiden kasus, doch stellt sich
meistens ein unterschied heraus: vgl. Märch. I, 337 der
vogel ließ sich auf dem baume nieder, Kl. schr. II,
61 auf einem stuhl sich niederließ, Andr. u. El. IX
neben einer seule sich niedersetzend, Sag. II, 245
legte ihn auf dem Giersberg nieder; dagegen Wien.
jahrb. 32, 225 das mädchen muß sich ohne entsetzen neben ihn niederlaßen, Kl. schr. II, 96 tausende von
finken und zeisigen laßen sich auf seine schultern
nieder **), Wtb. III, 315 laßen sich haufenweise auf
die felder nieder, Sag. II, 255 er setzte sich nieder
auf die bank, 283 setzte sich neben das kind nieder. Auf niedersitzen folgt der dat., z. b. Lat. ged. 301
sitzen auf einer hohen buche nieder, Myth. II, 790
auf der eimerstange niedersitzen. Doppelt ist die
richtung durch eine präp., also im ganzen dreimal ausgedrückt bei Liebrecht XV: „der könig läßt sie unter
einen thronhimmel auf einen seßel niedersetzen".

---

*) vgl. Ir. elf. 185 sucht mir zwischen sie und dem see zu
kommen; Gleichwol wird ein wechsel dieser art Gr. IV, 941 aus dem
mhd. nachgewiesen.
**) Hier wäre der dat. nicht zuläßig, ebenso wenig Myth. I, 545
„die auf den gipfel des höchsten berges niederfiel", wol aber
Reink. CCLXXXVII, wo es heißt: lege dich dort auf meinen wagen schlafen.

Ein zwiefaches verhältnis zeigt sich auch in andern fällen,
z. b. Kl. schr. II, 109 wie — das feuer — in die spitzen
des seegrases in einen see fällt; März. II, 172 kam er
in eine stadt bei einem meister in arbeit; 476 hieng
mich mit meinen händen mitten zwischen die zwei diebe
an das seil (ebenso 477); Sag. II, 243 legte sich zu des
herzogs füßen neben den schild auf den boden*); Ir.
elf. 108 der den diener auf gesicht und hände mitten
zwischen die aufgetragenen speisen herunter-
stürzte.

Leicht versteht sich der acc., dem hier überhaupt ein
größeres gebiet als dem dat. verliehen ist, in folgenden konstruktionen: März. I, 112 die auf dem boden neben einen
strohhalm zu liegen kam (vgl. 332. Wtb. II, 4);
Wtb. I, 10 vor das verbum zu stehen kommt (desgl.
Kl. schr. II, 459); März. I, 475 machte feuer unter
den keßel; 483 hieng ihn neben seinen seßel auf;
Wtb. I, 1750 hohler klotz, in den die waldbienen bauen;
427 die speisen auf schüßeln und teller anrichten;
Gr. III, 245 die man sich an die stelle von partikeln
denken kann; März. II, 400 daß er neben einen stein
zusammensank; Wtb. III, 1219 schreibt — in ein
wort zusammen; März. II, 218 in das musten sie sich
alle drei unterschreiben; 343 er hielt sich mit beiden händen an die enden des geweihes fest; Reinh. CXXIV der
— ihn in seinen bauch herbergen will. Der gebrauch von
stehen und sitzen als verben der bewegung findet sich an
einigen stellen aus der älteren sprache erhalten, z. b. Sag.
II, 112 standen Desiderius und Ogger auf einen hohen
turm, Gesch. 777 an die luft stehend, Sag. II, 109 wer
auf den stuhl im dom saß, 123 gieng — unter die
bettler sitzen (vgl. Myth. II, 961); bemerkenswert heißt
es Kl. schr. I, 164: „das leben der eltern sinkt vornen in
die vergangenheit, das der kinder steht hinten in die zu-
kunft“. Ueber die konstruktion: friert mich ins haupt
(Edda 19) verbreitet sich Grimm sehr umständlich Kl.
schr. I, 320 fg.; der dat., welcher gleichwol Haupt V,

---

*) Hier ist das richtungsverhältnis durch drei verschiedene präp.
ausgedrückt.

503*) geschrieben steht, wird ausdrücklich als nicht recht
deutsch bezeichnet. Es wechseln Märch. II, 5: der sattel
drückte ihn auf den rücken und 120: ihn drückte
das schwere brot auf dem rücken. Den ihm vorgewor-
fenen dat. in der verbindung „über der deutschen
sprache wachen"**) verteidigt Grimm bei Haupt VI,
545 und gibt viele beispiele des einen und des andern kasus, zwischen welchen eine leise verschiedenheit des sinnes
obwalte; der acc. findet sich Wtb. III, 472 ein engel — der
über ihn wacht, Pfeiffer III, 149 am sorgfältigsten wacht
über ihre auffallend eigentümliche mundart die hand
—. Auf kürze des ausdrucks beruht Märch. I, 380 in
mein schloß ein und ausgegangen, Myth. I, 385 in
die häuser der nachbarn stiegen sie durch den rauch-
fang ein und aus***).

Nicht selten ist in dem verb, auf welches der acc. neben
der präp. folgt, an sich keine richtung enthalten, sondern
sie wird erst durch die demselben innewohnende prägnanz
oder auf andere weise vermittelt, z. b. Märch. II, 18 na-
gelte ihn unter das finstere tor fest; 127 breite mir
dein taschentuch ans ufer aus; Savigny II, 88 ringe und
armbänder mitten auf die heerstraße zu befestigen;
Pfeiffer XI, 386 der einmal so eifrig hinter das alt-
niederl. herwollte; Kl. schr. I, 332 den einzelnen reden
wir unter die augen nicht mit dem ihm gebührenden du
an; Ber. d. ak. 1859 s. 420 weinte sie in ihren schoß;
Reinh. CXXXII unterwegs bricht er heilsame kräuter in
ein fäßchen; Myth. I, 294 Cleopatra ließ kostbare perlen
in ihren wein schmelzen; II, 918 sich die goldgelben
haare in einen goldnen trog kämmte; 1169 diese leuch-
tenden luchssteine geziemen in den fingerring der
königin, in die krone des königs; Märch. I, 492. Myth.
I, 44. II, 1201. Wtb. I, 1162 ins haus, in den haushalt
schlachten, abschlachten; Rechtsalt. 459 die aussetzung

---

*) „nun friert michs an der faust".

**) vgl. Ber. d. ak. 1845 s. 112; ähnlich: „über einem autor
walten" Kl. schr. I, 159.

***) zu vergleichen: andere häufiger mit, oder häufiger ohne die-
selbe (Gr. I', 153).

pflegte in den wald unter einen baum, oder aufs
waßer in einer kiste zu geschehen; Kl. schr. II, 298 die
knochenlose geschicht in ein irdnes gefäß; Pfeiff. XII,
118 die excerpte geschehen auf sedezblätter.

Die drei letzten gleichartigen beispiele, in welchen das
richtungsverhältnis von dem im subjekt enthaltenen begriffe
ausgeht, leiten hinüber zu einer genaueren betrachtung
des besonderen falles überhaupt, daß die präp. von dem in
nominaler form auftretenden verbalbegriffe abhängt. Wie
viel hier die deutsche sprache verträgt, scheint noch nicht
hinreichend bekannt zu sein. Bei abstrakten subst. darf
die zuläßigkeit der konstruktion zwar im allgemeinen vorausgesetzt werden, doch kommt es auf den grad der abstraktion an, nach welchem insbesondere zwischen handlungen und zuständen zu unterscheiden ist; konkrete subst.
persönlicher bedeutung und wirkliche adjektive müßen, abgesehen von einwirkungen des sprachgebrauchs, nach der
beschaffenheit und dem beziehungsverhältnisse des verbal-
begriffs beurteilt werden, vermöge deren die rektion bald
statthaft erscheint bald nicht. Richtig wird gesagt: der
gedanke an den tod, ein ritt in den wald, unrichtig:
der denker an den tod, ein reiter in den wald*);
angemeßen ist auch: herscher über das land**), retter
aus der not, nicht wol: führer über den berg, läufer
aus allen kräften. Die verschiedenen fälle, welche hier
in betracht kommen können und sich schwerer oder leichter
entscheiden laßen, werden an folgenden stellen aus der
sprache Grimms sämtlich vertreten sein: Haupt III, 135
die hergebrachte stellung von saga oder qvidha zwischen
die genitive***); Gr. III, 27 auch das suffix an die
pronominalpartikel thê ist zu bemerken†); Kl. schr. II,
404 wie es auch der östlichen grenze finnischer und

---

*) Die geldußigkeit des Gr. IV, 877 beispielsweise mitgeteilten aus-
drucks bote ins land muß für die jetzige sprache bezweifelt werden.

**) Was Gr. IV, 878 bemerkt wird, weil herschen über gesagt
werde, gelte auch herr über, scheint nicht zuzutreffen; denn herr
ist kein verbalsubst., und es hieß auch frau über (Gr. IV, 875).

***) Hier entscheidet der vorhin angedeutete unterschied zwischen
handlung und zustand.

†) Es fehlt an der verbalen rektionskraft.

lappischer stämme an die gothischen und nordischen
angemeßen erscheint; Gesch. 644 ankunft der Sachsen auf
der ostsee an die küste der halbinsel*); Kl. schr. III, 220
ein bewustsein an diese herkunft**); Myth. 439 diese
sommerverkündigung durch gesänge der jugend; I,
538 durch rutenschlag in das meer; Wtb. I, 385 un-
umsetzbar in die präposition; Kl. schr. II, 312 der
an seiner seele fortdauer gläubige; I, 388 die ungläu-
big sind an das — edle und freie im menschen; Weist.
III, 686 einen über den berg vor dem feinde flüchtigen
herzogen; Kl. schr. III, 382 bringer ins brautgemach;
Wtb. I, 272 dem freier um die jüngere tochter; 1385
drechsler in knochen; II, 10 dem eigentlichen maler auf wand oder auf leinwand; III, 749 bohrer in
die erde und das gestein. Vorzüglich durch die stel-
lung***) ist die überschaulichkeit der beziehung in folgendem satz gehindert: „sind aus dem verzerrten bilde ewiger
jugend des Eros in eine ihrem begriffe nach unentwickelte,
gezwungen frühreif gemachte kindergestalt die vielen ge-
flügelten engel hervorgegangen" (Kl. schr. II, 331); für sich
zu merken Myth. II, 855: „mythus von der dichtkunst ursprung, auf welchen ältere anspielungen schon in
Hávamâl anzutreffen sind" †). Sonderbar klingt Rechtsalt.
638: ertappte felddiebe an frucht oder ackergerät.
Ueber verbindungen des subst. mit dem adverb im folgenden abschnitt.

---

*) vgl. adventus ad urbem, Romam.

**) Die präp. ist unrichtig.

***) s. Götzinger II, 196. 481.

†) wie wenn es hieße: „mein freund, an den der brief verloren
gegangen ist". Die deutsche sprache eignet sich überhaupt nicht für
jenen in andern sprachen geläufigen gebrauch des relativs, da sie den
unterschied der wortstellung im beginn des nebensatzes, wie er z. b.
im engl. zwischen „the letter for whom" und „for whom the letter"
stattfindet, nicht auszudrücken vermag. Selbst stellen wie: „eine zeile,
um welche herzustellen gesetzt werden könnte —" (Altd. w. I,
327), „auf die schwierigkeit welcher redensart ich schon —
hingewiesen habe" (Gr. IV, 475) haben einen etwas fremden anstrich
und erinnern unwillkürlich an übersetzung.

Adverb.

In betracht kommen zunächst adverbiale kasus. Bei Grimm findet sich nicht bloß eines nachtes oder nachts (Sag. II, 132. 286. 288. Myth. 518) sondern auch einer nacht (Sag. II, 301), ferner weihnachts (Myth. 645), neujahrs (Myth. 172. 440. 647), christnachts oder altjahrsnachts (Myth. II, 878), nachts und winters (Myth. 435), frühlings (Kl. schr. II, 277). Sehr gewöhnlich ist eingangs, zum teil mit folgendem gen., z. b. Gr. I², 37. 382. 511. II, 274. 328. 890. 910. III, 169. 778. IV, 36. 425. 561. I³, 80. Reinh. LXXVII. Gesch. 985; „an- und ausgangs der wörter" begegnet Arm. II. 147, „anfangs der strophe" Meisterg. 111. 183. Weiter verdienen rücksicht: Gr. I², 802 ihres orts, Savigny II, 48 andrerorte*), Kl. schr. III, 237 der ausdruck: stehen einander angesichts gegenüber, Gr. III, 427 ebener erde, Haupt VII, 389. Gesch. 73 ersten blicks, das namentlich in der Gramm. (vgl. I², 167. 304. 367. 409. 537. 570. 591. 692. 735. 1049) überaus geläufige gleichergestalt, Myth. 374 abgewandtes haupts, Arm. II. 213 eigenes antriebs, Wtb. I, II williges und beherztes entschlußes, Märch. I, 40 halbes leibes stein, ganzes leibes zu stein. Häufig verbindet sich mit dem gen. eine präp., die ihm an sich nicht zukommt (vgl. Gr. III, 130. 774), z. b. von morgens bis abends (Märch. II, 240); besonders beliebt ist der ausdruck vor alters, vgl. Gr. I³, 500 von alters hergebracht, IV, 366 von altersher, Gesch. 257. 553. 792 von uralters her. Als adverbialausdrücke des acc. sind hervorzuheben: Myth. I, 190 geraume zeitlang, 426 gieng einen sonntagsmorgen aus, Sag. II, 123 alle große feste folgten ihm viele bettler nach**). Zu den mit einer präp. konstruierten ausdrücken gehören die lieblingswendungen: auf allen fall, in allem fall, verstärkt

---

*) In der ziemlich auffälligen konstruktion: „niemand in Göttingen, oder andrer orte" (Kl. schr. I, 43) bezieht sich dieser gen. auf das subjekt.

**) vgl. bei Göthe: er leert ihn jeden schmaus.

auf allen und jeden fall, auf alle und jede fälle*);
das familiäre durch die bank**), z. b. Savigny XI, 385.
Gesch. 910. Pfeiffer III, 149. Kl. schr. I, 339. Wtb. III,
1350; im überschwank (Gesch. IV); in der letzte (brieflich bei Pfeiffer XI). In eigentümlicher weise finden sich
einige mit zu gebildete substantivadverbien gebraucht:
Myth. I, 288 die zu waßer — gestorbnen seelen; Andr.
u. El. IX was er zu schiffe — geredet hätte; Kl. schr.
II, 334 die zu tische liegende urkunde; Wtb. I, 1134 die
zu boden sitzende hefe; Rechtsalt. 88 zu bade sitzen;
119 zu knie fallen; Savigny 11, 48 zur kirche (wo?);
Wien. jahrb. 32, 238 zu mitternacht (wann?); Rechtsalt.
245 zu frühling und herbst; sogar Myth. 487 zu pferd
dargestellt, das ein genius führt***).

Nach der analogie von vermutlich, leider verleiht
Grimm auch anderen adv. ähnlicher bedeutung die sonst
nicht eben gewöhnliche stellung und beziehung innerhalb
eines einzelnen satzes, z. b. Vuk IV glaublich ist selbst
kaiser Justinian solcher abkunft gewesen; Gr. I², 1008
glaublich redupliziertes in älterer zeit; Haupt VIII, 399
glaublich zu Colmar selbst; Gr. I², 603 das kennzeichen
— haben beleglich folgende wörter; Pfeiffer II, 448 in
den sicher laurembergischen scherzgedichten; Wtb. III,
526 auffallend mangelt es der goth. sprache; Haupt III,
149 fällt ihm freilich der mannsname Oftheri ein, übel aber
ein ortsname Oftenmedine; IV, 501 womit bedauerlich
schon das buch geschloßen wird.

Die frage nach der fügung von adv. zu subst. wird Gr.
IV, 937 von Grimm allzu kurz und mit beziehung auf manches, was sich namentlich die mündliche redeweise zu er-
lauben pflegt, gar nicht beantwortet. Mangelt uns zwar,
wie er an der stelle sagt, die geläufige freiheit griechischer
konstruktionen†), so schreibt er doch selbst: den bisher

---

*) Die häufung alle und jede ist überhaupt verschwenderisch
ausgeteilt.

**) Merkwürdig: „dieselbe citelkeit, die durch die bank aller
anderen stände geht" (Berl. spr. u. sitt. 1817 s. 303ᵇ).

***) Nach Gr. IV, 889 scheint die folgende relation, da es wesentlich
auf die adverbialbedeutung ankommt, nicht gestattet.

†) Lat. beispiele gibt Krüger § 502 anm. 2.

erklärern (D. beid. ält. d. ged. 13); vgl. ferner Wtb. III,
272 tuch und zeugmacher stritten sich ehmals um den
rechts oder links einschlag; Abh. d. ak. 1858 s. 60
dies noch nicht einmal halbhundert — gewählter
beispiele. Folgt das adv. dem subst. nach, so scheint die
beziehung minder eng zu sein, z. b. Z. rez. d. d. gr. 61
ihr häufiger gebrauch heutzutage; Myth. II, 1089 an-
lauf der spinne frühmorgens; Gesch. 150 das volk unterwegs empfieng sie feierlich*); Gr. IV, 940 wiederholung — nochmals durch den dativ; Wtb. I, 8 beim
anschluß hinten an subst. **). Ueber die stellung beim
subst. inf. vgl. s. 159. 160.

Pronomen.

Wie bei einem den hauptsatz allein bestimmenden adj.,
dem der nebensatz als das logische subjekt des ganzen gedankens folgt, satzband sowol als grammatisches subj.
häufig fehlen (s. 134); ebenso gern und unter gleichen verhältnissen tritt der mangel jenes pronominalen subj. ein,
wenn die kopula ausgedrückt ist, z. b. beachtenswert
ist, daß — Gr. III, 339. 548; nicht unähnlich ist, daß
— 331. Bei andern unpersönlichen wendungen zeigt sich
dasselbe; vgl. unorganisch scheint, daß — Gr. III, 333;
doch befremdet, daß — 536; vorausgeschickt werden muß, daß — 234; wie vaterländisch gewesen wäre
sie in schutz zu nehmen Wtb. I, VIII. Wenn hier etwa
nichts weiter beachtenswert erscheint, als daß Grimm, zum
teil vermöge der stellung die er den worten gibt, dem es,
womit ohnehin die deutsche rede so reich gesegnet ist, gelegentlich mit vorteil auszuweichen versteht; so tritt dagegen an anderen stellen der mangel fühlbarer hervor, z. b.
Schulze XX nicht nur, daß viele lesarten abweichen, sind

*) Oder gehört das adv. dem prädikat an? Die eigentümlichkeit
der grimmschen wortstellung, wie später gewiesen werden wird, erlaubt
die frage.
**) Hier fällt die verbindung viel leichter, weil die vom verbal-
subst. eigentlich regierte, durch das adv. näher bestimmte präp. ausgedrückt ist.

sogar einige — namen zu ergänzen; Kl. schr. II, 363 als
sie — vorschritten, kann nicht fehlen, daß —; Märch. I,
86 nun sprang das rehchen hinaus, und war ihm so wol,
und war so lustig; 356 ist mein vorteil; Gr. I², 128 in den
— eigennamen ist noch keine spur der ahd. labialordnung,
sondern vielmehr gilt die organische gothische; II, 434
übrigens liest die handschrift — onstbella oder kann so
gelesen werden. Hie und da findet sich dies pron. nur einmal, wo man die wiederholung vorziehen dürfte, z. b. Gr.
I¹, 337 es liegt nicht in der absicht — zu führen, sondern
reicht vollkommen hin — dargetan zu haben; I², 330 es
bleiben alle hauptgrundzüge und bedarf keiner neuen entwickelung; Kl. schr. III, 416 bedenklicher steht es um
sprachliche unterscheidungsmerkmale und bedarf dafür noch
fortgesetzter nachforschung.

Im gegensatze zu dergleichen weglaßungen scheint es
hie und da überflüßig aufzutreten, wobei zum teil auch die
stellung in anschlag zu bringen ist, z. b. Gr. I¹, 547 die
es nützlich sein kann zu übersehen; 589 eine bemerkung,
zu der es schon früher gelegenheit gewesen wäre; III, 224
diese formen, dünkt es mich, können —; Kl. schr. I, 237
solche lust —, scheint es mir, herschte —; Gött. anz. 1826
s. 91 die es schwer fallen sollte nachzuweisen; Wtb. I, I
schwierigkeiten —, die es vorauszuschauen unmöglich ist;
XLII die es überflüßig sein würde — auszufüllen; 1472
alte sünder ist es schwer zu bekehren; Andr. u. El. 153
welche worte es dann frei stünde — zu beziehen; auffallender brieflich an Laßberg: „vielleicht wird es im j. 1819
etwas daraus" (Pfeiff. Germ. neue reihe h. 2 s. 244). Hier
schließt sich etwa auch das accusativo es an (s. Gr. IV,
338), welches nach befinden stehen und ausbleiben kann;
vgl. Gött. anz. 1830 s. 1942 erlaubt es sich hier davon gebrauch zu machen.

Gegenüber der unterdrückung des persönlichen sub-
jektspron. (s. 132) befindet sich der besondere fall des überflußes, daß durch das pron. nach einem zwischenliegenden
nebensatz auf das an die spitze gestellte eigentliche hauptsubjekt zurückgewiesen wird*). Die wenigen beispiele,

_____

*) Dieses subjekt erinnert alsdann an den vorausgesandten nominativ.

welche zu gebote stehn, sind: Sag. II, 105 könig Karl, als
er —, gelobte er —; 158 Heinrich, sobald er —, ließ er
—; Göthes k. u. alt. IV, 69 Jaeksehitz Dmiter, als er das
geschehen, zog er — aus. — Bemerkenswert ist ferner die hinzufügung des pron. zu dem komparativen als in sätzen wie:
Gr. I², 159 der stand des t — fordert noch eine nähere
betrachtung, als sie oben — angestellt werden konnte;
Wtb. I, IV das — eine weit vollere und lebendigere samm-
lung aller deutschen wörter veranstalten soll, als sie noch
stattgefunden hat; Gesch. 197 der — den blick in ein
tieferes altertum unseres volks offen ließ, als wir es —
ahnen; 345 der aspiration ist ein weiterer spielraum zu gestatten, als ihn —; 980 eine viel größere sicherheit des
vergleichens entspringen, als sie —; Haupt II, 5 den rei-
cheren gehalt der schönen ahd. sprache, als ihn —; vgl.
dag. Wtb. I, LXIII sie bedürfen eigner, belebterer untersuchungen, als im wörterbuch angestellt werden können.

Die auch sonsther bekannte häufung sich einander
wird oft angetroffen, teils als dat. teils als acc., z. b. Sag.
II, 308. Savigny I, 84. Wien. jahrb. 28, 15. Rechtsalt. 389.
Gött. anz. 1863 s. 1367. Kl. schr. I, 77. 164. 174. Wtb. I,
289*); vgl. Sag. II, 105 laßt euch jeder sich einen hahn
von den bauern geben, Altd. w. I, 4 an derselben nämlichen stelle.

Sonderbarerweise wird ein paarmal das eine sich von
zweien, welche verschiedenen konstruktionen angehören, anscheinend zur vermeidung eines übellauts, vermutlich jedoch
unwillkürlich und absichtslos unterdrückt**): Kl. schr. III,
183 über des pabstes sollicitudo und aerumna, der sich aus
der weltgeschichte trost holen sollte, lebhafter auszu-
laßen; Wien. jahrb. 32, 249 aus deren vergleichung und

---

*) Anders bei Schulze X, wo jedes pron. für sich steht: „wunder-
bar, wie lange zeiten hindurch die schichten der völker und in den
völkern der einzelnen stämme sich einander in der nähe gehalten
haben".

**) Zu vergleichen Kl. schr. I, 201: „offenbart sich in ihm nicht
allein der hohe wert des alters selbst sondern auch die allerreichste
vergeltung des verlornen äußeren lichts?" Hier sind sowol die auf
bejahung zielende frage als auch das adv. „allein" auf das nur einmal
gesetzte nicht angewiesen.

sorgfältiger benutzung, wenn sich die handschriften erhalten haben, manches — bedeutend ergänzen und bekräftigen ließe; Ber. d. ak. 1859 s. 418 mit ihr zu versöhnen sich bereit erklärte*). Aehnlich verhält sich, fällt aber, weil es das subjekt trifft, mehr auf: „daß wenn man sie für nicht notwendig steirisch hält, auch an den übrigen zweifeln darf" (Gr. I², 447). Gegen diesen mangel sticht die unnötige und dazu mislautende wiederholung: „da man diesen zug noch unserer heutigen sprache unverkennbar ansieht, oder man jede deutsche urkunde darüber befragen kann" (Savigny II, 42) in merkwürdigem grade ab; überfluß liegt auch in dem satze: „der ihn woder unter buch und wort anführt noch ihn auf den titel oder ins register setzt" (Ber. d. ak. 1854 s. 697). —

Sehr viele und mannigfache erscheinungen offenbaren sich in Grimms sprache auf dem gebiete des relativpronomens, dessen richtige und wollautende verwendung zu den haupterfordernissen der stilistik gerechnet zu werden pflegt.

Während im deutschen die beziehung auf das pron. derselbe, wenn das prädikat des nebensatzes aus dem übergeordneten satze ergänzt werden muß, insgemein durch das adv. wie ausgedrückt wird, setzt Grimm nach lat. weise nicht selten das relativ, z. b. Gr. IV, 41 welches — dieselbe verkürzung, die jenes me für mik, erfahren hat; Rechtsalt. 201 fürsten bedienten sich nicht immer derselben symbole, deren geringe leute; Gesch. 955 daß S und T dasselbe ausrichten was N; vgl. Gr. I², 306 ist der organischen kürze im nnl. ähnliches widerfahren was im nhd. Fehlt der demonstrativbegriff, so ist das adv. natürlich unstatthaft, allein die alsdann entspringende kürze gehört nicht der gewöhnlichen rede an, z. b. Gött. anz. 1826 s. 955 halm scheint was calamus, Gesch. 882 einem tun bedeutet was einem geben, 902 δεῖ heißt oft was χρή, Wtb. I, 1044 aut oder naut heißt was „es mag biegen oder brechen", ebenso Gr. III, 143. 787. IV, 22. 104. 554.

Weit um sich gegriffen hat heute die vermischung von

*) In dem beigeordneten satzverhältnisse: „daß sie sich eine warme enge schafft und alles dessen enthält" (Gött. anz. 1831 s. 1357) ist aus dem dat. der acc. zu ergänzen.

welches und was, deren genaueste sonderung gleichwol
ein unabweisbares und lehrreiches bedürfnis der jetzigen
sprache zu sein scheint, wenn auch nicht geleugnet werden
soll, daß dem gebrauche des was*) überhaupt eine unge-
bürlich große ausdehnung zu teil geworden ist.　Dieser umstand erklärt einigermaßen den fortschritt des misbrauchs.
Wäre es, wie man nicht sagen darf: „mancher, wer" (für
der), ebenso unerlaubt „manches, was" zu verbinden, so
hätten ausdrücke wie „das haus, was", dergleichen man
täglich zu hören bekommt, wol niemals gewagt werden, geschweige sich breit machen dürfen.　Grimms sprache zeigt
nun ebenfalls jene mischung.　In beziehung auf einen ganzen gedanken schreibt er neben was, das der regel angehört, ungemein häufig auch welches, z. b. Gr. I², 6 merkwürdig besitzen die Griechen — zeichen, welches die
ungewisheit beider laute bestätigt; ferner 9. 41. 49. 89. 184.
209. 222. 274. 331. 824. 869. II, 86. 90. 192. 216. 308. 354.
720. 860. III, 249. 257. 714. IV, 147**).　Auf ein subst.
bezogen begegnet in viel geringerem maße was, z. b.
Heidelb. jahrb. 1810 s. 92 kein herz zu spüren, was im
menschenleib schlägt; 373 das allerliebste (lied), was je ge-
dichtet worden; Märch. II, 470 ein ereignis, was —; Gr.
IV, 90 weil dann das pron. us (uns) hinzutreten müste,
was aber immer fehlt.

Die in der lat. sprache zur regel erhobene, in der deutschen nicht allgemein geläufige hineinziehung der apposition
in den relativsatz findet sich in beispielen wie: „starke und
schwache, von welchem durchdringenden unterschied —" (Abh. d. ak. 1858 s. 65), „nicht auf schnauze
zurückgeführt werden muß, welches schnauze —" (Wtb.
I, 447) bei Grimm überall in solchem umfange, daß es zur
erkenntnis desselben nur einer andeutenden verweisung etwa
auf Gr. I² bedarf, wo man vergleichen kann s. 21. 38. 73.
86. 92. 96. 114. 115. 134. 139. 147. 159. 191. 234. 277.
325. 399. 426. 475. 496. 573. 575. 651. 688. 724. 727. 765.

---

*) im verhältnisse zu wer, das nur dem selbständigen demonstrativ
entsprechen kann.

**) Ebenso verhält sich der dat. „welchem ich — beipflichte"
(Gr. II, 321), wofür sich dem (III, 646) oder „welcher vermutung"
empfiehlt.

769. 772. 774. 776. 814. 832. 866. 882. 905. 906. 925. 927.
928. 998. 1005. 1055. 1056. Eine weit größere freiheit gestattet sich der prosaiker*), wenn er nach ebenfalls lat.
weise**) das subst. aus dem hauptsatze in den vorangestellten relativsatz hineinzieht, z. b. aus welchem haus
sie hervorgebracht wurde, in dem starb das jahr über niemand (Myth. 443); welche hexe die holden einem zu-
bringt, die muß — (606); auf welches haus sie ihren
schritt kehrt, da — (688); welchen vokal pl. ind. anzeigt, derselbe — (Gesch. 846); welchen ausländischen mann nun heute sein weg durch Deutschland an
einem oder dem andern ende geführt hätte, seinem blick
. wären — begegnet (Kl. schr. I, 374).

An die stelle des von einer präp. abhängigen relativen
adjektivpron. tritt bekanntlich überaus häufig eine zusammensetzung mit wo; der tadel, welcher von strengen grammatikern über ausdrücke wie: „die schere, womit ich
schneide" ausgesprochen wird***), ist durchaus vergeblich.
Einen sehr gefälligen wechsel bietet z. b. Rechtsalt. 557:
„der stuhl, auf dem er in das gut rutscht, der wagen, womit er es befährt; vgl. Myth. II, 905 den tisch, woran, dag.
906 einen tisch, um den. Anzumerken ist aber ferner hierbei, daß Grimm in dieser zusammensetzung nicht selten die
an sich beßeren, allein weit weniger üblichen formen des
demonstrativs verwendet, z. b. Gr. IV, V die frischeste
färbung, davon in den übrigen sprachen bloße spuren sind;
Arm. II. 160 von zwein vögeln, davon einer getödtet ward;
Meisterg. 122 die minnelieder, davon —; Märch. I, 67 das
war sein kissen, darauf es sanft einschlief; II, 188 waßer,
darüber nicht viel brücken sind; vgl. I, 34. 61. 210. II,
51. 182. Altd. w. III, 101. Lat. ged. 84. Gr. I², 1031. II,
353 †). Wahrscheinlich nur in den Märchen finden sich
diese wörter, die alsdann demonstrativ bleiben, von dem
relativen wo begleitet, z. b. I, 455 zu dem turm, wo seine

---

*) Zum dichterischen gebrauch vgl. Lehmann Göthes spr. 64.
**) s. Krüger § 551.
***) Becker I, 289. Heyse I, 57.
†) vgl. Altd. w. I, 180 Asien, von dannen wir gekommen sind,
aber Gesch. 820 Thrakien muß ein land der nachtigallen gewesen sein,
von wannen sie selbst den Griechen zuflogen.

14*

mutter darin saß; II, 57 einen wagen, wo zwei ochsen
davor waren; 79 eins, wo vorne ein göckelhahn drin ist
(vgl. 88); 181 das fläschchen, wo sie drin war. Auch wo
allein kann mit leise haftender lokalbedeutung*) die stelle
des mit einer präp. verbundenen relativs einnehmen, z. b.
Gr. II, 169 solche (verben), wo es erst mit der verbalab-
leitung zu entspringen scheint; 224. 322 in wörtern, wo**);
Vuk 19 silben, wo; Ir. elf. 202 das unser vater, wo. Gegen
die beziehung jener pronominaladverbien auf personen wird
übrigens von allen seiten die gerechteste einsprache erhoben;
nur in älteren schriften hat sich Grimm derselben einigemal
überlaßen: Edda 3 söhne eines Finnenkönigs, wovon der
erste —; Sag. II, 51 fünf brüdern, wovon —; ebenso
Märch. I, 16 ein vater hatte zwei söhne, davon war —;
88 da sah es drei weiber herkommen, davon —. Anderer
art ist natürlich, weil das buch gemeint wird: diesen Ovid,
worin (Haupt VIII, 398).

Obgleich die sprache der weglaßung des den relativsatz tragenden demonstrativs einen weiten spielraum zuge-
standen hat, kommt es doch dabei auf den kasus und auf
die stellung der beiden sätze an***); daher haftet an folgenden beispielen eine gewisse härte und ungewohnheit:
Gr. I², 203 wem reimregister über Ottocar zu gebot stehn,
wird mehrere geben können; 568 wem — anstößig scheint,
mag —; Wtb. III, 1613 wem es — scheint, setze dafür — †); Sag. II, 121 daß, wen das loos traf, den göttern
geopfert wurde; Vuk XVII womit er — hätte, hat ihn —
zugezogen; Wtb. IV, 221 soll zum bischof gewählt werden,
auf wen sich die fliegen gelaßene taube niedersetzt; Gr.
IV, 131 ausgelaßen werden kann nur durch dessen ver-
schweigung keine undeutlichkeit erwächst; Sendschr. 57 wie
hat — mich verlaßen mögen, mit der ich jeden bißen
meines raubes teilte? — Abweichend von der regel erscheint
das persönliche pron. in beziehung auf wer und was: Kl.

---

*) vgl. Märch. II, 324: zum rosstall, da man den hafer schwingt
oder wo man drischet.
**) ähnlich Gr. II, 713: nur dann muß an — stehen, wo — folgt.
***) s. Lehmann 68 fg.
†) vgl. Myth. I, 15: außer Odinn und wem er sie ins ohr gesagt hat.

schr. III, 293 er verriete große unkunde, wer den monolog
herabsetzen wollte [*]); I, 81 was sie selbst an Marokko zu
zahlen müde sind, warum sollen wir fortfahren es den Dänen zu entrichten? Nicht ganz so verhält sich Abh. d. ak.
1845 s. 244: „wer ein zuschauer am ufer stehn bleiben will,
leidet weder schiffbruch noch befällt ihn schwindel"; denn
hier muß zunächst für den ersten hauptsatz ein dem wer
entsprechendes der verstanden werden. Eigentümlich ist
Kl. schr. I, 206: „in wem (und welchem menschen sollte
das versagt sein?) schon von frühe an der freiheit keim
lag, in wessen langem leben die edle pflanze fortgedieh,
wie könnte anders geschehen, als daß sie im herzen des
greises tief gewurzelt erschiene?"

Das pron. wer unterzieht Grimm ferner einem höchst
merkwürdigen, dem mhd., welches der und swer in der
bedeutung „wenn jemand, wenn man" verwandte [**]), nach-
geahmten gebrauche, z. b. Gr. II, 611 welches undeutsch,
wer sagen wollte: windsmühle, windbraut! Gesch. IV ist
es doch, wer aus seinem inhalte aufgabe und gefahr des
vaterlandes ermeßen will, durch und durch politisch; Gött.
anz. 1850 s. 757 und, wer höher hinaufreichen wollte, bekanntlich entspringt viginti aus dviginti; 1851 s. 1748 nur
die verse der klage sind, wer genauer zusieht, — geteilt;
Kl. schr. I, 210 es ist, wer genauer schauen und den finger
der vorsehung erkennen will, ein in Deutschland vorher gestörtes gleichgewicht — hergestellt worden; Merkel LXXIV
musido, wer nicht ein subst. spolium vorzieht, könnte ex-
spoliaverit aussagen; Abh. d. ak. 1845 s. 231 sollten nicht
bohne und faba derselben wurzel sein? gewis, wer sie nur
zu einigen versteht; Wtb. I, 1346 nur ist, wer genauer zusieht, die nähe —; IV, 54 fragen ist keine schande, wer
ein ding nicht weiß.

Wenn in der beiordnung zweier relativsätze das zweite
pron. einem andern rektionsverhältnis angehört als das erste,
so wißen schriftsteller, die man zu den besten zählt, der
von der strengen grammatik gebotenen aber bisweilen steif

---

[*]) vgl. das engl. he — who.
[**]) „welt ir iht ęʒʒen? gerne, der mirʒ git" (Iwein); „der touf
die sünde reinet, swer sine sünde weinet" (Barl.).

und unschön klingenden wiederholung des pron. häufig dadurch auszuweichen, daß sie entweder das zweite relativ gar nicht setzen sondern aus dem ersten ergänzen laßen, oder an seiner stelle ein demonstrativ gebrauchen*). Von beiden fällen bietet die sprache Grimms eine ansehnliche reihe von beispielen. Der erste fall ist leichter, wenn die verschiedenheit des bezichungsverhältnisses mit gleichheit der form zusammentrifft, schwerer, wenn diese nicht stattfindet. Darnach beurteile man: Altd. w. II, 147 die in der Jen. l. z. 1814 steht und ich nur einmal flüchtig ansehen konnte; Gesch. XVI was ich zujüngst in der deutschen grammatik geleistet habe und der grösten erweiteruug allenthalben fähig wäre; 996 von dem, was sie faßt oder an ihr getragen wird; Kl. schr. I, 55 was sich ereignete und ich empfand; 397 was der dichter selbst nur in kleinem maße empfieng und ihn der lebenssorgen noch nicht überhob; Savigny II, 66 die man zur erden stieß und von da dem berechtigten bis hinauf über die knie reichen musten; Märch. I, 207 das sie vielleicht einmal zur welt brächte und von der kreuzhacke könnte todtgeschlagen werden; 336 alles was er vergeßen hatte und ihm aus dem sinn verschwunden war; Wtb. I, VI was deutsche sprachgewalt sei und meine; 85 was an korn, schrot, mehl im laufe hängen blieb und die müller heimlich wegraffen; III, 472 was die menschen tun oder ihnen widerfährt**); — Schlegel I, 410 Reinhart, dessen gier immer wuchs und alles daran gestellt hätte; Kl. schr. III, 419 dem die verräter erst eine unkönigliche erziehung zu geben suchten, dann sogar nach dem leben stellten und dadurch zur flucht aus dem lande nötigten; Wtb. III, 750 dessen geschlecht wiederum aus dem männlichen ins weibliche umschlägt und die bedeutung von solum, habitatio zeigt; Märch. II, 124 ein heiliger vogel, dem niemand ein leid zufügt und den menschen großen

---

*) Im allgemeinen vergleiche Lehmann § 31 fg., wo umständlich aber überladen hiervon gehandelt wird; ferner Götzinger II, 369.

**) vgl. dagegen die genaue aber nicht wollautende fügung: Kl. schr. II, 278 die der jüngling ellends der glut entriß und die nunmehr seine braut wurde; Gesch. 601 das wir nur aus der einzigen stelle schöpfen können und das ohne zweifel auch andern deutschen stämmen zustand.

nutzen bringt. In gleicher lage befindet sich das relativ-
adverb, aus dem ein andres zu entnehmen ist: Gesch. 524
wohin die Nibelungen entboten werden und der wurm-
garten liegt; Wtb. III, 719 worin wieder eihiso, eigiso,
egiso stecken könnte und kaum an egiso, horror zu denken
ist *). Aus wie scheint Gr. III, 638 was zu verstehen,
wenn es heißt: werden mit taihunda zusammengesetzt,
wie bereits 2, 949 erörtert ist und uns hier weiter nichts
angeht.

Fast noch lieber verwendet Grimm die vertretung des
zweiten relativs durch das demonstrative oder persönliche
pron. **), z. b. Gr. I¹, LII das ich gelegentlich bekannt zu
machen denke, mich also hier nicht dabei aufhalten will;
I², 88 wogegen das nord. aptan — spricht, doch die volks-
aussprache — dafür; Arm. II. 156 don gott aus seinem
wolstand zog und ihm hauskreuz — schickte; Sag. I, 48
das er auf den tisch geworfen und — erlaubt hat — drin-
nen zu lesen; Heidelb. jahrb. 1812 s. 623 welches alles
wir schon viel beßer gelesen haben, hier aber dabei kalt
bleiben und kein wort davon glauben können; Abh. d. ak.
1845 s. 181 der wurzelvokal, dem sich ein andrer gesellt
und mit ihm gemeinschaftlich diphthongische länge erzeugt
hatte; N. lit. anz. 1807 s. 225 deren existenz indessen bewiesen und ihr inhalt aus unmittelbarer quelle angegeben
werden kann; s. 679 wovon ich keins vergleichen kann,
jedoch ihre übereinstimmung — voraussetzen darf; Myth.
II, 654 den sie in ein kästchen, gold unter ihn legte;
Kl. schr. II, 290 die — zerhauen und alle stücke ihres
fleisches ins schiff geworfen wurden ***); Wtb. I, LXVII
vor welchem die leute stehen bleiben und es begaffen;

---

*) Keiner solchen ergänzung bedarf Märch. II, 181: wo sie her
wären und hinaus wollten.

**) Auch bei vollkommener übereinstimmung der beziehung kann
es gesetzt werden, scheinbar alsdann, doch nicht in wirklichkeit pleonastisch, z. b. Sag. I, VII welches jene — nicht mehr in der darstellung selbst verträgt, sondern es auf ihre eigene weise — zu ehren
weiß; vgl. Lehmann s. 113 und 115.

***) Die zusammenziehung „dessen und seines volkes abstam-
mung" (Gesch. 770), welche sich nur über einen einzigen satz erstreckt,
zeigt im grunde gleichfalls das hier in rede stehende verhältnis.

865 ausgänge der zeit —, welche man oft persönlich dachte, ihnen also wirklichen gang zuschrieb *).

Die geläufigkeit dieser konstruktion hat nun, wie es scheint, zu einer anderen noch bequemeren veranlaßung gegeben, welche sich bei Grimm in dem allergrösten umfange vorfindet. Es wird nemlich mit dem relativsatz ein anderer durchaus verschiedener satz, der mit ihm ein glied oder auch mehrere gemein hat, dergestalt zusammengezogen, daß er, ohne an einer relativen bezichung teilzunehmen, gewissermaßen als zweiter relativsatz auftritt oder etwa den ersten schein desselben gewinnt, näher besehen überhaupt der bedingungen einer eigentlich grammatischen fügung ermangelt **). Von dieser art sind: N. lit. anz. 1807 s. 354 wozu ich zwar nachher genug belege gefunden, sie selbst aber — gezogen habe; 241 eine rücksicht, die man vernachläßigot und geglaubt hat, daß —; 673 welche ich daher nochmals so bestimmt als möglich darlege und zugleich herrn Docen bitten muß; Sag. I, 160 welches ihm der graf gerne geben ließ und noch mehr wollte reichen laßen; 191 bei welchem die Attendorner eine glocke gießen und das metall dazu von der bürgerschaft erbetteln zu laßen beschloßen ***); 274 eine mühle, die der teufel der volksage nach gebaut und durch ein felsenwaßer das rad in trieb gesetzt; II, 25 wo sie auch noch nicht blieben, sondern durch Rugiland zogen; Märch. I, 152 der große arbeit, die beiden zu haus aber gute tage hätten; Altd. w. I, 132 gesetze, die ohne zweifel mit den ritterlichen überhaupt, diese mit den klösterlichen orden in berührung standen; Heidelb. jahrb. 1811 s. 155 eine urkunde, die rez. irgendwo excerpiert, aber das nähere citat vergeßen hat; Wien. jahrb. 32, 216 welche abgeschmackte ursache Berthold

---

*) s. Götzinger II, 869. Auch in andern sprachen, z. b. der lat. (Krüger s. 748), ist die ausdrucksweise vorhanden.

**) vgl. Lohmann 127.

***) Mit einem solchen satze hat im ersten angenblicke der folgende einige ähnlichkeit: „dem sein apfelbaum im hansgarten jährlich blüht nnd die finken darauf schlagen" (Gr. 1¹ vorrede); allein sie stehen sich grade entgegen, da hier die beiordnung logisch und grammatisch vollkommen regelrecht ist und eine gleichmäßige beziehung auf das voranstehende relativ dom·stattfindet.

nicht berührt, sondern wirklich sehr sinnreich den namen
— erläutert; 46, 224 gadrauhts miles gehört nicht zu tráuan,
das TR hat, jenes DR und überdem ein H; Reinh. CXX
die man also für weniger gangbar, jene für verbreiteter
halten könnte; CLIII ein fingerling, den er für den könig
bestimmt hatte, die beiden andern für die königin; Gr. I¹,
185 atto statt ätti lauten, welches die ahd. form, das i
aber der nordischen zu vergleichen wäre; I², 115 welche
laute der vokalwechsel niemals erzeugt, sondern nur ein
vages e und i; 261 das sich — in in wandelte, in aber in
öö; 351 welches letztere einige in si verwandeln, seltner
hie in hi; 544 was sich einigermaßen dem verschmelzen
des niederl. l vor d vergleicht, die verlängerung des a dem
dortigen u; II, 181 welches oe umlaut des ô, mithin oenn
dem ahd. ôni parallel ist; 238 wozu das ags. gesidh —
stimmt, zu der schwachen form aber das ahd. sindo; I³,
224 das inlautend áw wird, und ans welchem âw sich der
übergang in au begreift*); Andr. u. El. 91 hnióta, dessen
intransitivbedeutung labare aber hier nicht stimmt, eher die
des trans. hnýta; 157 rôde, was jedoch nicht vorhergeht,
vielmehr das neutr. treó; Gött. anz. 1823 s. 10 welchen
er zwar überwindet, aber sein leben selbst dabei laßen muß;
1831 s. 1763 männliche, die bei uns selten sind, neutrale
die allerseltensten; 1841 s. 360 wofür die lesart freolsdôm
vorgeschlagen und darnach übersetzt wird; Ber. d. ak. 1852
s. 214 dessen namen eine schöne jungfrau angenommen
hatte und damit siegreich geblieben war; 1859 s. 417 welches die vier zwerge zwar ausschlugen, sich aber bereit
erklärten ihr geschmeide abzutreten; Schulze XXI welches
letztere ich vorziehe und damit — gelange; Kuhn I, 210
Kôláhala —, in dessen erstem teil deutlich kôla aper enthalten ist, hala aber pflug ausdrücken könnte**); Haupt
II, 4 welche schwache form ich nicht angetroffen habe,
mhd. bloß die starke; III, 146 Helisheri, was mir nicht

---

*) Das verbindende „und" stellt diesen fall den übrigen gleich;
ohne dasselbe würde der zweite relativsatz in der untergeordneten form,
die ihm gebürt, auftreten: vgl. Ir. elf. LXVII man hat — erkennen
wollen und wozu auch — stimmt.

**) Hier ließe sich auch ein zweites relativ, das sich auf den gan-
zen namen bezöge, füglich ergänzen.

vorgekommen ist, wol aber Helispert; VII, 465 welches
bald memorare narrare dicere, bald mercedem numerare bedeutet, beides aber — leicht vereinbar scheint; VIII, 4 das
herzausschneiden versuchen, das er schon, nicht solches
wehklagen ertragen könne; Gesch. 909 fionfaillean, was ich
nicht finde, wol aber fionduille; Myth. II, 855 in zwei gefäße und einen keßel rinnen, welcher Odhhroerir, die gefäße Sòn und Bodhn genannt wurden; 929 einer brücke
über das waßer, die er kühn beschreiten und dann so viel
er will golderde holen kann; 1119 eiche, deren äste in einander und löcher hindurch gewachsen waren; Urspr. 52 wie
der leib zur seele, welche das mittelalter treffend die herrin,
den leib den kämmerer oder das kammerweib nannte;
Rechtsalt. 665 den er aber über seine haustür aufhängen
muß und — nicht abnehmen noch zu einer andern türe aus
und eingehen darf; Kl. schr. I, 126 peculium, das jeder
aus pecu, niemand aber pecu aus peculium ableiten wird;
II, 117 vater des bekannten dichters Ausonius, der 394,
jener schon 377 starb; 146 worunter 43 aus Od. 11, 634
— entnommen, doch ἐπαίνη für ἀγανή gelesen ist; 291 den
sie auch nahm und ein langes lied anstimmte; 337 wofür
sich wol Augagô auegau, kaum Ahugô sagen, doch aus solchem Ahugô nimmer ein haoyc, incola pagi, herleiten ließe;
Wtb. I, LXII von welchen eins ganz entbehrlich und
dann das verhältnis der andern neu zu bestimmen wäre;
235 allgewalt, oft eins mit allmacht, welches in genauer
anwendung mehr das ruhig wirkende, schaffende ausdrückt,
allgewalt das heftige, unwiderstehliche; 501 in welchen
beiden stellen der ahd. text freilich annuzi gewährt, doch
in der letzten das ältere bruchstück antlutti; II, 470 was man
doch zunächst auf κύξος zieht und darunter eine aus hartem
buchs gedrehte kapsel versteht; III, 739 woraus erbisz,
erbs, endlich verweisung aus der starken in die schwache
deckl. entsprang und dem nom. o zutrat; 1269 welchem ir.
scabhac, welsches hebog entsprechen und sowol falk als
habicht bedeuten; 1525 wofür eine menge andrer namen
bekannt und mit uralten gebräuchen verwachsen ist; 1551
fertig, dessen e offen ist, das hier verhandelte aber aus —
entsproßen. Anstatt des relativsatzes tritt ein partizipial-
satz auf: Wtb. I, 670 aufhissen, ein fromdes, dem plattd.

uphissen, dän. ophisse, opheise, schw. uphissa, diese aber
dem engl. hoise, frz. hausser nachgebildetes schifferwort,
III, 223 einleben —, wol erst im 18. jh. gebildet und
nach uns das dän. indleve.

Grimm braucht bisweilen ein kausales als der, welches an „ut qui, utpote qui" erinnert, z. b. Schlegel I, 407
hiermit brach Lüning auf, als der es gerne tat; Sag. II,
326 alsbald verwies ihn der könig aus seinen augen und
aus dem reich, als der — allen menschen verhaßt sein
müste; Savigny II, 80 kleine kinder, als die sich eines
langen lebens zu freuen hätten; Gr. I¹, 120 dieses umlauts
wegen dürfen jedoch solche wörter nicht zu der vierten
dekl. geschlagen werden, als deren umlaut einen andern
grund hat; Kl. schr. I, 400 die anmaßung epische gedichte
dichten oder gar erdichten zu wollen, als welche sich nur
selbst zu dichten vermögen; 409 zeitungsschreiber, als die
nicht viel umstände mit der sprache machen. Von andrer
art ist derselbe ausdruck bei Savigny III, 116: „gewährt einen
zu breiten grund und boden, als der nicht auch in die
tiefe schließen ließe"; Kl. schr. I, 242 „gelehrte luft, eine
dünnere als in der es einsamen und stillen dienern der
wißenschaft wol wird", genau zu vergleichen mit „quam
qui" nach einem komparativ.

Die durch eine konjunktion bezeichnete beiordnende
verbindung eines relativsatzes mit einem bloßen satzgliede,
welche von seiten der grammatik für großenteils ungefällig
ausgegeben zu werden pflegt*), begegnet an sehr vielen
orten, z. b. Kl. schr. I, 410 mir der liebsten unter allen
Jean Paulschen schriften und die ich jetzt mit betrübter
empfindung durchblättere; Wtb. III, 19 mhd. galm, wider-
galm, wolklingend gleich dem fremden namen, und die wir
nicht brauchten dafür hinzugeben; Savigny XI, 393 unsere
freilich dunkele stelle, von der aber allein licht über das
ganze gesetz auszugehn vermag; ferner Gr. I¹, LX. I³, 34.
61. 122. 247. 354. 406. 580. IV, 856. Gütt. anz. 1832 s. 596.
1833 s. 332. Rechtsalt. 461. Gesch. 433. Auch noch in
anderer hinsicht eigentümlich heißt es Gütt. anz. 1863 s.
1367: „eine solche darstellung muß auch bereits im 4. jahrh.

---

*) vgl. Lehmann 76.

dem Themistius vorgelegen haben, der sie für äsopisch aus-
gibt und worin zwei stiere — auftreten". Bei gedanken-
verbindungen dieser art wird die wünschenswerte gleichartigkeit der form in der regel weniger dadurch gewonnen,
daß an die zweite stelle ebenfalls ein satzglied trete, als
dadurch daß auch das erste die form eines satzes erhalte.

Zwei relativsätze, in denen der gen. des pron. von einem
subst. oder pron. regiert werde und gar zwischen diesem und
einer mit ihm verbundnen präp. stehe, hat man behauptet*),
dürfen überhaupt nicht zusammengezogen werden, d. h. das
relativ müße zweimal auftreten. Einer so beengenden vorschrift, welche unter umständen zu großen misklängen anlaß geben kann, wird sich Grimm nicht bewust gewesen
sein. Zwar sagt er Rechtsalt. 674: wachskerzen, deren
schwere das gewicht des kranken, oder deren höhe die
seiner gestalt gerade austrug (vgl. Gr. III, 245. Urspr. 25.
Gesch. 494. 567. 959. Wtb. I, 231); aber Gesch. 878: deren
präs. goth. -a für -ava, das prät. aber -auda flektieren
würde; Myth. I, 327 dessen name an Mars, seulenbild an
Hercules, östliche aufstellung an die sonne oder Apollo ge-
mahne (vgl. 341. II, 752); Schulze XIII zwei verba, auf
deren eines die griechische, auf das andere die lateinische
angewiesen.

Obgleich es der theorie angemeßen erscheinen darf hinsichtlich der mehrfachen relativsätze regeln festzustellen,
als erste, daß zur ausprägung der beiordnung übereinstimmung der formen des relativs beobachtet werde, für das
verhältnis der unterordnung dagegen ein vorteilhafter wechsel
zwischen der und welcher eintrete; demnächst daß relativsätze der höheren grade im ganzen nicht unbedenklich, oft
unschön und bisweilen schwer faßlich seien: so können doch
jene ausstellenden bemerkungen, welche in dieser beziehung
gegen den stil unserer besten schriftsteller gerichtet worden
sind, wenig oder nicht dazu geeignet sein die erkenntnis
der sprache nach maßgabe ihrer mannigfachen erscheinungen
zu fördern. Wie Güthe hat sich Grimm hier nach allen
seiten hin in großer freiheit bewegt, deren einzelne züge
darzustellen und nach philosophisch vorweggenommenen

---

*) Lehmann 123.

konstruktionen zu beurteilen eine undankbare und uner-
sprießliche aufgabe sein müste. Es reicht aus mit beobachtung jener obengenannten drei hauptfälle die besonderen
ergebnisse vorzuführen.

Die form des relativs beigeordneter sätze ist eine verschiedene: Ir. elf. XXVIII waßergeister, zu denen die
frau kommt und wo sie ihr auge mit schlangenfett salbt;
Kl. schr. I, 114 ich tröstete und labte mich immer stärker
am altertum unserer edlen sprache und dichtkunst, aus welchem auch seitenpfade in das altheimische recht einschlugen,
zu welchem Sie mich nicht hingeführt hatten, dem Sie
selbst sich erst später näherten *); II, 79 der vielgetadelten
(samlung) jener ossianischen gedichte, womit etwa vor
achzig jahren Macpherson zum ersten mal auftrat, und die
allen wahrhaft epischen charakter verleugnen; Gr. I², 462
ein wort dessen sich Herb. häufig bedient, und welches
noch heute — gangbar ist; II, 171 die ableitungen -inna,
auch — die fem. auf -î, welche im plur. -in entwickeln,
die aber nicht auf N. zu beschränken sind; I², IV meine
bisherigen arbeiten, von denen Sie stets unterrichtet gewesen sind, und an welchen Sie —; vgl. I², 774. 952.
I², VI. XII. XVI. 116. 487. II, 169. 319. III, 244. 258. —
Die form des relativs in dem abhängigen und dem übergeordneten satze ist dieselbe: Ir. elf. 205 ihre bedürfnisse,
welche sie den freunden des verstorbenen mitteilte, welche
dadurch in den stand gesetzt wurden —; Gr. I², 713
welches Botin irrtümlich für die indefinite endung hält,
welche —; Ber. d. ak. 1859 s. 417 in welchem kunstreich schmiedende zwerge hausten, in welchen leicht Saxos
schmiede wieder zu erkennen sind. Einer satzverbindung
wie Lat. ged. XVII „gedichte, deren bekanntmachung andere herausgeber leicht gänzlich abgelehnt hätten, die von
mir aber gern übernommen worden ist" wohnt die eigenheit
bei, daß die logische beiordnung bloß scheinbar der grammatischen begegnet **). Es kommt auch der fall vor, daß
zwei relativsätze sich auf verschiedene subst. desselben übergeordneten satzes beziehen: Kl. schr. I, 39 hiengen aber

---

*) Diese stelle liefert auch für den zweiten fall einen beleg.
**) Gefälliger wäre der ausfall des zweiten pron. gewesen.

über alles an der aufrechthaltung der universität, deren
gefahr, wenn sie den unwillen des königs auf sich ziehen
sollte, ihrem herzen weit näher lag, als das heil des ganzen
reichs, welcher*) daher die angelobte pflicht unbedenklich
aufgeopfert werden müße. — Mehrfache abstufungen der
relativsätze ohne sonderliche rücksicht auf abwechselung der
form finden sich z. b. Märch. I, XII: wie alle heimlichen
plätze in wohnungen und gärten, die — fortdauerten, dem
stätigen wechsel einer leeren prächtigkeit weichen, die dem
lächeln gleicht, womit man von diesen hausmärchen spricht,
welches vornehm aussieht und doch wenig kostet; Ir. elf.
163 einige von den alten liedern singend, die ich aber und
abermals in den tagen gesungen habe, die nun dahin sind,
vor dem, der nimmer zurückkehrt; Schlegel III, 66 mit
unserer deutschen frau Holle, Holde, Hulde, von der das
volk noch sehr lebendig zu erzählen weiß, die es aber —
als spinnerin darstellt, als lohnerin der fleißigen, haushälti-
gen, dagegen sie faulenzerinnen, die ihren rocken nicht
abspinnen, diesen besudelt; Andr. u. El. XII könnte der
dualis nur auf diejenigen gehn, denen der dichter seine
arbeit widmet, für die er sie abfaßt, wobei an einen
könig und dessen gemahlin zu denken wäre, die —; Gesch.
766 hieß mit anderm namen Iller, wovon — genannt wird,
mit einem dritten Gýmir, der auch sonst deutlich als iötunn
auftritt und als vater der Gerdhr, um welche Freyr warb,
dessen —; Ber. d. ak. 1850 s. 75 welche letztere form
jedoch vervollständigt werden muß in wulpiâ, wie nicht
bloß der mhd. umlaut, sondern auch an sich schon der
vokal u fordert, der bloß durch das i vor dem übergang
in o geschützt wurde, welches —; Kl. schr. II, 315 drei
menschengeschlechtern, die anfangs vorhanden gewesen,
einem männlichen, weiblichen und mannweiblichen, deren
seltsame gestalt geschildert wird, die aber Zeus unter
Apollons beistand umgeschaffen habe, bei welchem anlaß —; 322 den unterschied seines goldnen und bleiernen
geschoßes, welche liebe wecken oder scheuchen, was ich
bei den Griechen nicht finde, die den Eros zwar δίδυμα
τόξα χαρίτων spannen laßen, deren eins aber lebens-

*) der aufrechthaltung.

glück, das andere unheil bringt und die der auszeichnung durch die metalle entbehren.

Negation.

Die zwar an sich keineswegs unbegründete, jedoch der schriftsprache im allgemeinen nicht mehr gebräuchliche doppelte form der verneinung*) zeigt sich charakteristisch an einigen stellen älterer schriften, deren inhalt sich großenteils im volkstone bewegt, z. b. Sag. II, 210 kein schöner weib habest du nie gesehen; Märch. II, 419 keine regte sich nicht; 325 kein sperber wird ihm nicht schaden; Schlegel I, 400 mach dir auch nicht gedanken keiner art; 'Arn. II. 144 kein mittel, noch kein zeichen; Heidelb. jahrb. 1810 s. 92 nirgends kein herz zu spüren; Wien. jahrb. 32, 238 das ist in keine weise nicht**). Anders beschaffen und eigen ausgedrückt ist Gr. II, 846: die auch sonst niemals oder oft kein ga zeigen.

In einer ähnlichen lage befindet sich die wiederholung der negation nach verben und ausdrücken, welche einen negativen begriff enthalten, nur daß dieser fall, da die verneinung in jenen begriffen keine offen ausgeprägte sondern versteckte ist, viel häufiger vorkommt, z. b. Sag. II, 121 verhinderte der teufel, daß Radbot nicht getauft wurde; Gr. III, 650 hat — die erweichung in den mediallaut wahrscheinlich gehindert, daß nicht —; Gesch. 599 wird dieser hader kein hindernis gewesen sein, daß nicht —; Kl. schr. I, 189 es kann nicht fehlen, daß die geheimnisvolle sprache nicht —; Gesch. 519 nichts ist dawider, daß nicht —; Altd. mus. II, 312 jene ländernamen machen keine schwierigkeit, daß das gedicht nicht —; Altd. w. I, 126 weder unmöglich noch einmal unwahrscheinlich, daß nicht —***); Gr. IV, 49 unvermeidlich, daß nicht —; Sag. II, 40 aus furcht, daß er kein unheil stifte; 240 abriet, er möchte kein land vom kaiser zu lehen tragen; Gr. IV, 224 wahre man

---

*) s. Götzinger II, 45. Heyse I, 835 („fehlerhaft und unrichtig").
**) nach Berthold in der wiedergabe.
***) d. h. möglich und selbst wahrscheinlich, daß —.

sich damit nicht den acc. zu verwechseln; Myth. I, 375
wird gewarnt den schmeichlerischen worten der vala nicht
zu trauen; Arm. H. 165 vorübergehende zu warnen, daß
sie sich ihnen nicht nähern möchten; Sag. I, 139 hüte
dich, daß du die schachtel — niemals öffnest; Ir. elf. 102
hüte dich, daß du nicht in deinen eigenen kopf den
wirbel bekommst; Märch. I, 11 hüte dich, daß du sie
nicht aufschließest (ebenso 340. 427. II, 76. 268); Sag. II,
303 nur müße sie verhüten, daß sie keine andre milch
sögen; Arm. II. 87 niemand soll mir verbieten, daß ich
nicht meinen herrn rette; vgl. das. 162 eine lange stelle,
wo auf die worte „zur geduld ermahnte und ihm verbot"
eine menge teils positiver teils negativer infinitive folgen.
Nach einem komparativ steht die negation Gr. I⁴, LX: bewegt sich — gewandter als keiner vor und nicht so
bald wieder nach ihm *).

   In der verbindung negativer sätze und satzglieder begegnen viele von der gewöhnlichen ausdrucksweise mehr
oder weniger abweichende konstruktionen, welche der älteren sprache zum teil nicht unbekannt waren, z. b. Ir. elf.
XLVII man hörte noch sah je etwas von ihnen **); Edda
125 daß kein gift ihm schaden mochte außen noch innen;
Gr. III, 753 drückt das original durch keinerlei form die
direkte noch die indirekte frage aus; II, IX ohne der iu-
dischen noch der deutschen sprachlehre mächtig zu sein;
97 daß — unvergleichbar sei noch daraus entsprungen
sein könne; Gesch. 730 es ist ungebotene verwegenheit
—, noch bedürfen wir --; Myth. II, 931 einiges bleibt in
dieser vorstellung unklar, noch wird es — erhellt; Gött.
anz. 1836 s. 1789 nur übersehen wir dabei das verhältnis
—, noch erlangen wir —; Gr. I², 337 schwerlich ist an
falschen reim — noch an vermischung — zu denken; Gesch.
5 von einem solchen abzug noch von ihrer ankunft auf andern boden weiß die geschichte nicht das geringste ***);
Gr. IV, 491 nur beurteile man hiernach nicht weder alle
wendungen noch alle gefühlten feinheiten; Gesch. 833 daß

---

*) vgl. Götzinger II, 313 und den französ. gebrauch.
**) mhd. „in irte ros noch der muot" (Iwein).
***) vgl. kratzen noch gebizen kund ez niht den man (Nib.).

dieser nicht weder in den dreiteiligen noch fünfteiligen
der stämme aufgehn kann; Rechtsalt. 223 ich halte es dennoch nicht weder für die ursprüngliche noch allgemein
gültige meinung; Kl. schr. III, 184 ebensowenig bezeichnet der geographus — den oft angeführten Jordanes weder als landsmann noch als bischof; Schulze VII peikabagms
kann unmöglich weder feigbaum noch fichte sein, sondern nichts als palme; Gr. I², 1067 schwerlich ist hierbei
weder einfluß des hochd. auf das romanische, noch des
rom. auf das hochd. anzunehmen; Myth. II, 654 da für den
begriff weder serpens noch vermis — nicht ausreichten*);
Wtb. 1, 1749 erscheint weder ahd. noch mhd. keine spur
des worts; Gesch. 785 nie weder bei ags. oder altnord.
dichtern; Gr. II, 313 wenigstens hat im ahd. weder N.,
im mhd. weder Hartm. Rud. spuren davon, noch Stalder
und Pictorius; I³, 484 io und iu sind umlauts unfähig,
jenes, weil auch o nicht afficiert wird, in nicht, weil es
— pflegt**); I², 642 doch ist den ausgaben, am wenigsten dem Lyeschen wörterb., nicht zu trauen; Heidelb.
jahrb. 1817 s. 892 diese löbliche absicht wird indessen durch
die schlechte bearbeitung des schönen stoffs, noch weniger
durch —, schwerlich gefördert; Gr. I², 167 steht doch
ihr präs. noch weniger ihr prät. nicht zu erweisen;
Gött. anz. 1823 s. 2 dem sich das dem Câdmon zugeschrie-
bene werk, noch weniger der übersetzte Boethius — gar
nicht vergleichen laßen; Gr. IV, 936 wo weder spaeter
noch weniger***) muode angebracht wäre (ebenso I²,
404. 451. IV, VIII. Wigand II, 65. Myth. 179); Gr. I²,
448 so ist das weder ausschließend steirisch noch einmal
bairisch; I³, XV die lat. und griech. grammatik, nicht
einmal die slav., werden — kaum abändern. In mehreren
der hier verzeichneten beispiele veranlaßt die stellung den
ungewohnten ausdruck; man vergleiche die der negation
voraufgehenden noch, am wenigsten, noch weniger,

---

*) „weder grôz noch kleine vint ir niht daz dâ lebe"
(Parz.).

**) Die negation steht im zweiten gliede, als ob „fähig" vorherge-
gangen wäre.

***) Hier findet eine art mischung der beiden noch statt.

nicht einmal, deren nachfolge der allgemein üblichen weise
entspricht.

Nach lat. weise steht wenn nicht in dem fragsatze:
„welche völkerschaften hätten — gehaust, wenn nicht
die — Gothen?" (Kl. schr. III, 208).

Konjunktionen.

Bei der bloßen verneinung eines begriffs, welche der
positiven behauptung zur bekräftigung und genaueren wahrnehmung nachfolgt*), pflegt sich die nhd. sprache der einfachen, von keiner andern partikel begleiteten negation zu
bedienen; bemerkenswert ist dagegen die außerordentliche
neigung Grimms in solchem falle die einander entgegenge-
stellten begriffe durch und zu verbinden, z. b. Gr. I², 764
dekliniert stark und nicht schwach, III, 174 quo und nicht
ubi, — dem hie und nicht dem hue, IV, 237 Schilter und
nicht Scherz (vgl. I², 423. 429. 432. 483. 569. 584. 599.
614. 658. 756. 765. 771. 802. 882. 912. 968. 981. 1054. II,
125. 181. 217. 222. 230. III, 9. 40. 128. 143. 359. IV, 361.
922), Pfeiffer III, 6 Singenberg und nicht Walther, Pertz
Mon. germ. script. II, 666 fram und nicht fra, Kl. schr.
I, 247 hier und nicht dort, Myth. II, 994 frauen und nicht
männern, Wtb. I, VII die Deutschland einigen und nicht
trennen; Gr. I², 478 ausnahmsweise ließe sich tart (und
nicht taert?) etwa durch das ags. arn (und nicht ärn) ent-
schuldigen (ferner 538. 600. 651. 791. II, 238. IV, 83).
Dasselbe ist bei andern negationspartikeln der fall, z. b.
Sendschr. 59 ein bauer und kein pfaffe, Gr. II, 225 d und
kein dh, nicht weniger im ahd. t und kein d (vgl. I², 401.
II, 126. 241. 242. IV, 168); Gr. III, 9 stets unicus und
nie quispiam (ebenso I², 400. 513. II, 858).

Der einschiebung des und gegenüber steht die in
Grimms sprache kaum weniger häufige unterdrückung der
adversativpartikel aber, wodurch sich großenteils eine hervorhebung des beziehungsverhältnisses der beiden sätze oder
satzglieder und ihres logischen wertes geltend macht, welche

*) Viele beispiele dieses negativen schlusses aus der rechtsprache
werden Rechtsalt. 27 fg. mitgeteilt.

an lateinische weise und eine gewohnheit der deutschen über-
tragung erinnert*), deren volle berechtigung jedoch beinahe
zweifelhaft erscheinen kann. Man nehme folgende beispiele
wahr: Gr. I², VII der reim hat nur schlechte dichter ge-
zwängt, wahren gedient; VIII studium und erkenntnis —
haben — zwar gewonnen, lange nicht so um sich gegriffen,
als man — erwarten sollte; IX solche bücher zu lesen und
verstehen zu lernen faßen sich heutzutag wenige den mut,
an Italienern und Spaniern vertun viele ihre kraft und ihre
zeit; XIII sie hat lebenswärme, bildungswärmo geht ihr
ab; II, 69 mit der zwar fortrückend vollständiger, niemals
ganz zu lösenden aufgabe; 415 die übereinstimmung ist
groß, nicht vollständig; 819 zwar stufenweise gemindert,
nie ganz verloren; III, 180 steht zu vermuten, nicht aufzuweisen; IV, 245 weil in ihr nie das volle wort, immer jene
verkürzung gebraucht wird (vgl. 386. 915); Rechtsalt. 556
die begriffe sind, die worte gar nicht verwandt; Wien.
jahrb. 28, 38 zwar — buchstäblich nah, sinnlich fern liegt;
32, 195 wodurch der fehler vermindert, nicht aufgehoben
wird; Gesch. XIV die im buche selbst mehrmals angeregt,
lange nicht erschöpft wurden; Abh. d. ak. 1845 s. 205 den
Graff — ahnte, nicht darzulegen vermochte; Kl. schr. I, 26
einigemal jener war ich dieser nie bedürftig**); 156 sie
kann die interpolation fort, das weggefallene echte nimmer
herbeischaffen; II, 422 die Schweden, weder Norweger noch
Dänen, sagen —; 434 nahe kommt, nicht ganz sie erreicht
(vgl. 4. 261. 329); III, 243 wir alle fallen, ergeben uns
nicht; Urspr. 50 weil er fast nur samen und frucht dar-
reicht, laub und blüte der dichtkunst ihm ganz mangeln;
Reinh. XIII deren milde süße, nicht schon den gekelterten
wein sie mit sich führen; CLI ungern entbehre ich sie, ein
bedeutender nachteil kann für meine untersuchungen nicht
daraus hervorgehen.

   Für „sowol — als auch" oder lat. „et — et" bedient
sich Grimm an vielen stellen der im mhd. und älteren nhd.

---

*) vgl. Vincere scit Hannibal, victoria uti nescit (aber den sieg
zu benutzen versteht er nicht); Ex propinquitate benevolentia tolli potest, ex amicitia non potest (aus der freundschaft aber nicht).

   **) Ein komma ist nicht vorhanden.

gangbaren, heute veraltet klingenden bezeichnung beides
— und, z. b. Gr. IV, 343 er steht aber beides, in un-
reflexiver und reflexiver bedeutung; 433 possessiva stehn
in den liedern beides vor oder *) nach dem subst.; D.
beid. alt. d. ged. 47 da hieb Alebrandur beides, oft und
hart; Reinh. CCLX beides günstig und nachteilig; Rechtsalt. 791 beides an gebotenem und ungebotnem gericht;
Kl. schr. II, 257 beides zu schiffen und särgen werden
bäume ausgehöhlt; Ber. d. akad. 1849 s. 244 beides bald
vor, bald nach setzen; Schmidt V, 454 beides jene aspiration und das F = P; Wtb. 1, 430 beides aber, starke
und schwache form sind schon in der ältern sprache gerechtfertigt; desgl. Edda 247. Altd. w. III, 97. Gr. I², 823.
III, 634. IV, 586. Gesch. 429. Wtb. I, 599. Darf bei diesem gebrauche zugleich an das engl. gedacht werden, so
erinnert ein anderer ausdruck, das gleichsetzende „sei es —
sei es", an franz. weise, z. b. Gr. IV, 23: ihr prät. kann
nicht ablauten, sei es weil — sträubt, sei es weil — vorausgehn; 494 sei es für gewisse adj. —, sei es für verbal-
fügungen; Kl. schr. III, 314 sei es durch steifheit der
übersetzungen, sei es durch verwarlosung. Häufiger steht
im zweiten gliede „oder".

   Unter den konjunktionen des nebensatzes zeigt sich das
alte so im tone der sagen- und märchenhaften erzählung,
z. b. Märch. II, 330 so du heute vormittag kommst; vgl
186. Sag. 1, 130. Edda mehrmals. In konditionaler bedeutung kommt auch wo vor, z. b. Edda 61 wo er ihn jetzt
nicht tödtet, — wo du willst; ferner Sag. I, 207. II, 13.
Edda 50. 54. Ein älteres finales um daß **) ist Kl. schr.
I, 125 (v. j. 1850) nachgeahmt worden: um daß er neben
dem passivum möglich werde; gehäuft heißt es Märch. II.
57: „nun hatte er gehört, wie daß —"; Sag. II, 254
„träumte ihm, wie daß ein engel riefe" ***). Oft begegnet
indem in kausalem sinne (Gr. I², 46. 91. 104. 161. 211),
zudem f. da zudem Meisterg. 128. Gr. II, 698, an zahllosen stellen zumal, ohnehin in eigentlicher adverbialbe-

---

*) als wäre mit „entweder" begonnen.
**) mhd. wtb. III, 180ª. Heyse I, 906. II, 269.
***) Heyse I, 907. Götzinger II. 270. 289.

deutung eins der lieblingswörter Grimms, f. zumal da (Gr.
II, 28. 184. 387. III, 256. 284. 590. IV, 209. 536. 901. I²,
80. 122. 365); vgl. Askania I, 155 zur zeit Christus geboren
wurde. In hervorragender weise wird die kausalpartikel
der folgerung daher als konjunktion des nebensatzes verwendet, z. b. Gr. I², 107 kein umlaut waltet hier, sondern
ein ähnliches verhältnis —, daher es auch nur zuweilen —
eintritt; ebenso 109. 110. 112. 192. 223. 556. 800. 932. 1000.
II, V. 136. 180. 231. 262. IV, 205. 742. 898. 914. 917. 918.
I², 155. 203. 281. 502. Bisweilen tritt dafür darum ein
(Kl. schr. II, 27 heilungen und beschwörungen vorzunehmen
war ein frauengeschäft, darum sieh auch hier 4 hehre
göttinnen des zaubers unterfangen), Meisterg. 182 deswegen, 186 deshalb. Gleiche lage wie daher und an-
nähernden umfang hat die adversativpartikel dagegen,
z. b. Gr. IV, 542 am seltensten erscheinen 7 und 8, dagegen 6 und 9 ziemlich in gebrauch stehn; vgl. III, 2.
633. IV, 346. I², 277. 482. Gesch. 334. 605.

Hauptsatz und nebensatz.

An den eben genannten gebrauch der relativpartikeln
daher, dagegen knüpft sich ihre verwendung im allein-
stehenden satze. An unzähligen stellen beginnt daher,
durch den punkt vom vorhergehenden getrennt, einen satz,
welcher die form des nebensatzes und die bedeutung des
hauptsatzes hat, z. b. Gr. I², 103 Daher diesem ja auch
kein goth. diphthong entspricht, desgl. 567. 823. II,
80. 81. 83. 88. 364. 793. 805. 819. III, 63. 197. 237. IV,
67. 220. 427. 577. 646. 777. I², 219. 399. 469; ebenso dagegen, z. b. Gr. IV, 922 Dagegen wol alle aus part.
prät. gebildeten adv. aba fordern, ferner Meisterg. 128. Gr.
III, 382. Haupt V, 237*). Dergleichen sätze sind nicht zu
verwechseln mit den bei Grimm, wovon später die rede
sein wird, allerdings ziemlich reichlich vorhandenen unab-
hängigen behauptungssätzen, welche die inversion der nebensätze aufweisen. Sie sind und bleiben vielmehr relativsätze,

---

*) hier sogar nach einem absatz.

und es ist im ganzen von geringem belang, welches satz-
zeichen ihnen vorhergeht. Zu vollem beweise dient der
gleiche gebrauch der anderen form des relativs, z. b. Gr.
I², 822 Weshalb ich auch die uralte sonderung und fest-
setzung einer deutschen schwachen dekl. keineswegs unorganisch heiße; II, 650 Wogegen das gleichbedeutige
häufigere unléds stark und schwach gebraucht wird; vgl.
Meisterg. 10. Vuk IV. LII. Gr. I¹, 222. Gesch. 729. Genau
so findet sich die konj. wiewol verwendet, z. b. Gr. II,
939 Wiewol keine composita vorkommen und der ver-
stehende ungebundne gen. ganz etwas anderes ist, ferner
I¹, 154. 586. II, 944. III, 75. 654. 705. Ber. d. ak. 1849
s. 344; selten dafür obgleich (Heidelb. jahrb. 1810 s. 91).
Wem fällt hier nicht das korrektive lat. quamquam ein*)
und im kausalen falle quare, quamobrem, quocirea? Auch
das einfache was und welches tritt satzbeginnend ganz
in der anknüpfenden bedeutung des lat. auf, z. b. Arm. II.
179 Welches**) gott so gefallen, daß —; desgleichen
womit (Meisterg. 81), wobei (Gr. I³, 268), wonach
(III, 668).

Nach weise der volksprache, welche nebensätzen überhaupt wenig geneigt ist, fügt Grimm in dem einfachen tone
märchenhafter erzählung dem subst. statt des relativsatzes
einen hauptsatz mit dem pron. demonstr. hinzu***), z. b.
März. I, 55 es war einmal ein könig und eine königin,
die lebten in frieden mit einander und hatten zwölf kinder, das waren aber lauter buben; 60 daß ein könig in
dem walde jagte, der hatte einen großen windhund, der
lief zu dem baum; 205 es war ein mann der hatte eine
tochter, die hieß die kluge Else; Edda 41 er gieng zur
Ran, die gab ihm ihr netz, damit eilte er —.

Wie hier die logische unterordnung grammatisch beigeordnet, so tritt umgekehrt aber viel häufiger die logische
beiordnung in der form eines relativsatzes auf†); vgl. Sag.

---

*) vgl. Krüger §. 606 n. 2.

**) Quod oder quae res.

***) Götzinger II, 283.

†) Lehmann 85. Götz. II, 521. Im lat. hat derselbe gebrauch besondere geltung, z. b. Multas ad res perutiles Xenophontis libri sunt,
quos legito (daher lest sie); vgl. Krüger s. 736.

I, 22 einmal besuchten ihn drei nachbaren, denen er von seinem gnadentrunk zubrachte und die ihn so trefflich fanden; 172 denkt nicht, daß dort das zaubergerät liegt, das er findet und womit er sie tödtet; Kuhn I, 207 baten ihn das meer auszutrinken, der auch ihre bitte erfüllte; Haupt III, 153 die zwei ersten machen sich ohne Erpr auf die fahrt, den sie unterwegs finden und befragen; Gött. anz. 1830 s. 270 stach unterwegs einem verbrecher ein auge dazu aus, denn er muste dem könig zwei augen vorzeigen, der ihre verschiedenheit doch erkannte; 1863 s. 1363 aus chinesischen büchern ist jetzt bekannt geworden, daß unter den Buddhisten einfache und geschickte fabeln im schwang giengen, deren neulich eine schöne reihe Julien herausgegeben hat; Reinh. CIII er leitet ihn und die wölfin in einen klosterkeller, die sich bornuschen; CXXIX Grimbert geht den angeklagten zu holen, der eine rede für seine unschuld hält; CXXXII nun hieß R. den rüden feuer anmachen und die wolfshaut waschen, der ihm demütig folge leistet; Myth. I, 426 der jäger befahl dem schützen ihn fest zu nehmen, der sich aber weigerte; Ber. d. ak. 1850 s. 115 zwei kollegen sagen, daß bei Hesych, Petron und Apulejus formeln des feuerrufs stehn, nach denen ich aber vergebens gesucht habe; Kl. schr. II, 72 daß er sie auf den schultern tragend einen steilen berg ersteige, der nun zwar mit den letzten kräften seines lebens die höhe erreicht; III, 263 dabei gerät ihm der schwanz in die spalte, den der holzhauer faßt*).

Wieder ein umgekehrtes verhältnis offenbart sich, wenn ein dem gedanken des relativsatzes logisch beigeordneter gedanke nicht zum grammatischen ausdruck gelangt, d. h. in der form eines hauptsatzes auftritt**), z. b. Edda 145 welches — zwar sinn gäbe, aber beßeren gewährt die abänderung; Märch. I, 216 ein tischchen, das gar kein besonderes ansehen hatte und von gewöhnlichem holz war, aber es hatte eine gute eigenschaft; Sag. II, 211 der dir viel lust und scherz brachte, und konnte dir wol dein

---

*) Zu der durch die stellung hervorgebrachten schwierigkeit der beziehung des relativs vgl. weiter unten.

**) Lehmann § 39.

leid vertreiben; Wien. jahrb. 28, 24 welches letztere die
mhd. sprache noch nicht einmal kennt und auch der isl.
gen. pl. — scheint nicht sehr alt; Myth. 5 andernteils
zerstörte und unterdrückte die frömmigkeit christlicher
priester eine menge heidnischer denkmale, gedichte und
meinungen, deren vernichtung historisch schwer zu ver-
schmerzen ist; allein die gesinnung ist tadellos,
welche uns ihrer beraubt hat; Wtb. I, VIII den wörterbüchern anderer landessprachen, die von gelehrten gesell-
schaften ausgegangen — sind, wie es in Frankreich, Spanien, Dänemark geschah; heute befaßt zu Stockholm
die vitterhets academie sich mit einem schwedischen; Lat.
ged. 56 welche ausgabe jedoch den Karlsruher codex lange
nicht treu darstellt, sondern Molter hat vieles aus C;
Kl. schr. I, 166 welche neigung uns noch bis ins erste uni-
versitätsjahr begleitete, hernach muste sie zurückstehen;
II, 354 aus dem beginn des 12. jahrh., bis wohin unsre ge-
schriebnen Nibelungenlieder nicht mehr hinaufreichen, doch
werden andre, und schon ältere, im munde des volks ge-
lebt haben. Man betrachte ferner folgende stellen, wo der
eintritt des hauptsatzes gleichen eindruck macht: Haupt II,
253 man wird denken dürfen an Folsbrunn auf dem Steiger-
wald — zwar in einer später zu Franken gerechneten gegend, doch früher konnte er wiederum zu Thüringen
gehören; Rechtsalt. 383 viele naturallieferungen verwandel-
ten sich zwar mit der zeit in geldabgaben, aber in die
mannigfaltesten und nicht nach den köpfen wurden
sie eingenommen; Reinh. III von andern befürchtet er
übel und nachteil, noch weit größern, als ihre natürliche
fähigkeit ihm zu schaden mit sich führt, allein er traut
ihnen zauberkräfte zu; Myth. 411 entweder in der absicht
dem sommer zu helfen und mit auf den feind loszuschlagen,
oder es können auch —; Gesch. 15 die sage von der
hünenjungfrau, die verwundert auf einen ackernden stieß
und ihn samt pflug und rindern in der schürze als artiges
spielzeug heimtrug: doch der alte hüne schalt und hieß
—; Gr. IV, 247 in welcher stelle — darf, und dann entspringt eine persönliche konstr.; Wtb. I, LXII vor hundert jahren setzten alle Schweden ein W, wo sie heute einfaches V schreiben, die Finnen sind bereits so klug

dasselbe zu tun*); Myth. II, 860 deren erfindung ihrem
höchsten gott Wäinämöinen gehört, und er vertritt überall
unsern Wuotan; Haupt IV, 504 da verwandelte er sich in
einen großen stein, welcher noch — aufrecht steht, und
der stein — liegt daneben; — sie melkt ihr vieh, das
aber blutrote milch gibt, und wo etwas davon aufs feld ge-
sprengt wird, erscheint dieses ganz versengt; Liebrecht XVIII entsendet erkundigende boten, denen jedoch
die katze voran eilt, und sie weiß es dahin zu bringen,
daß —. Endlich kommt auch innerhalb zweier nebensätze
ein zwiespalt logischer und grammatischer koordination vor,
z. b. Myth. 241 man erzählt von einem schwan, der auf
dem see eines hohlen berges schwimmend im schnabel einen
ring halte, und wenn er ihn fallen laße, gehe die erde
unter; I, 519 die Esthen erzählen von einem riesensohne,
der mit hölzernem pflug grasreiche länder furchte, und daß
seit der zeit kein halm auf ihnen wachse**).

Bekanntlich ist es der deutschen rede in hohem grade
geläufig, einen inhaltsatz, dem nach seinem grammatischen
verhältnisse die abhängige form gebürt und in den meisten
sprachen verliehen wird, als beigeordneten hauptsatz auftreten zu laßen. Wenn sich indessen dieser gebrauch ohne
zweifel weit eher und häufiger im tone der einfachen und
gemütlichen unterhaltung als in dem sorgfältiger ausgear-
beiteten schriftstil findet, so darf Grimms vorwiegende neigung zu demselben in dieser richtung beurteilt werden. Es
kann hier nicht auf mitteilung einer menge von beispielen
ankommen, gewöhnliche stehn auf allen seiten; nur einige
hervorragende mögen namentlich auftreten: Gr. I², 111 man
kann annehmen, die denkmäler, welche im ablaut ia
zeigen, haben auch im ablaut ua, hingegen dem io
stehet uo zur seite; III, 32 ich wiederhole äinshun
drückt — aus***); IV, 28 wir lernen hieraus, das medium ist —; I³, 162 soviel erhellt, ii scheint - ; 536

*) natürlich nicht W, wie die konstruktion angibt, sondern, was
der sinn verlangt, V zu schreiben.
**) Götzinger b. 4, § 15.
***) Man halte den angefügten satz nicht etwa für direkte rede,
obgleich zwischen beiden verhältnissen ein ursprünglicher zusammenhang nicht zu verkennen ist.

man darf nicht verkennen, am treusten wahrt die altn.
sprache —; Kl. schr. I, 201 wir gewahren erst dem
höheren alter war es beschieden —*); III, 326 von
selbst versteht sich, das darf —; Gesch. 810 es ist möglich, die Daken hatten —; Märch. I, 473 und fällt keinem
von uns ein, ein lamm hat ja kein herz.

Das verhältnis kehrt sich um, wenn ein solcher inhaltsatz die rede beginnt: der durch den andern satz ausgedrückte gedanke hat alsdann den wert einer nebenbemerkung, und seine adverbiale bedeutung wird insgemein durch
„wie" eingeleitet. Anstatt dieser untergeordneten form bedient sich nun Grimm sehr gern wiederum eines hauptsatzes, den er am liebsten als zwischensatz einfügt, z. b.
Gött. anz. 1826 s. 1033 dort, hält es herr Rhesa für
wahrscheinlich, können —; Gr. I³, 545 bairan und
faura, ließe sich einwenden, sind —; 566 die reduplikation, sahen wir, ist —; Weist. IV, IV aus deren bekanntmachung seiner regierung, fürchtete er, nachteil er-
wachsen könne; Kl. schr. I, 166 auch unsre letzten bette,
hat es allen anschein, werden wieder dicht nebeneinander gemacht sein; II, 280 wie sie, wir wollen annch-
men, zur zeit des 9. jahrh. galt. Die zwischengesetzten
worte können sich auch bloß auf einen teil des hauptge-
dankens beziehen, z. b. Liebrecht VII hatte Straparola eine
anzahl solcher — märchen, man muß es gestehen, breiter
und weniger lebhaft vorgeführt; Kl. schr. II, 414 willkommen begegnet die göttin Tarau jener Jumjô —, wir werden bald sehen, noch andern; Ber. d. ak. 1852 s. 213
die männer einer rheinischen, es erhellt nicht ob unmittelbar am strom oder in der umgegend gelegnen burg.
Die adverbiale bedeutung wird durch den mangel der interpunktionszeichen veranschaulicht; vgl. Merkel XIII da im
hohen alterum ich glaube keinem gericht der aufgehangen
schild fehlte; Schmidt II, 271 da es noch jetzt viele schreiben und glaube ich sprechen; Merkel VII aus symboli-
schem, es scheint ganz ähnlichem branch**); Wtb. III, 937
in den Niederlanden und scheint es auch in Westfalen;

---

*) ohne komma.
**) Das komma dient natürlich einem andern zwecke.

Kl. schr. I, 347 allheitfuhrwerk oder was weiß ich sonst
für ein geradbrechtes wort; Schmidt II, 270 dem in n. 118
— und wer weiß öfter genannten Fridericus Sniphard;
Gesch. 721 worin kein deutscher, ich weiß nicht ob
finnischer anklang ist*); 776 deren schwester Gôi Rask,
ich weiß nicht ob glücklich, zum finnischen koi hält;
Kl. schr. I, 231 ein vaterlandliebendes, ich will hoffen
einmal stolzeres volk; II, 335 niemand aufweckend, ich
besorge eher einschläfernd.

Satzglied und satz.

Jede beiordnung, welche sich nicht auf gleichartigkeit
und übereinstimmung der form gründet, wird nach dem
urteil der grammatiker für unschön gehalten; in vorhergehenden abschnitten und namentlich bei der betrachtung
der relativsätze ist mancherlei dahingehöriges herangezogen
worden. Wol am weitesten erstreckt sich die beiordnung
eines nebensatzes, er sei von welcher art er wolle, und eines
bloßen satzteiles oder gliedes**), eine verbindung der sich
Grimm an ungemein vielen stellen überlaßen hat, z. b. Gr.
II, 92 bei jeder ableitung ist teils ihr wesen an sich und
welche veränderung sie allmählich erfahre, teils
aber zu untersuchen, womit sie sich verbinde; III, 201
es für komparativisch zu halten verbietet sowol eben seine
anwendung in erster reihe, als daß es nicht S oder
Z lautet; IV, 65 wegen des drivande and dregande
und weil man sich unter fahrendem schatz frühe
schon nicht bloß vich sondern auch getreide
dachte; I³, 199 hierher gehört auch nuo für nû, daß
die schreiber fuost für fûst setzen; Ber. d. ak. 1859
s. 421 Freids begier nach dem geschmeide und wie
sie es von den zwergen erwarb; Wtb. III, 1412 mehr
hiervon und ob es sich auch mit fahan faifah berühren könne, unter fûgen; Gött. anz. 1826 s. 1909 merkwürdig ist ihre freude am gesang und daß sie ihn

---

*) Abgesehen von dem bekannten gebrauch im lat. vgl. mhd. wtb.
III, 788.

**) s. Lehmann 74, Wigger, hochd. gramm. (Schwerin 1859) s. 140.

den menschen in ihrem bezirk neidisch unter-
sagen wollen; Gesch. 129 das opfertier und daß seine
frisch abgezogne haut mit dem baaren fuß berührt
werden muste, vermittelte —; Kl. schr. I, 140 ob ahd.
hêr im goth. lauten müste hair oder hais bleibt und
die berührung mit haiza unsicher; Andr. u. El. 121
diese alte schreibung und daß die alliteration auf
b, niemals auf s fällt; vgl. Gr. I¹, 590. I², 217. III,
193. 651. IV, 492. I³, 492. Ber. d. ak. 1859 s. 256. Gesch.
236. 740. 778. Myth. 195.

Befinden sich unter den früher vorgeführten konstruktionen mit dem attributiven partizip mehrere, statt deren
nebensätze gefälliger erscheinen, so ist jetzt der ungleich
bedeutendere fall zu berücksichtigen, daß von einem dem
subst. eingeordneten part. oder adj. ein nebensatz abhängt*).
Grimm schreibt, vielleicht im hinblick auf das vermögen
anderer sprachen z. b. der lat., Myth. 98: dem zürnenden
gott, als die kämpfenden Heruler ihren gegnern unterlagen;
II, 1217 die sage von dem entweichenden hausgeist,
sobald ihm lohn geboten wird; Sag. II, 88 warfen sich
nieder zu boden, mit aus der scheide gezogenen schwer-
tern, damit — sie sich alsbald wehren könnten; Gesch.
744 mit den von Tacitus, als er nach den Suionen des —
bernsteins ausführlich gedacht hat, noch erwähnten Si-
tonen; Wtb. I, LXV immer in treffender, lehrreicher, auch
dann noch brauchbarer auswahl, wenn —; vgl. Gr. I²,
1063 der längere haft des -m 1. präs. sing. im krain.
und serb., während es im altslav. und russ. verschwindet;
IV, 273 von dem persönlichen pron. es neben dem verbo
der 3. person, auch wenn ein männliches — subj. im satz
erscheint; Rechtsalt. 489 jenem heiteren sprung des alten
vom felsen, nachdem er den kindern alle seine habe verteilt hat. — Ein zweiter fall betrifft folgesätze, die sich auf
ein mit so verbundenes attributives adj. beziehen, z. b.
Sag. II, 54 soll so lange füße gehabt haben, daß sie das
maß eines menschlichen ellenbogens erreichten; Myth. I,
284 Freyja besitzt -- ein schönes und so starkes ge-
mach, daß — niemand — konnte; 543 Zeus sandte so

---

*) Götzinger II, 478.

mächtigen regen, daß Hellas überschwemmt wurde;
Wien. jahrb. 28, 44 er muß in dem immer so lebendigen
und häufigen gebrauche der partikel „ab", daß sich
„von" auch nicht später eindrängen konnte, gesucht werden; Rechtsalt. 616 diesem grausamen recht begegnen alte
bis ins mittelalter fortgepflanzte, aber so verschieden
davon gestaltete sagen, daß sie notwendig aus anderer
quelle hergeflossen sein müßen; Kl. schr. II, 1 enthob mich
allen zweifeln ein jüngst gemachter so überraschender
fund, daß dessen — bekanntmachung — im stande sein
wird; III, 410 eine so beträchtliche menge, daß unmöglich nur die auffallendsten beigebracht werden könnten,
gibt es —; Wtb. II, 372 die hirten flochten wol so enge
gefäße, daß sie auch waßer hielten; III, 1815 eine kette
mit so feinen gliedern, daß höhe daran gelegt werden
können. Ueberschaut man diese stellen, so begreift man
nicht, was an ihnen misfallen dürfe. Zwar der vorletzte
satz gibt vielleicht einen geringen anstoß, allein nicht wegen
der konstruktion, die den übrigen äußerlich gleich steht,
sondern mit rücksicht auf das subjektspronomen des nebensatzes. Es kann daher die regel, nach der sogar die verbindung: „Ali Baba hatte eine eben so arme frau geheiratet,
als er selber war" für falsch ausgegeben wird*), in ihrer
allgemeinen haltung nicht als richtig anerkannt werden; zu-
geben mag man, daß in manchen fällen, deren jeder für
sich zu beurteilen ist, ein relativsatz der überschaulichkeit
beßeren dienst als das bloße adjektiv leistet.

   Wenn sich eine größere zahl einander eingefügter beziehungen, seien es attributive, objektive oder adverbiale,
im satze häufen, so läuft derselbe, zumal wenn nicht durch
angemeßene nebensätze nach abwechselung gestrebt wird,
sowol in formeller als materieller hinsicht leicht gefahr
schwerfällig zu werden**). Auch Grimms stil, namentlich
in seinen älteren schriften, offenbart proben dieser überhaupt
sehr verbreiteten weise. Der abhängigkeit eines genitivs
von einem andern gleichartigen sowie der häufung mannig-
falter beziehungen auf den subst. inf., insbesondere der

---

*) von Götzinger II, 466.
**) vgl. Götzinger II, 484. Lehmann 29.

durch partizipialkonstruktion vermittelten gedrungenheit des
ausdrucks ist in früheren abschnitten gedacht worden; hier
folgen allgemeinere beispiele derselben gattung, an deren
jedem sich nachweisen läßt, wie durch erweiterung eines
satzgliedes zu einem satze die auffaßung allerdings erleichtert werden könne: Gr. I², 748 mit zuweilen rückkeh-
rendem tiefton auf den bildungsvokal bei langer
wurzel; III, 630 scheinen aus superlativen der ST
form gebildete komparative der R form zu einer
zeit, wo —*); IV, 940 nachdrucksame wiederholung
der schon im acc. ausgedrückten person nochmals
durch den dativ**); Wien. jahrb. 32, 248 die möglichkeit getreuer, vollständiger aufnahme einer eben
gehaltenen predigt aus dem bloßen gedächtnisse
durch einen fähigen zuhörer; 46, 215 die abweichung des plur. des pronomens zweiter person im
gothischen von allen übrigen späteren mundarten;
Altd. bl. I, 418 die aus irgend einem uns jetzt ver-
borgenen grund damals dem volksgefühl anstößige
vergabung der abtei Erstein an die aus Italien
nach Deutschland mit Ottos gemahlin Adelheid
gezogene, der geburt nach burgundische königs-
mutter; Myth. II, 794 mit der reise der seelen zu
schiff über den strom oder das gewässer der unterwelt; 1140 das opfer der jungen kuh im heiligen
feuer bei vichsterben; Gesch. 802 stütze für das
dasein germanischer bevölkerung auf getischem
grund und boden zur zeit des ersten jahrh. oder
früher.

Unvollkommenheit der satzkonstruktion.

Seltener als man erwarten sollte kommen in Grimms
schriften störungen der satzform in dem sinne vor, daß
eine begonnene konstruktion verlaßen und mit einer andern

---

*) Die beziehung des adverbialbegriffs „zu einer zeit, wo —"
auf das part. gebildete ist mit s. 162. 203. 236 abgehandelten konstruktionen zu vergleichen.

**) vgl. s. 206.

vertauscht wird. Wo sich dies findet, herscht im allgemeinen ein volkstümlicher ton, dem solche weise angemessen
ist, z. b. Edda 43 Reigin schmiedete dem Siegfried ein
schwert, Gram genannt, so scharf, daß wenn er es hinab
in den Rhein steckte und ließ eine wollenflocke auf dem
strom dagegen treiben, so schnitt es —; vgl. Sag. II, 87
ich mahne dich, wenn du heut nacht die pferde in den
stall gebracht hast, so laß —. Dergleichen anakoluthie
kann auch wol in die einfache und natürliche form wißen-
schaftlicher mitteilung einfließen, z. b. Gr. IV, 446 vielleicht läßt sich annehmen, wenn Ulf. die letzte goth. formel — übersetzt, so berücksichtigt er —*). Von anderer art und für sich zu beurteilen ist Gr. IV, 556: „zu
dem goth. alls, welches keinen art. unmittelbar vor,
wol aber nach sich leidet, sondern das artikulierte
subst. entweder vorausgehn oder folgen läßt, muß auch —".
Freilich befremden im ersten augenblicke die beiden einander das recht streitig machenden gegensätze; man wird
aber sofort wahrnehmen müßen, daß es nur auf den zweiten
ankommt, der erste eine bloße nebenbemerkung enthält,
die sich aus den nachfolgenden worten sogar buchstäblich
von selbst versteht.

Von der früher besprochenen unterdrückung eines für
die grammatische vollständigkeit notwendigen, dem logischen verständnis entbehrlichen satzteiles unterscheidet sich
der vereinzelt vorkommende, zum teil wol aus flüchtigkeit
entsprungene mangel des prädikats, insofern er weder durch
den grammatischen zusammenhang der rede noch etwa die
gewohnheit redensartlicher ausdrücke ersetzt werden kann,
sondern der ergänzung des urteils und der vermutung anheimfällt. Wenn es Wtb. 1, 1054 heißt: „als nhd. der
falsche grundsatz, alles fremde, ohne gefühl für die gewohnheit der eignen laute, unangetastet bestehn zu laßen, suchte
man die P herzustellen", so fehlt dem vordersatze das prädikat, etwa „aufkam, durchdrang"; vgl. Kl. schr. II, 319
„weshalb auch, da sie ihren gegenstand nie aus dem

---

*) In diesen beiden letzten stellen folgt auf den vorausstehenden
hauptsatz gewissermaßen direkte rede; vgl. s. 233.

auge verliert und alles andenken für unauslöschlich, für
oder gegen sie kein eidschwur nötig, kein meineid straf-
bar ist".

Maß des ausdrucks.

Die eigenschaft der kürze, sparsamkeit und gedrungenheit, welche in der allgemeinen charakteristik des grimmschen stils hervorgehoben worden ist, hat sich bei vielen
anläßen der verschiedensten abschnitte sowol der wortbildung*) als der syntax**) in hohem grade offenbart. Unter
voraussetzung dieser mannigfaltigen beweise und ihres ge-
samteindruckes wird es angemeßen sein innerhalb der sätze
und ihrer konstruktionen eine reihe von beispielen zum
teil abweichender art zu betrachten: Märch. II, 126 Aber
wies in der welt geht. An damselben tag —; Reinh.
CCXCIV. Ber. d. ak. 1854 s. 698. 1861 s. 838 wie not
darum; Gr. I³, 508 hier aufgezählt, weil schon altn. dyrka;
Myth. XVII statt aller einen; Kl. schr. II, 20 der schreiber
wuste nicht recht wie; 324 wie aber Amor? Wien. jahrb.
46, 221 auch nicht in freihals, wovon vorhin: aus der par-
tikelzusammensetzung hier nur weniges; 70, 38 vilvs, raptor,
merkwürdig, weil Luc. 18, 11 der schwachformige pl. vil-

---

*) Nachgewiesene wörter wie kunft, wohner, hürtig, halden,
sonders, raumschwendend laßen sich durch eine menge anderer
vorzüglich aus dem bereiche der verben vermehren, z. b. fläche (oberfläche, in übertragener bed.) Kl. schr. I, 82, schwieger Gesch. 568,
längerung Gr. I³, 580. I³, 92. 307, leitung (ableitung) I³, 87, eig
neu (zueignen) Kl. schr. II, 355, gebren Edda 13. 16. Schlegel I,
410, gelten (vergelten) Schlegel I, 402, sich gießen Gesch. 574, bal-
sen Sag. II, 298, hören (gehören) Altd. w. I, 325. Sag. II, 81. Gr.
I³, 121. 155. 217. I², 227. 293. II, 27. 37. 46. 98, kor (v. kiesen
Rechtsalt. 503, laugen (gelaugen) Sag. II, 26, lehnen (entlehnen)
Vuk LI. Gesch. 221, mißsen (vermissen) Altd. bl. II, 138. Savigny II,
50. Myth. I, 196, mögen (mit zu) Sag. II, 93, raffen (hinraffen) Myth.
II, 1135, richten (abrichten) Gesch. 48, schwichtigen Edda 169.
Kl. schr. II, 111, sich splittern Gesch. 833, wandeln (verwandeln)
Gr. I³, 47. 66. 70. 72. 73, weichen (abweichen) 761, weisen (nach-
weisen) 96. 628. II, 254, zehren (verzehren) Kl. schr. II, 402, zeugen
(bezeugen) Gr. II, 376, ziehen (beziehen) IV, 229. Wtb. I, 271.

**) Hier sind die konstruktionen mit dem partizip, mit dem prono-
men und der abschnitt vom artikel hervorzuheben.

vaus, raptores, im nom.; Gr. IV, 440 Spanier und Franzosen
ohne artikel mi padre, mon père; I², 899 bleibt im präs.
zwölfter vor mm, nn etc.; im zehnter, eilfter nur vor —;
I³, 197 druowe onus, fructus vermute ich, ohne beleg; 296
mnl. besinne ich mich nicht darauf; Meisterg. 66 merkwürdige, hier zu weit führende hindeutung*); Kl. schr. I, 303
vgl. Suet. Oct. 7 und Festus, es scheint mit absicht, gleich
im beginn; Wtb. I, XI wer reiche beiträge einschalten will,
muß die stelle wohin vor augen haben; III, 209 wenn —
unausgedrückt bleiben soll, wie viel einzelne den zwanzigen
noch hinzu; Gr. I², 327 fällt aber das v zuweilen aus, so
—; III, 348 zwischen thollr und thöll sehe ich kein mo-
tionsverhältnis, vielleicht aber zwischen ûvo und inwila;
I³, 468 denen ich zu Andr. 50 das ags. segel vielleicht ein
ahd. sahil, sagil beigeselle; IV, 822 Graff stellt sie zur
wurzel râwa: unglaublich**), schon weil —; 379 den bestimmenden artikel, gegenüber dem bestimmten, durch das
suffix; Reinh. CVI diesen geleitet R. in ein haus nach
mäusen; Kl. schr. II, 297 der sterbende, wenn ein Südra,
wird —; Gött. anz. 1841 s. 352 weniger, wenn der könig
einen in nutrition nahm, als wenn in sein förmliches mundium; Gr. I³, 109 wer in, schreibt auch un; wer io, desgleichen no; 389 da warm mit a nicht â ausgesprochen wird,
muß auch worm mit o, nicht â; Gesch. 66 wie den gaul
der haber sticht, könnte er auch den bock; 504 wer noch
eyer, may schreibt, kann auch Bayern und laye; 876 jene
keltische eigenheit die reduplikation für transitiva zu gebrauchen, wie unsere sprache den ablaut; Rechtsalt. 586
des voraus, welches einige — landrechte — überlebenden
ehgatten bewilligen; Lat. ged. 54 zu Tull besaß man in
11. jahrh. ihrer zwei, hätten sie sich erhalten, jetzt die
ältesten; Gr. II, 77 wo — ausspreitung eines geistigen ganzen, je näher wir ihm treten, lebhaftere bewunderung weckt;
III, 252 sind entweder solche, die nur einen konsonant oder

---

*) deren genauere berücksichtigung hier zu weit führen würde.

**) Dies wort bezweifelt nicht die wirklichkeit der ableitung, son-
dern ihre richtigkeit; vgl. Gött. anz. 1841 s. 354 vergleicht zu ham
das goth. ams humerus, woran wir billig zweifeln; Haupt VII, 561
Falke — setzt Scheverlingen in die grafschaft Snalenberg, was ich
noch bezweifle.

zwei enthalten; IV, 851 hieraus erhellt, wie nahe sich —
liegen, zugleich aber in umpi ein und — ἀντί enthalten
sei*); Wtb. I, II das schien sie zwar zu erleichtern und
verteilen; Kl. schr. I, 211 sich zu verjüngen und erweitern;
Jahrb. f. wiß. krit. 1841 s. 809 sie zu begleiten und be-
schirmen; Altd. w. I, 108 so dauchte Heimen, als hinter
ihm herführe**); Arm. II. 128 jene werden gebeten, diesen
geboten.

Wenn in einem viel geringeren grade, wie zu erwarten
stand, bisher veranlaßung gewesen ist auf überfluß oder
wiederholung des ausdrucks das augenmerk zu richten***),
so bedarf es an diesem orte einer zusammenfaßenden vor-
führung von stellen, in denen jene merkmale entgegentreten.
Bei der frische und ungezwungenheit eines stils, in welchem
sich sehr häufig die einfachste und natürlichste weise des
gewöhnlichen lebens widerspiegelt, kann es nicht wunder
nehmen, daß bisweilen wörter gebraucht werden, die zur
grammatischen und logischen vollständigkeit der rede mehr
oder minder überflüßig erscheinen; sie haben keinen rhetorischen charakter und stehen meist ohne nachdruck, weshalb
sie der eigentlichen absicht entbehren und wol großenteils
unbewust aufgenommen sind. Als dergleichen pleonasmen
kann man bezeichnen: N. lit. anz. 1807 s. 682 lediglich
nur; Ber. d. ak. 1854 s. 697 allein — dennoch; Wien.
jahrb. 46, 214 eine abkürzende aphäresis; Altd. w. I,
5 seinen zweien zwillingskindern; 177 daß meiner
ansicht nach der acc. vermutlich — haben wird; II,
156 was er zum grund unterlegte†); Savigny I, 337
häufig — pflegt; Lat. ged. 72 pflegt — gewöhnlich;
74 die schnellheit des raschen streites; Gr. I², 520
nahe neben; Michaelis 44 kleine vorteilchen (vgl. Gr.
III, 664); Wtb. I, 1664 der aufenthaltsorte, wo sich
das schiff befindet; III, 483 einer weiblichen vorfahrin; Kl. schr. 1, 227 alte jungfern, die nicht geheiratet haben; vgl. Hermes 1819, II, 32 eine sprache mit
einförmigen gliedern und regeln würde so wenig wie der

---

*) vgl. Gützinger II, 271.
**) „er hielt als er sliefe" (Parz.).
***) Das meiste der art hat das pronomen geboten.
†) vgl. in demselben sinne „unterlegen" Gr. IV, 721. 911.

anblick einer langweiligen*) stadt mit schnurgeraden
gaßen und häusern einer höhe auf die länge befriedigen;
Gött. anz. 1841 s. 358 einem bisher unerhörten worte,
das keins der bekannten monologien liefert. In einem gegensatze zu vorhin verzeichneten zusammenziehungen befindet sich die auch an sich ziemlich ungewöhnliche wiederholung desselben wortes innerhalb zweier sätze: Gr. II,
308 es darf weder für manags, grêdags stehen maneigs,
grêdeigs, noch für mahteigs, gabeigs stehen mahtags, ga-
bags**); Myth. 443 war die figur weiblich, so trug sie
ein knabe, war sie männlich, trug sie ein mädchen; vgl.
Jornand. 48 sicher setzt Jornandes den Zamolxes bloß
darum in die zeit, wo seiner vorstellung nach die Gothen
in Thrakien und Dakien niedergesessen waren, bloß darum,
weil —***). Partikelhäufung begegnet Kl. schr. I, 65. 109.
Wtb. III, 833 bis auf heute, Kuhn I, 82. Abh. d. ak. 1858
s. 81 bis auf zuletzt; Liebrecht XX erst so pflügt er seinen acker, März. II, 136 sonst so †) wollt er ihm und
seiner tochter das leben nehmen, Schlegel I, 408 schnell
so griff er seinen stock. Zum teil, d. h. mit rücksicht auf
jetzige regel und gewohnheit, kann mit der wiederholung
der verneinung nach negativen verbalausdrücken ein verhältnis verglichen werden, welches durch folgende beispiele
vertreten ist: Gr. I¹, 609 mutmaßung, daß — gehabt
haben werde; Vuk VIII annahme scheint, daß sie —
genommen haben werden; Ged. d. mitt. 25 nicht zu bezweifeln, daß er — angesetzt haben werde; Pfeiffer I,
23 mutmaßen, daß — bestanden haben werde; Wigand

---

*) Dies wort konnte fehlen.

**) Der zufällige äußere grund, welcher hier in beiden völlig glei-
chen lagen der sätze die zwischenstellung eines wortes veranlaßt zu
haben scheint, liegt am tage. Nicht minder begreift sich, weshalb
Gesch. 565 wiederholt wird: „nur sie gemeint haben kann er unter
den Sueven, die er als nachbarn der Cherusken im hakenischen
walde schildert, unter den Sueven, von welchen er 4, 16 die Ubier
gedrängt werden läßt". Jedoch sind die fälle verschieden: der erste
sieht Grimm eigentlich nicht gleich, im zweiten wäre durch die unter-
lassung das vorständnis irregeleitet worden.

***) Kl. schr. III, 222 ist das erste „bloß darum" gestrichen.

†) der volkssprache, auch der niederd., bekannt.

16*

1, 2, 79 es darf kaum bezweifelt werden, daß die dichtung bald nach 1150 verfaßt sein müße.

Was man häufig, aber im grunde wenig gerechtfertigt, ebenfalls pleonasmus nennen hört, die wiederholung eines durch zwischensätze ferne gerückten begriffs, ist ein der deutlichkeit und leichteren übersicht, vom falle des nachdrucks ganz abgesehn, geleisteter dienst, daher keineswegs überflüßig. Nicht oft hat Grimm veranlaßung gehabt auf solche weise zu wiederholen; vgl. Urspr. 20 Wäre das der fall, so würde ich nicht abgeneigt sein, weil solche eigentümlichkeiten sich vererben können, wie einzelne gebärden und schulterdrehungen unbewust vom vater auf den sohn übergehn oder geschwister häufig dieselbe anlage zum gesang empfangen haben, ich würde also geneigt sein —. 33 Vorausgeschickt werden muß jedoch in aller kürze, ob, ganz abgesehn von dem hier noch bei seite bleibenden problem, in wie fern die grundverschiedenen sprachen der erde auf eine erste bildung oder nur auf mehrere bildungen sich zurückführen laßen, ob man auch da —. Kl. schr. 1, 267 Da nun aber die leibesorgane mehrerer tierarten den menschlichen gleichen, so darf nicht befremden, daß gerade unter den vögeln, deren sonstiger bau weiter als der säugetiere von uns absteht, die uns aber in aufrechter haltung des halses näher kommen, darum auch wollautige gesangstimmen haben, daß vorzugsweise papageien, raben, stare, elstern, spechte im stande sind — nachzusprechen*). Wtb. 1, VI Von Klopstock, den das altertum und die schöne unsrer sprache entzündete, der ihre grammatische eigenheit fein herausfühlte und in Kopenhagen leicht hätte an die nordische lautere quelle näher treten können, von ihm wäre —.

Fragt es sich darnach, ob in dem stile Grimms ausgedehnte perioden, sogenannte lange sätze, mehrfach zusammengesetzte und verwickelte konstruktionen u. d. gl. zu gewissen zeiten sich in besonderem grade bemerkbar gemacht, zu andern nachgelaßen zu haben scheinen; so kann darauf ebenso wenig eine bestimmte antwort erwartet und erteilt werden als auf die frage, in welchem verhältnisse

---

*) zugleich, wenn man will, ein anakoluth.

der kurze und einfache ausdruck, die übersichtlichkeit des
satzganzen und was dahin gehört der zeit nach stehe. Hervorragende erscheinungen beider gegensätze laßen sich vom
anfang bis zum ende nachweisen. Aber der anerkannte,
nicht zum geringsten teile auch durch den stoff hervorge-
rufene unterschied der darlegung, insofern es sich um den
mehr allgemeinen und unbestimmten eindruck handelt, den
sie auf den leser ausübt, bleibt bestehen. Aeltere schriften,
abgesehen von denjenigen welche sich im eigentlichen volkstone bewegen und daher einer gesonderten beurteilung unterliegen, sind von einer gewissen dunkelheit, schwerfälligkeit
und sorglosigkeit des ausdrucks und der satzfügung nicht
freizusprechen; unter den neueren geben vornemlich eine
reihe herlicher abhandlungen, aufsätze, reden und vorreden,
welche nicht ausschließlich wißenschaftlichen sondern zunächst oder großenteils persönlichen, allgemein verständ-
lichen und ansprechenden gegenständen gewidmet sind, von
allem adel, den die deutsche sprache unter der pflege eines
mächtigen geistes zu entwickeln vermag, ein glänzendes
und unverwüstliches zeugnis.

Unterdessen mögen aus einer menge · herausgegriffene,
verschiedenen zeiten angehörende proben eines weit er-
streckten satzbaus der bloß grammatischen beurteilung an-
heimgestellt werden: N. lit. anz. 1807 s. 680 „Auf jeden
fall, weder diese nachläßigkeit, noch der austand, daß Vogt
(in der vorrede seiner in Jena befindlichen meisterlieder-
samlung) übrigens zwischen Walther v. d. Vogelweide und
dem mönch von Salzburg einen Cunz Bromberger (da er
sonst Reinmar von Breunenberg heißt) anführt, welches
letztere vielleicht noch einmal aufgeklärt, oder aus der un-
verläßigkeit der vogtischen angaben überhaupt erläutert
werden kann, — vermag die evidente kraft dieses beispiels
umzustoßen". Altd. mus. II, 313 „Von innern schwierigkeiten, die Reinwalds ansicht entgegenstehen, erwähne ich
hier nur der einen, daß man gar nicht begreift, wie Ha-
dubrant, der früher von seinem weggezogenen, schwerlich
mehr lebendigen vater ganz deutlich geredet, nun auf einmal auf seinen (angenommenen) vetter zu sprechen kommt,
welches alles an ein sehr zweifelhaftes ihm, him geknüpft

wird, wofür dazu die handschrift hun liest, so daß sich wol
die worte ganz anders erklären ließen". Schlegel III, 54
„Allein es vermag diese natürliche historische ansicht der
tradition mit recht denen nicht auszureichen, welche durch
wundervolle, aber unleugbare übereinstimmungen unter nach
zeiten und ländern getrennten völkern bemerkbar nicht bloß
in der sache, sondern bis in die feinsten fasern der sprache
und form dahin bewogen werden, daß sie hier durchgehends
gottes finger zu erblicken, und nur so zu einem würdigen
schlüßel einer unaussprechlichen tat zu gelangen glauben".
Gr. I², 1035 „Da inzwischen die buchstabenlehre kein u
(o) statt i ë vor liq. zur regel macht, es nur ausnahmsweise
zuläßt (vgl. s. 82. 85); da ferner, wenn in XI. wie in X.
der vokal des part. dem des präs. gleich stünde, auch für
das präs. dieselben übergänge in u (o) entspringen müsten,
dergleichen scheinbar in kommen, sofa eintreten, wo ich
lieber ko, so aus dem u, v in quë, svë herleite (wichtiger
wäre das analoge gaúrda f. gairda aus goth. XII. konj.);
da endlich in unserer ältesten mundart, der goth., die scheidung der part. stulans, numans von den präs. stila, nima
klar vorliegt: so habe ich die durchführung der trennung
vorgezogen". Kl. schr. I, 258 „Die vollkommenheit und
gewaltige regel des sanskrit muste, obschon auch den weg
bahnend zu einer der ältesten und reichsten poesien, recht
dazu einladen sich mit ihr um ihrer selbst willen vertraut
zu machen und hat, nachdem das eis einmal gebrochen und
gleichsam ein magnet gefunden war, zu welchem die auf
dem sprachenocean schiffenden hinschauen konnten, auf die
weit erstreckte reihe der mit der indischen unmittelbar zu-
sammenhängenden und verwandten sprachen ein so erhel-
lendes, sonst ungeahntes licht fallen laßen, daß daraus eine
wahrhafte geschichte aller dieser sprachen, wie sie noch nie
vor eines sprachforschers auge gestanden hatte, mit tief
eindringenden und überraschenden resultaten teils schon hervorgegangen teils eingeleitet worden ist". Ein so vortreff-
lich, ja musterhaft geformter satz, dessen einzelne teile und
beziehungen klar und bequem zusammenhangen, wenn er
wirklich in dieser gestalt als unmittelbarster ausfluß einer
geordneten gedankenreihe aufgezeichnet und unverändert

geblieben ist, verdient bewunderung*). Im nachteil befindet
sich dagegen die vorhergehende periode, obgleich ihr vor-
dersatz vermöge der sonderung in drei teile sehr angemeßen
einhergeht: denn teils wird der mittlere dieser drei sätze
von zwischensätzen übertrieben in anspruch genommen, teils
folgt ein allzu kurzer nachsatz. Leicht und rasch verständlich aber ist alles was die stelle bietet, und nirgends wird
die form verletzt; dasselbe läßt sich von den drei zuerst
genannten älterer zeit wol kaum behaupten.

Am schluße mag auf den gegensatz aufmerksam gemacht werden, daß Grimm, der in seiner vorwiegenden
neigung zum kurzen ausdrucke, wie wir gesehen haben,
häufig ein wort, das eigentlich nicht fehlen darf, anscheinend mit rücksicht auf den wolklang unterdrückt, nichts-
destoweniger verschiedene male, ohne dringend dazu veranlaßt zu sein, den wollaut dadurch verletzt, daß er gleiche
wörter oder wortstämme von ungleichem werte neben einander hören läßt**), z. b. Altd. w. II, 112 „das wiederholen der worte darba gistontum, weil er sich ihrer, ver-
führt durch das sich wiederholende wort Deiriche
wiederholt erinnerte"***); Vuk 4 „die Serben haben in
solchen wörtern nicht nur —, sondern sie können nicht
einmal — leiden, sondern wandeln es —"; Gr. III, 222
„ich vermute, daß auf die schreibung und faßung der
beiden ersten die vermutete herleitung einwirkte"; 227
„steht zu vermuten. Vermutlich galten —"; I³, 11
„daß sie weder die Römer in Herminones, Hermunduri,
Arminius irgend bemerkten, noch die Deutschen hernach
in Germanus merkten"; 218 „was sich bei schnellem
sprechen zusammenzog und kürzung des ô in o nach
sich zog"; 265 „gleiches hat selbst statt, wenn bloße an-

---

*) wie sich denn überhaupt die abb. üb. d. urspr. d. spr., aus der
die stelle entnommen ist, im edelsten stile bewegt.

**) s. Götzinger b. 4, § 63.

***) Mit einem solchen satze darf jedoch der folgende nicht ver-
wechselt werden, wo der gleichklang vielmehr mit einer geistreichen
bemerkung verwachsen ist: „So leicht es sonst ist zu sündigen, hat
mir doch dieser versuch über das schwierige wort sünde anschlüße
zu gewinnen, wenn er selbst eine sünde ist, einige mühe gemacht"
(Theol. stud. u. krit. 1839 s. 752).

lehnung eines andern wortes statt findet"; Wigand I, 4,
102 „daher auch das verhältnis des ritters und des landes-
herrn nicht getrennt wird; daher heißt die abgabe erst
pensio". Auch die häufung gleicher flexionsformen kann
übel lauten; vgl. Altd. w. I, 163: „dieses schöne, in
mehrere vorliegende heutige holländische volks-
liederbücher aufgenommene aber gewis alte lied".

Volkstümlicher ausdruck.

Der einfache und natürliche stil zeigt einen volkstümlichen charakter, wenn er sich innerhalb der formen bewegt, welche in einem sehr oft bemerkbaren gegensatze zur
schriftsprache der volksprache geläufig sind. Wie glücklich in allen sagen- und märchenhaften erzählungen, deren
mehr als die den namen an der stirne tragen in Grimms
schriften vorhanden sind, der echte volkston erreicht worden ist, weiß alle welt; aber eine weise, die ihm ähnlich
sieht und über das bloß einfache hinausgeht, hat sich und
zwar vorzüglich in der satzkonstruktion hie und da auch
anderen schriften mitgeteilt, deren inhalt von sage und
märchen weit absteht. Formenlehre und syntax haben eine
ansehnliche zahl von formen, wörtern, ausdrücken, wendungen, redensarten, konstruktionen vorgeführt, welche der
volksprache angehören: ebendahin sind noch andere fälle
zu rechnen.

Statt des genitivs wird die präp. von gebraucht, z. b.
März. I, 445 die mutter vom lämmlein, II, 39 zwei reich-
beladene schiffe von ihm, 289 die eine seite vom haus,
291 die amme von dem schwesterchen. Sehr weit erstreckt
sich die märchenhafte (vgl. Kl. schr. III, 305), aber auch
in gemütlicher rede und unterhaltung des täglichen lebens
übliche, unmittelbare oder lieber durch und verbundene
wiederholung desselben wortes*), z. b. Sag. I, 189 das metall rann und rann in die zubereitete form; II, 91 einen
großen, großen fluß; Ir. elf. XLVIII sie sinken und

---

*) vgl. mhd. wtb. III, 183. Das wort kann adj., adv. und verb
sein; ausgeschlossen und mit gutem grunde scheint in solchem sinne
das bloße subst.

sinken; 113 hörte er etwas hämmern und hämmern;
114 da schaute er und schaute; 147 sie sprach kein
wort sondern kaute und kaute; 151 hub ich an zu
schwimmen und zu schwimmen immer zu; 159 wir
flogen und flogen; 180 das waßer stieg und stieg;
188 aber er gieng und gieng und gieng durch das waßer
fort; Kl. schr. III, 417 schlich der zwerg wieder stille,
stille heran; Wtb. I, I wir erwogen und erwogen. Allgemein bekannt ist die verbindung blieb todt, die sich
Sag. II, 77. 187*). 287 findet. Bei „fürchten" steht Edda
42 mit verstärkender negation „nicht ein haar" (vgl. Gr.
III, 731), 161 in nachahmung des nord. „nicht ein laub"
(Gr. III, 740). Aus der mündlichen umgangsprache leitet
sich ferner: Gr. II, 74 über f. übrig; Märch. I, 51 fidelte
eins, 54 spielte dem manne noch eins zum dank; Sag. I,
361. II, 62. Lat. ged. 111 verzählen f. erzählen**); Märch.
II, 446 alles gebrannte herzeleid; Ber. d. ak. 1861 s. 838
ist sicher nicht ohne; Wtb. I, II das viele, was ich
alles zu sagen habe; Schulze IV wie ungeheuer viel bekommt man — alles unter thata aufzuschlagen; Edda 41
da meinten die Asen wunder wie glücklich sie gewesen
wären. Für „wie", wenn es den grad bezeichnet, wird
was gebraucht: Märch. I, 384 was mich friert! (386 wie
mich friert!), II, 5 was es doch seine frau jetzt gut habe,
79 sah der bauer, was er schön aß und trank; ebenso I,
446. II, 48. 365. 436. 523. An die stelle des vom verb abhängigen präp. inf. tritt ein mit „und" anknüpfender satz,
z. b. Märch. II, 162 fangt an und lauft, Ir. elf. 189 wollt
ihr so gut sein und mir sagen, Gr. I¹, LX der den misgriff tut und es — verlegt. Wiederholtes „und" bindet
die einzelnen gedanken in der erzählung an einander; vgl.
Märch. I, 206 wenn ich den Haus kriege und wir kriegen
ein kind, und das ist groß und wir schicken das kind in
den keller; II, 40 aber an seinen kleinen jungen dachte er

---

*) hier sogar mit dem zusatze: „und wurde erschlagen", wodurch
eine sogenannte hysterologie zu stande kommt; vgl. Wtb. I, 296 „der,
als er nicht zahlen konnte, sich aus dem staube machte und dem wirt
den bären an die tür band".

**) niederd. vertellen; vgl. verkältung briefl. v. j. 1850 bei Pfeiffer
XII, 121.

nicht und sagte ja, und gab dem schwarzen mann handschrift und siegel und gieng nach haus; Edda 44 sind
wolken die mähnen ihres pferdes und daraus träufeln tau
und regen, und daher kommt fruchtbarkeit der erde. Diese
letzte stelle enthält zugleich den beigeordneten hauptsatz
anstatt des relativsatzes; den s. 230 vorgeführten beispielen
schließen sich an: Sag. II, 315 da sah er einen schwan auf
dem waßer schwimmen kommen, der hatte einen seiden-
strang um den hals und daran hieng ein boot; in dem
boot saß ein ritter ganz gewaffnet, an seinem hals hatte
er eine schrift; Märch. I, 79 es war ein mann, dem starb
seine frau, und eine frau, der starb ihr mann; und der
mann hatte eine tochter, und die frau hatte auch eine
tochter; 201 in der Schweiz lebte einmal ein alter graf,
der hatte nur einen einzigen sohn, aber er war dumm
und konnte nichts lernen; Kl. schr. II, 97 ein teil dieser
stücke fiel in den grund des meers, und davon rühren
die schätze des meers her, ein kleiner teil wird vom sturm
an den strand von Kalevala geworfen und davon stammt
Kalevalas wolstand, Louhi behielt nichts als den deckel,
darum herscht nun in Lappland elend und brotloses
leben.

     An die alltägliche sprache erinnern endlich auch fol-
gende konstruktionen: Sag. I, 131 wenn er drückt und man
kann den daumen in die hand bringen, so muß er weichen;
Kl. schr. III, 221 nur das noch, wenn Saxo — nennt, so
denke ich dabei nicht an Dänen; I, 287 etwas anders ist,
daß die wehenden anlaute — pflegen, was man nun für
das ältere hatte: das vortreten, denke ich; Wtb. III, 1650
Merkwürdig, da naturforscher beobachtet haben, wenn in
eine hütte, die unter dem nest der elster steht, weniger als
fünf oder gerade fünf jäger gehen und dann einzeln wieder
heraus, so wartet sie ab, bis alle heraus sind, ehe sie wieder zu neste fliegt; was aber über fünf ist, merkt sie nicht
mehr. In einem briefe bei Pfeiffer XI, 384 heißt es: „Ich
laße ihn grüßen und ob ich ihm Dornavii amphitheatrum
schenken solle? Und was er zu W. Müllers angekündigter
ausg. der dichter des 17. jahrh. sage?", in einem andern an
Michelet (Revue germ. T. 28 p. 341): „Ihre histoire de
France ist ein geistvolles buch, in dem aber manches ent-

halten ist, worüber ich anders denke, namentlich auch über
die ältere gallische und celtische geschichte, in welcher
hoffentlich noch viel aufzuräumen ist". Eine vorlesung in
der akademie beginnt einmal mit den worten: „Herr —
Helffrich von hier, gegenwärtig auf einer reise durch Spanien
begriffen, um — anszubeuten, hat mich ersucht — vorzulegen. Von Madrid gedenkt er weiter nach Toledo und
Cordova zu gehen und dann —".

Logische verhältnisse.

Der in dem stile Grimms hervortretende gebrauch eines
partizipialen attributs, dessen an sich richtiger und auch
etwa bemerkenswerter inhalt mit dem prädikat des gedankens nicht wol zusammenstimmt, ist s. 167 durch viele
beispiele gezeichnet worden. Wenn für die meisten derselben anstatt des part. eine minder eingeordnete und mehr
für sich stehende form empfohlen werden durfte, so knüpfen
sich hier einige andere äußerlich vollkommen überein-
treffende und innerlich verwandte stellen an, in welchen das
part. streng genommen eine teils logisch unvereinbare teils
überhaupt selbstverständliche und daher überflüßige zugabe
bildet, z. b. Schulze X ich weiß aber keine ausgeworfene
muta — zu ergänzen; Myth. 127 chedem stand darin
eine jetzt eingegangene burg; 309 lag vormals ein
jetzt ausgestorbones dorf; Gesch. 594 hatte die Nord-
see — vormals eine jetzt verschwundne insel Rant aufzuweisen; Merkel LXXVII vielleicht daß die pertzische
ausgabe noch andere, uns jetzt entgehende glossen an
das licht bringt; Jahrb. f. wiß. krit. 1841 s. 808 bei
laten gliden hat man sich den wegbleibenden acc. —
hinzuzudenken; Wtb. I, 384 scheint ein zwar unaus-
gedrückter acc. in gedanken zu ergänzen; 1489 wenn
sich ein ausgefallener gen. hinzudenken läßt; II, 224
nach dem ahd. pônà — wäre die abgehende goth. form
baunô; III, 223 bei welchen man sich häufig den ausgelaßenen acc. hinzudenken hat; 717 denkt man sich
aber einen ausgelaßenen acc. hinzu; 1440 es mag ein
verlorenes cando, eccendi gegeben haben; vgl. Schmidt

V, 459 wenn seine ersonnene berührung mit den Nibelungen irgend grund gehabt hätte; Pfeiffer I, 131 jenes
verwerfliche war weit ist um kein haar beßer.

Obgleich es wünschenswert ist, daß alle grammatischen
verbindungen zweier oder mehrerer sätze und satzglieder
zu einem ganzen mit einer unzweideutigen einigung der begriffe und ihrer beziehungen zusammenhangen; so paßt es
doch zu der kürze, in welcher ein gedankenreicher schriftsteller die einzelnen ihm zufliegenden vorstellungen rasch
aufzuzeichnen pflegt, daß abweichungen sich offenbaren,
z. b. Wien. jahrb. 28, 27 nicht anders heißt das slav. —
und Dobr. will mir beide zu sehr trennen; 70, 40 dies
letzte ist uns das wichtigste und von thugkjan abgeleitet;
Reinh. LXIII Joseph und der esel sind zwar zu türhütern
bestellt, allein sie tun hernach nichts, was dem entweichenden gast seinen rückzug erschwert, und aus Reinardus 3,
479 fg. zu entnehmen ist, ohne zweifel auch in der überlieferung begründet war; Kl. schr. II, 228 den Agamemnon
— eingraben ließ und bei dessen tod auch Sophokles keines
feuers gedenkt; 385 frauennamen, die von blumen entnommen werden und mir noch unbekannt geblieben sind; III,
423 des dichters, der im j. 1207 unserer zeitrechnung geboren war und 1273 starb und nachher im 17. jahrh. tür-
kisch kommentiert wurde; Wtb. IV, 203 in der baukunst
werden aber auch herumlaufende streifen an wand und fuß-
boden fries genannt und können glatt oder verziert sein*).
Kaum läßt sich verkennen, daß durch das verbindende und
dergleichen beiordnungen von gedanken, welche verschiedenen sphären angehören, eine möglichst unangemessene
form verliehen wird.

Von anderer art ist das verhältnis an folgenden stellen:
Reinh. CV erscheinen hahn und henne mit dem leichnam
ihrer von Reinhart todt gebißenen tochter auf einer bahre,
über welche untat der könig —**); Myth. II, 1121 es
kommt vor, daß durch gebohrte löcher des heilsamen baums
waßer gegoßen und getrunken wurde; Kl. schr. I, 78 wenn
man über die ostsee hinfährt, heben sich die wellen matter

---

*) vgl. Götzinger b. IV, § 5.
**) ähnliche beisp. bei Götzinger II, 449.

als auf der mittelländischen; 847 wenn der dichter sich in
waldes einöde verirrt und am rauschenden brunnen auf ein
klagendes frauenbild stößt, die ihm rat und bescheid erteilt,
was ist sie anders als eine erscheinende wünschelfrau? Gr.
I¹, 135 da es fälle gibt, die der starken dekl. beigezählt
werden müßen und geringere biegungsfähigkeit zeigen, wie
die wörter der schwachen klasse; Kl. schr. I, 163 ich soll
hier vom bruder reden, den nun schon ein halbes jahr lang
meine augen nicht mehr erblicken, der doch nachts im
traum, ohne alle ahnung seines abscheidens, immer noch
neben mir ist; III, 287 im lebendigen vortrag Lucians stieß
ich auf einen treffenden beleg *).

Ueber konstruktionen nach dem sinne finden lehrbücher
der deutschen sprache sich in der regel nicht hinreichend
veranlaßt gründlich zu unterweisen; wird ihrer erwähnt, so
geschieht es vorwiegend zu tadel und spott**). Aus einem
so beschränkten gesichtskreise herauszutreten gewährt aber
größeren vorteil als darin zu bleiben, und statt ärger und
verdruß liegt es in der tat näher befriedigung und freude
darüber zu empfinden, daß auch mhd. dichter sagen konnten: „er was starke gezan , ßerhalp des mundes für
ragten sie im hervür“, — „der palas wol gekerzet was,
die harte lichte brunnen“. In Grimms schriften kommen
dergleichen konstruktionen gar nicht selten vor, beispiele
der synesis des numerus und des genus sind früher gegeben
worden; andere, in denen die beziehung teils auf ein einfaches teils häufiger auf ein zusammengesetztes wort stattfindet, sind: Kl. schr. III, 195 über den gehalt der jor-
nandischen werke, über seinen beruf zu dieser arbeit;
Ged. d. mitt. 27 das siebente befindet sich zu Göttingen
und Brüssel, doch hat der letztere codex —; Gesch.
689 das langobardische reich während seines bestandes
in Italien und nach ihrer bekehrung; Ber. d. ak. 1861
s. 840 die langobardische sitte auf ihren kirchhöfen —
zu errichten; Kl. schr. I, 205 mit dem spazieren, nun-

*) Die beiden letzten der hauptsache nach zusammengehörigen
stellen sind besonders merkwürdig und dem nachdenken zu empfohlen.
**) „fischfang und deren verkauf“, — „büffel- und tigerkämpfe,
bei denen der letztere gewöhnlich siegt“.

mehr bringen sie keinen verlust*); Arm. H. 174 kinder-
mord —, durch baden in ihrem blute; D. beid. ält. d. ged.
26 auf der rechten blattseite, z. b. auf der des zweiten; Reinh. CV er hatte einen ameisenhaufen zertreten,
die seine herschaft nicht anerkennen wollten; CVII daß
der bär ameisenhaufen aus einander breche und davon
freße; CCVIII daß der fuchs die dachslöcher besudele,
um ihn zu vertreiben; Sendschr. 10 nur eine geringe vers-
zahl, nicht so viel als eben ein blatt füllten; Rechtsalt.
340 er darf waffenträger seines herrn sein, aber sie
nicht eigen besitzen; Myth. 429 daß man sich den tag in
tiersgestalt dachte, das gegen morgen an dem himmel
vorrückt; Kl. schr. I, 264 das ganze tierleben, scheint
eine notwendigkeit, aus der zuckende richtungen oder blicke
der freiheit sie nicht vermögen loszureißen; Gesch. 267 wo
der linguallaut mangelt, scheint ihr ausfall anzunehmen;
Gr. I², 99 zur Römerzeit mag — gegolten haben, da sie
— schreiben; IV, 439 außer diesen artikelformen besitzen alle auch den unbestimmten; Merkel LXV der
denarenzahl, nach welchen gerechnet wurde; Wtb. III,
1288 käferart, die von der pflanze abfallen; 1899 ver-
härtung oder schwiele oben am horn des pferdefußes,
wodurch es oft lahm wird**).

Es gibt noch mancherlei andere ausdrucksweisen, beziehungen und strukturen, deren bloß äußerliches verhältnis
zu dem sinne, den sie bezeichnen sollen, nicht genau stimmt,
z. b. Wtb. I, XXXVIII mit den buchstaben m. f. n. werden die drei geschlechter auf das einfachste bezeichnet,
beßer als durch vorangestellten artikel, der den anlaut der

---

*) Der satz: „ein Franco von Afflighem fällt schon in das erste
drittel des 12. jahrh., ein Franco von Cöln in noch etwas frühere"
(Kl. schr. III, 38) scheint auf flüchtigkeit zu beruhen.

**) Verschiedener art natürlich ist die entlehnung aus dem zwei-
ten teile der zusammensetzung in beispielen wie: ähnlichkeit mit Nor-
nagestssaga hat eine von Meleager (Myth. 233); einen merzaaf-
zug, keinen maillieben (444); in den buchstabverhältnissen
zumal der vokale (Gött. anz. 1831 s. 68); man sagt, daß weinjahre
jedes eilfte wiederkehren (Kl. schr. I, 398); soi es die rechtswi-
senschaft oder eine andere (Gr. I³, III); vertritt der volksname
den örtlichen (IV, 872).

wörter versteckt, ihnen nachfolgend und eingeklammert ein
steifes ansehn gewinnt*); Wien. jahrb. 32, 255 mit Abra-
hams zwar lebendiger und volksmäßiger beredsamkeit läßt
sich — Berthold kaum vergleichen**); Kl. schr. I, 147 wer
aber — dürfte sich meßen mit dem — enthusiasmus — ? Gr.
I², 239 des in ê übergehenden eâ wurde s. 230 gedacht,
mit der ahd. scheidung des au in ô und ou hängt das***)
nicht zusammen. Vertauschung von wort und begriff zeigt
sich Wtb. I, 1289: der, dem abbegehrt wird, hat die präp.
an oder von vor sich; Gr. II, 176 werden in der regel von
einem subst. geleitet und bezeichnen etwas daraus bestehen-
des oder gemachtes; IV, 462 neutra, das wenigst lebhafte
geschlecht, konnten ihr zuerst entsagen; 846 nach dem
älteren vröhjan kann vor dem richter die präp. stehen, eben
weil der angeklagte in den bloßen acc. kommt.

Zuletzt einige stellen nach dem schema: „sylbe
muß silbe geschrieben werden": Gr. I², 55 die bildungsendung -ubni lautet dreimal so und zweimal -ufni; 85
copula joh, die so, nicht jah lautet; 221 hs wird so und
nicht' x geschrieben; 486 god welches stets so, nicht got
geschrieben wird; I³, 185 ich finde jenes beie auch hier
so und nicht baeie geschrieben; Gött. anz. 1820 s. 398
filussini — scheint richtiger filussjai geschrieben werden zu müßen; Wien. jahrb. 70, 34 an sich dürfte jenes
gáirn auch gairu sein; vgl. Gr. I², 221 der Gothe ge-
miniert alle diese alts. wörter gar nicht.

Wortstellung und satzfolge.

Daß mit dem prädizierenden verb der satz begonnen
wird, was sich in der poesie häufig, in der prosa fast nur
im erzählenden volkstone findet, hat seinen vorgang in der
älteren sprache und scheint mit verhältnissen der betonung
und hervorhebung des verbalbegriffes zusammenzuhangen,

*) der artikel, nicht der vorangestellte artikel.
**) derselbe fall Gött. anz. 1851 s. 1760. Wtb. I, XVII; vgl. Kl.
schr. J, 78 Stockholms lage — mahnt an Genua und Neapel. Griechen
und Römern ist jene weise bei vergleichungen bekannter.
***) der übergang des eâ in ê.

denen auch z. b. im lat. ausdruck gegeben wird. Man vergleiche: Märch. I, 39 sprach die dritte, ebenso 43. 58.
348. Edda 6; 348 antwortete der hund (vgl. 58); 360
dachten die spitzbuben; 376 rief der jäger den fuchs;
380 fragte der wirt (vgl. 85); Edda 31 ritt der könig; 69
ward ruderlerin und eisenklang; brast rand an rand, ru-
derten die seehelden*); — über fragt es sich, fragt sich
oben s. 132. Viel leichter fällt der beginn des zusammengesetzten verbs, da die partikel, die sich getrennt denken
läßt und auch so vorkommt**), wie in anderen fällen ein
eigentliches adverb, der verbalform vorausgeht***), z. b.
Schlegel I, 409 fortflog Lüning; Gr. I², 525 auffällt
die wiedererscheinung, ferner 790. Altd. w. I, 21. Gesch.
679. Haupt VII, 468; 771 wegfällt das stumme e; III,
121 entgegensteht ein anderes; 444 übereinstimmt
das slav. strela; Myth. 663 hervorhebe ich auch; Gesch.
31 abliegt der mhd. plur.; Göthes k. u. alt. IV, 69 los-
band Dmiter seinen grauen falken; Wtb. II, 634 hervor-
gieng es aus —; III, 1 hinzutritt, daß —; III, 1807
anklingt auch altn. flíssa.

Wie sehr Grimm überhaupt geneigt gewesen ist die
beiden teile solcher zusammengesetzten verbon bei einander
zu laßen, dafür zeugt, daß sie überaus häufig auch nach
einem adverb dem übrigen inhalt des satzes vorausgehn:
Gr. I², 305 gänzlich wegfällt es; Abh. d. ak. 1845 s. 192
so seltsam auffällt, daß —; 1858 s. 86 weniger durch-
blickt -; Wtb. I, XLVIII doch absteht das finn. kala;
— ferner die beiden wörter neben einander gestellt: Gr. I²,
566 ganz aus fällt dieses v; IV, 516 am meisten auf
fällt das beispiel; Myth. 591 noch deutlicher zu trifft
die örtlichkeit; Gesch. 278 viel weniger auf liegt es mir;
731 am frühsten auf taucht sie; vgl. Edda 7. 15. 62.
Schulze VII. XIV. Lat. ged. 95. Gr. I², 708. I³, 24. 60.
123. IV, 315. 316. Gesch. VII. Wtb. III, 1495.

Sowie hier pflegen auch sonst dem prädizierenden verb
die ihm zunächst und wesentlich zugehörigen wörter un-

---

*) poet. übersetzung; im allgemeinen vgl. Lehmann 370.
**) Meisterg. 109 auf fällt es, Myth. 7 hervor hebe ich, Wtb.
II, 170 ab steht — skr. plu.
***) Götzinger II, 163.

mittelbar vorherzugehen, das subjekt aber nachzufolgen, z. b.
Merkel LXX fränkische eigenheit kund tun vornemlich
die kehllaute; Gesch. 351 zuletzt in betracht kommt
der wechsel zwischen lingual und gutturallauten; Gr. I³,
35 am offensten vor augen legen uns den ablaut die
verben; III, 244 vorzügliche aufmerksamkeit in anspruch
nimmt aber ein wäre; IV, 8 desto reichlicher zu gebot
stehn mhd.; 221 ebenso wenig statt findet es; Kl. schr.
III, 423 doch fast die merkwürdigste einstimmung an hand
gibt uns das persische werk.

Das hilfsverb folgt bei dieser stellung des prädikats
und des subjekts dem eigentlichen verb unmittelbar nach,
zeigt somit die inversion des nebensatzes: Meist. 127 wie
gewünscht hätte ich —! Gr. III, V desto mehr auf der
hut zu sein hat man; 384 wurzel sein könnte iban;
604 verschieden sein muß die interj.; IV, VII einsich-
tigen nicht entgehn wird die mindere ausführung;
6 seltner sein mag sie; 136 am häufigsten mangeln wird
der inf.; 172 nicht unverwandt sein mag die — ver-
stärkung; 270 analog behandelt werden nun die
neutra; 439 reines kasuszeichen geworden ist der artikel nicht; 588 in der formlehre nicht zu verkennen
war ein näheres band; 757 für letzteres zu sprechen
scheint die trennbarkeit; 828 ähnlichen ursprung haben wird die sicher alte redensart; 912 in den schwed.
volksliedern aufgefallen ist mir die redensart; 920
unvollständig dargestellt scheinen würde das verhältnis; 952 in gleicher lage mit zart zu befinden scheint
sich das adj. trût; — hier am schicklichsten einschalten läßt sich einiges; I³, 10 aus jener sage festzuhalten ist des namens ursprung; 74 ausgesprochen
worden sein mag é dünner; Lat. ged. 55 die vergleichung
geliefert hat Mone in s. anz.; 56 zuerst drucken ließ
das gedicht F. C. J. Fischer; 329 was für ein fisch sein
wird nun spinx? Ged. d. mitt. 35 so weit um sich greifen konnte die untersuchung; 40 mit dem lat. Wal-
therus einerlei sein muß doch der Galtherus; Gesch. V
von ihm zumal gelenkt wurden die schicksale; XV
höhere färbung empfangen würde eine geschichte; 3
zuerst angesetzt wird ein steinalter; 167 aber wie

gelangt waren sie nach Pannonien? 171 dies alles dargelegt hat Schafarik; 473 ganz nach diesem zurück und
in höheres altertum wenden muß ich mich; Kuhn I, 206
unter allen zungen unsrer sprache nur in der angels. anzutreffen ist der ausdruck gársecg; Haupt VIII, 417
an welcher eigenschaft deutlicher den Sachsen erkennen
könnte man — ? Kl. schr. II, 218 welche bestattung wünschen können hätte sich der krieger? III, 286 den
preis unter allen davon tragen dürfte aber die stimme
eines serbischen volksliedes; Wtb. I, X dies geändert, wie alle wißenschaften umgestaltet hat erst
die große erfindung der druckerei; XV eine andere
richtung genommen hätte offenbar das niederdeutsche;
1363 dem subst. ohne flexion nachgesetzt werden kann
beide; III, 750 welchen sinn legen soll man — ? Gött.
anz. 1863 s. 1362 wie schwer halten würde es —. Diese
zahlreichen beispiele offenbaren im allgemeinen nicht etwa
wie in anderen fällen irgendeine bemerkenswerte hervorhebung sei es des an das ende gestellten subjekts oder eines
andern dem anfang überwiesenen satzgliedes, die in ihnen
enthaltene wortstellung muß mithin als eine besonderheit
des schriftstellers betrachtet werden.

Bei derselben stellung sowol des aussagenden verbs als
des subjekts treten bisweilen einander unmittelbar zuge-
hörige wörter des prädikats entfernt von einander auf, z. b.
Gr. IV, 524 soweit zurück in die formlehre schreiten
muste ich; Myth. I, XXX woher denn zugeführt sollen — diese züge worden sein? II, 794 gleichen sinn zu
haben mit der reise der seelen zu schiff über den strom
oder das gewäßer der unterwelt scheint es, wenn —;
Wtb. III, 790 am meisten ab von der ursprünglichen bedeutung
des erfahrens liegt die heute gangbarste.

Da in hauptsätzen, deren subjekt dem prädikat vorhergeht, der träger des tempus finitum seinen platz vor
allen andern dem prädikat unmittelbar zugehörigen wörtern
zu haben pflegt, so wird jede abweichung von dieser stellung, namentlich die dem nebensatz eigene inversion im
prosastil auffallen; vgl. Gr. III, VII wie vieles untergo-
gangen ist von dem —! IV, 653 der inf. wesen ausgelaßen ist in folgender stelle; 770 drei kasus abhängig

sind von der goth. präp.; I³, 19 etwas ähnliches liegen könnte in —; Myth. 541 ein gleiches erzählt wird von —; Gesch. 168 bloß ihr weiteres vordringen gemeldet wurde damals; Haupt VII, 464 der letzte monat des jahres gemeint sein kann nicht; Wtb. I, LXIV denn alles dem geist erst dunkel vorschwebende und an rechter stelle klarwerdende vorher aufzeichnen läßt sich nicht. Man beachte, daß freilich nirgends das verb der aussage wie im nebensatze die allerletzte stelle einnimmt.

Beginnt ein objekt oder adverb den hauptsatz, so tritt nach der regel inversion ein; unterlaßung derselben gilt als dichterische freiheit, z. b. Gr. I², 811 über die weiteren kasus vermutungen stehen s. 601; I³, 561 vor einfacher konsonanz das u verwirrt sich; II, 139 in umlautbaren wörtern der umlaut bleibt daher; III, 100 doch für jenes mein ältester beleg ist —.

Auch bei beobachtung der inversion kann die voranstellung mehrerer prädikatserweiterungen mit dem subjekt am schluß ungewohnt klingen; vgl. Gr. II, 384 von fëtels ein verbum fëtelsjan hat Lye; Gesch. 781 von bart ihren namen tragen die Barden oder Langobarden; 828 für die sprache unter allen einwirkungen den ausschlag gibt das gedeihen der poesie. Unter den vorhin angeführten stellen, welche dem mangel der inversion des hilfsverbs gewidmet sind, gehören viele hierher, insbesondere Kuhn I, 206. Haupt VIII, 417. Wtb. I, 1363.

Bei dem gesamteindrucke, den die bisher mitgeteilten wortstellungen hinterlaßen, wird der schwere gang des folgenden satzes wol um so mehr empfunden: Ber. d. ak. 1859 s. 420 sie eilte dem flüchtigen nach in viele länder lange jahre. Hier schließt sich die in der mündlichen rede von einer gewissen seite her bekannte*), schriftlich selten wahrnehmbare schleppende weise, in hauptsätzen die wörter des prädizierenden verbalbegriffes ungetrennt zu laßen, einigermaßen an; sie findet sich bei Grimm im tone der märchen und sagen, z. b. Edda 155 er hatte gefangen einen lachs, März. II, 115 die waren gewesen ganz stolz. Für den nebensatz ergeben sich auf demselben grunde

*) Götzinger II, 245.

17*

stellungen wie: Edda 153 daß Odinn und Hönir und Loki
waren gekommen zu Andvaris waßorfall; 157 als dieser
entrichtet hatte das gold, da hielt er zurück einen
ring; Märch. II, 229 wenn ich nicht wäre bei einen eiser-
nen ofen gekommen, dem ich mich habe müßen unterschreiben, daß ich wollte wieder zu ihm zurückkehren*).

Die in der lat. sprache beliebte auseinanderstellung des
subst. und seines attributs hat ihres gleichen in der deutschen nicht; ziemlich geläufig zwar scheint zu klingen:
belege bedarf es keiner (Gr. III, 173; vgl. 114), künstliche hülfe kann dem ohr nur geringe, dem auge die
bedeutsamste geleistet werden (Kl. schr. I, 199), wogegen dieselbe stellung in dem satze: sinn haben beide
gleichen (Gr. III, 57), da eine hervorhebung des subst.
durch den zusammenhang nicht geboten ist, etwas ungewöhnlich auftritt. Die inversion des attributiven satzver-
hältnisses: von der welt die bekannteste sache ist
(Haupt VI, 545) gründet sich auf denselben trieb, welcher
vorher durch zahlreiche belege kenntlich gemacht worden
ist; vgl. Kl. schr. I, 349 erklärte liebhaber sind auch
die pedanten unnötiger striche und haken.

Während von grammatikern gelehrt wird**), daß der
dem subst., von dem er abhängt, vorausgehende sachliche
genitiv nur dem feierlichen, gesteigerten ausdrucke zustehe,
daß namentlich der objektive gen. in der prosa niemals
sollte vorausgestellt werden, gehört diese art der inversion
überhaupt zu den allergewöhnlichsten erscheinungen der
grimmschen sprache. Der heute völlig aufgegebenen stellung des gen. zwischen artikel und subst. (das Siegfrieds
schwert, einen Martinus mut) ist s. 62 gedacht worden; an diesem orte sind unter den beispielen im sinne jener
grammatiker anzuführen: Kl. schr. II, 319 des meineids
liebender statthaftigkeit; Gesch. 354 des duftens, grü-
nens und wachsens begriffe; Myth. I, XXI aller eignen
kraft und innersten triebe ungestörte ausbildung;
Schulze IV solcher wünsche oder auch übertriebnen

---

*) Heyse II, 573.
**) Götzinger II, 171.

ansprüche nichterfüllung; Wtb. I, XLIII dieses grund-
kanons hintansetzung. Zwischen dem gen. und seinem
subst. stehn bisweilen mehrere wörter, selbst ein satz, z. b.
Gött. anz. 1833 s. 114 herrn dr. Zöpfls in Heidelberg
schrift; Kl. schr. II, 25 Dietmars von Merseburg hände*);
Myth. I, X Bertholds von Regensburg noch dem schluß
des dreizehnten jh. zufallende werke; Gr. I², XVII Ke-
ros, des übersetzers der benedictin. regel, sprache; Urspr.
34 daß Adams und Evas, wenn sie allein standen, kinder —; Wien. jahrb. 32, 208 mit Strickers, der ihm um
zwanzig jahre vorangehn mag, dichtungen; Ged. d. mitt.
39 dessen, der sie dichtete, deutschheit; Kl. schr. I,
145 Lachmanns, dem ein mäßiges, unerschüttertes leben
viel längere dauer geweißagt haben sollte, unerwarteter
— tod; Reinh. CLIX des Goffridus andegavensis,
der in den ersten zehnteln des 12. jahrh. lebte, schriften;
Wtb. I, 588 des astes, der getrieben hat, spur im holz.
Auf dieselbe weise ist der in die mitte genommene genitiv
zu beurteilen: Kl. schr. I, 165 von acht unserer eltern
söhnen, III, 2 zweien des königs nachkommen.

Bei der einfügung eines oder mehrerer nebensätze soll
nach den forderungen des wolklangs darauf geachtet werden,
daß nicht ein verhältnismäßig zu kleiner teil des übergeordneten satzes den abgerißenen schluß bilde; auch in anderen lagen kann die weite auseinanderstellung zusammen-
gehöriger ausdrücke oder satzteile etwas unbequemes an
sich tragen**). Man vergleiche: Myth. 63 Tacitus, nachdem er, wie gewaltig deutsche frauen auf die tapferkeit
der krieger einwirken, und daß die Römer von einzelnen
völkern zu größerer sicherheit edle jungfrauen fordern, gesagt hat, fügt hinzu; Urspr. 28 wo, daß gott redete,
aufgezeichnet ist; Kl. schr. I, 120 Ist nicht auch die
kraft des alten römischen rechts, wie es zur zeit der könige
und republik lebensvoll waltete, unter den kaisern einer
geschäftigen rechtsgelehrsamkeit, die immer noch eine klassische heißen mag und unsrer praxis dem stil wie dem inhalt

---

*) nicht: „Dietmar von Merseburg" (vgl. Gr. IV, 465), obwol der-
gleichen andere male nach neuerer gewohnheit begegnet.

**) Götzinger b. 4 § 69. Heyse II, 760.

nach gegenüber riesengroß steht, deren gipfel man in die
regierung kaiser Hadrians versetzt, gewichen? Wtb. I,
III und was, wenn dieser weit mehr in der ergriffenen
sache selbst als in meiner befähigung geborgene gewinn erfolgen kann, verschlägt es, daß —? II, I in welchen
teil des wortvorrats man immer greife, wird, nach überwundner erster scheu, man sich bald davon angezogen
fühlen.

Bemerkenswert ist der vortritt der mit „wie" einge-
leiteten vergleichung, z. b. Wtb. I, 1124 manche pflanzen,
wie nach dem wolf, hat das altertum nach dem bären
benannt; Myth. II, 1003 nicht zu übersehen ist, wie die
elben und bilweisen in bergen, daß auch die serbischen vilen —; Gr. II, VII es scheint, wie dem wurzelvokal zwei kons. vorhergehen dürfen, daß ihm auch
zwei sollten folgen können; 82 mich dünkt, wie der erste
ablaut schon den begriff des urlauts mindere und
aus heller gegenwart in stillere vergangenheit
setze, daß der zweite ablaut — mache*); vgl. Savigny II,
26: in ganz Europa, ausgenommen das römische
recht, ruht kein anderes mehr auf breitem, festem grund,
als unser vaterländisches. Mehrfach unbequem fällt der
satz: Ich sehe den schwarzen sarg, die träger mit gelben
zitronen und rosmarin in der hand, seitwärts aus dem
fenster, noch im geist vorüberziehen (Kl. schr. I, 1).

Die von der deutschen stilistik gerügte gewohnheit sehr
vieler schreibenden, bei der verbindung zweier selbständigen hauptsätze durch „und" dem subjekt des zweiten
ohne weiteres das verb der aussage voraufgehn zu lassen**),
scheint sich Grimm nur im tone der sagenhaften erzählung,
außerdem etwa noch Gr. I¹ gestattet zu haben, z. b. Edda
157 da hielt er zurück einen ring und nahm ihm Loki
den weg***); Märch. I, 70 der könig führte das schöne

---

*) Einem nebensatze, heißt es, kann ein nebensatz, der ihm
untergeordnet ist, nicht wol vorangeschickt werden (Wigger § 239).
Dies ist gleichwol in den letzten beispielen geschehen und findet ebenso
Kl. schr. II, 401 statt: sicher ist, wo diese blumennamen zuerst er-
funden wurden, daß da — waltete.

**) Götzinger b. 4 § 42. Lehmann § 138.

***) „oc toc Loki hann af hanom".

mädchen in sein schloß, wo die hochzeit mit großer pracht
gefeiert wurde, und war es nun die frau königin, und
lebten sie lange zeit vergnügt zusammen; Gr. I', 508
vierte schwache konjug. fehlt und sind die dahinfallen-
den wörter —; ferner Edda 32. März. I, 202. 225. II,
102. 154. Gr. I', 500. In dem satze: „wie aber auch jene
prüfung ausfalle, läßt sich so viel annehmen" (Gött. anz.
1826 s. 96) scheint die bei dergleichen vordersätzen im
nachsatze sonst wenig gebräuchliche inversion auf auslaßung des „so", welche durch das folgende „so" unterstützt
wird, zu beruhen*).

   Wenn es regel ist, daß das relativpronomen dem subst.,
auf welches es sich bezieht, möglichst nahe stehe, so können doch, wo ein misverständnis weder dem inhalte noch
der form nach denkbar ist, unter umständen auch mehrere
wörter dazwischentreten**). Auf einen höheren grad der
freiheit wollen indessen stellungen folgender art anspruch
machen: Arm. II. 156 auch dem Tobias gleicht Heinrich
und Iiob, den gott aus seinem wolstand zog —; Gesch.
644 uralte überlieferung von ankunft der Sachsen auf
der ostsee an die küste der halbinsel, die — angewandt
wurde; Gr. IV, 263 aus der alten sitte des losens mit
stäben oder halmen, welche Haltaus beschreibt; Wtb. I,
II im vorgerückten alter fühle ich, daß die faden meiner
übrigen angefangnen oder mit mir umgetragnen bücher, die
ich jetzt noch in der hand halte, darüber abbrechen; II,
39 die birke ist ein baum der freude und der weidenden
schäfer, mit deren laub sie sich schmücken; Myth. II, 853
einen reichhaltigen mythus von der dichtkunst ursprung,
auf welchen —; 1188 alte opferlaibe, die mit honig
und milch begoßen in die furche gelegt und den pflügern
ausgeteilt wurden, an welchen man auch die vöglein
picken ließ***); Kl. schr. I, 172 wie manchen abend bis
in die späte nacht habe ich in seliger einsamkeit über den

---

*) Freilich hätte bei anderer wortstellung ein einziges „so" aus-
gereicht.

**) vgl. Lehmann § 16.

***) Daß ein relativsatz vorausgeht, mildert zwar den in rede
stehenden fall; der zweite relativsatz gibt aber vielleicht sonst dem bedenken raum.

büchern zugebracht, die ihm in froher gesellschaft, wo ihn
jedermann gern sah und seiner anmutigen erzählungsgabe
lauschte, vergiengen; 189 dialog des Aristo Chius, eines
schülers von Zeno, περὶ γήρως, der nicht auf die nachwelt
gekommen ist; III, 10 brief des priesters Johann über
seine herlichkeiten, der — gerichtet wird. Merkwürdig
ist N. lit. anz. 1807 s. 166 der demonstrative fall: „wofür
man bisher ohne allen weitern grund den Konrad von
Würzburg gehalten hat, als den, daß —. Alle diese aus
einer größeren menge mit absicht ausgewählten beispiele
stehen sich insofern gleich, als die grammatische möglichkeit einer falschen beziehung auf ein zwischen dem pron.
und dessen subst. befindliches zweites subst. gegeben ist*).
Diese äußere möglichkeit reicht aber im allgemeinen hin
das verständnis wenn auch nur für einen augenblick zu
hemmen, und einzelne stellen erfordern eine freilich nur geringe überlegung. Handelt es sich bloß um zwischensetzung
einer anzahl von wörtern, so sind auch beispiele wie folgende in betracht zu ziehen: N. lit. anz. 1807 s. 163 daß
Docens zusätze zu Koch, sowie die fortsetzung des anfangs erwähnten aufsatzes vielleicht manches beßer berich-
tigen, welche —; Kl. schr. I, 327 ernst und liebe stehn
uns Deutschen, nach dem dichter, wol, ach die so manches entstellt; II, 314 entwarf uns in behenden, gedrängten
zügen, wie er sie zu liefern pflegt, Gerhard den griechischen Eros, denen —; vgl. zum teil oben s. 231. Einer
so späten nachfolge des relativsatzes gegenüber befindet
sich der gewissermaßen umgekehrte und doch anders beschaffene fall, daß das in den anfang gestellte pronomen
weit von seinem träger entfernt auftritt, z. b. Kl. schr. I,
213 ja, den sonst nichts hätte aufhalten mögen, vor untergang uns bewahrt haben; 386 beßer, den sie nicht mehr
faßen konnten, er wäre —; III, 4 an etwas anderes nahmt,
der für die kritik unsrer alten gedichte alle zahlverhält-
nisse mit so entschiednem erfolge zu handhaben weiß,
Lachmanns scharfsinn; Lat. ged. 82 daß, die ich dir
nicht vermählt werden soll, kein anderer mich berühre.

---

*) Der gebrauch wird von Götzinger II, 476 als „geradezu fehler-
haft" bezeichnet.

Geht der untergeordnete satz dem übergeordneten, mit dem er ein subst. gemein hat, voraus, so pflegt Grimm minder gern das subst. als das ihm entsprechende pronomen in den ersten satz zu stellen; vgl. Gr. II, 936 was Schottel von -ung bemerkt, führt er bei -schaft nicht an; Gött. anz. 1836 s. 652 so gut Vôden als Hnikar —, kann er auch auftreten als Hvala; Rechtsalt. 761 schon weil könig, anführer und hirte den stab tragen, muß er das wahrzeichen richterlicher gewalt sein; — dagegen Sag. II, 55 nachdem er viele kriegstaten verrichtet hatte, dachte held Walther seiner sünden; Ged. d. mitt. 39 als er dies lied dichtete, scheint der wandernde sänger —; Gesch. 2 so verschieden sie gewendet sind, greifen diese vorstellungen —; Gr. IV, 394 hätte es in solchem unbestimmteren sinn der griech. text ihm nicht dargeboten, Ulfilas würde sein zahlwort dann gar nicht verwandt haben; Myth. 242 nachdem sie ihm ratschläge erteilt, verschwinden die jungfrauen und ihr haus vor Hothers augen*). Von größerer bedeutung ist die frage nach dem vortritt des subst. oder des pron., wenn der abhängige satz dem andern eingefügt wird. Sätze wie diese sind dem tadel verfallen**): Urspr. 29 der alte gott, als den menschen ihr erster wohnsitz zu eng geworden war, beschloß sie — auszubreiten; Ged. d. mitt. 33 acht, von welchem nur eine strophe übrig ist, bildet sie —; Haupt II, 260 Hans Sachs, der alles dichtet und doch nichts erdichtet sondern gern aus einer namentlich angeführten quelle beglaubigt, nennt sie im eingang des spiels nicht; VIII, 419 im zweiten buch, als der Ocyrhoe verwandlung erzählt wird, ruft sie aus; Heidelb. jahrb. 1811 s. 1000 sein gegenwärtiger besitzer, bei einem besuch, den er im j. 1809 herrn Grätor abstattete, überließ diesem —; Gesch. 834 zur zeit, wo deutsche sprache in der geschichte auftritt, ist sie —; Rechtsalt. 140 nach Freiberger stadtrecht, wenn der fordrer den geforderten rechtlich fangen wollte, muste er —; 161 zu Frankfurt, wenn eine frau ihren mantel auf des mannes

---

*) In jedem der beiden letzten beispiele tritt, wie man sieht, der fall zweimal ein.

**) s. Götzinger II, 527.

grab fallen ließ und nicht mehr denn ein kleid behielt, war
sie nicht schuldig für dessen*) schulden einzustehen; 845
femboten durften, während sonst alle ladungen bei tag
geschehen musten, sie in der nacht verrichten; Gr. I³, 37
vorteilhaft können, wo es eigne typen — gibt, sie beibehalten werden; 215 das zutretende t der flexion vermag in
verbis, deren — vokal die kürze verloren·hatte, sie nicht
herzustellen; Myth. 63 das mundium, worin tochter,
schwester, frau standen, scheint sie — auszuschließen;
I, 437 in Hessen, als der wichtelmann — sieht, ruft er
aus —; Altd. w. I, 182 daß, wo in der wurzel ein reiner,
einfacher laut liege, sie sich leicht —**); Gött. anz. 1823
s. 11 gleichsam als ob, was eine höhere macht verliehen,
sie auch zuletzt wieder nehmen müße; Gr. II, 848 daß in-
finitiven, die sonst ohne ge sind, es — vorgeschoben wird;
Wtb. I, V hinter dem, was seiner natur nach feine und tiefe
regel haben muß, sie auch zu suchen. Weit ansprechender ist die beziehung des pron. auf das nachfolgende subst.,
von welcher stellung***) Grimm in allen seinen schriften
den reichlichsten gebrauch gemacht hat, z. b. Vuk I schon
zu der zeit, wo alle geschichte ihrer schweigt, müßen
Slaven —; Märch. I, 77 denselben tag, wo sie Rapunzel
verstoßen hatte, machte die zauberin —; Rechtsalt. XVII
im innern Deutschland, seit er sein hergebrachtes recht nicht
mehr selbst weisen kann, ist der bauersmann verdumpft;
Urspr. 53 dennoch, so beseelt er scheine, ist der süße nachti-
gallenschlag —; Gesch. 183 von Ulfilas, den er Urfilas
nennt, sagt Philostorgius; 584 von den Bataven selbst,
so wenig er der Chatten namentlich erwähnt, meldet Caesar
nichts; Gr. II, 504 die kompos. mit leika und leiks, wie
sie dazu im ablautsverhältnisse stehen, scheinen sich auch
in der bedeutung mit láiks zu berühren; I³, 579 in
unsern beiden ersten reihen, wo ihm das sanskrit fast

*) Warum nicht „seine"? Uebrigens ist der fall wieder doppelt.
**) In diesem und den folgenden beispielen ist der übergeordnete
satz selber abhängig.
***) Daß sie sich bei Götho, wie Lehmann s. 403 mitteilt, nur in der
poesie finde, fällt zu glauben ungemein schwer.

alleinige herschaft einräumt, muß es *) sie bereits mit i und
u teilen; Myth. 29 den leichen edler, reicher männer, damit
sie sich ihrer jenseits bedienen könnten, folgten unfreie
und haus- und jagdtiere in den tod; 187 all der un-
sinn, den sie enthält, hebt den wert der merkwürdigen
überlieferung nicht auf; 675 zu ihrem mann, den sie
betören will, sagt eine frau —; Kl. schr. II, 412 jene
Taran, weil er sie mit Diana gleich stellt, scheint der
Römer weiblich aufzufaßen; Wtb. I, II leicht wird, sobald er künftig das wort ergreift —, Wilhelm — ergänzen; 1005 die unterscheidung —, wenn er sie so faßte,
hat Luther —; 1595 dagegen beschreien, wenn es gehn
oder stehn soll, die menschen das zahme vieh; Gesch.
612 da nemlich, bevor sie südwärts zogen, die Markomannen —**); 671 daß vom 2. bis zum 7. jahrh., wo sie
den Franken entgegentreten, die Friesen —; Rechtsalt.
109 symbol, wofür, wäre er üblicher und nicht unbequem,
wol man den deutschen ausdruck wahrzeichen gebrauchen
könnte; Gr. IV, 260 daß, um ihn nicht zu entheiligen, der
name gottes —; Kl. schr. I, 384 Göthe, der vielleicht,
wenn er sie hätte anbauen wollen, zur komödie bedeu-
tendes geschick gehabt hätte.

Mitunter liegt eine gewisse ungewohnheit weniger in
der eigentlichen stellung, als in der beziehung, für welche
überhaupt eine andre konstruktion erwartet wird; man nehme
z. b. Edda 46: die spur des lindwurms, worauf er zum
waßer zu kriechen pflegte***), Gesch. V der sich — in der
spracho enthüllende grundsatz, daß — sie scheide. Bei
vorausgehendem pron. fällt leicht: Gr. I², 438 man müste
schreibung und aussprache seiner roman. quelle kennen,
um über Wolframs Gahmurêt — zu urteilen; schwer dagegen und nur durch den zusammenhang verständlich: Märch.
II, 370 blickte ihn so traurig an, daß Hans —.

Die unbequemlichkeit der beziehung des pron. auf das
subst. eines eingefügten satzes (s. 265) wird erhöht, wenn
statt dieses satzes eine bloße partizipialverbindung vorhan-

*) nemlich das a. Der satz vereinigt beide weisen, da „sie“ auf
„herschaft“ sich besieht, gilt also auch für die audere reihe.

**) Hier beginnen wieder nebensätze des zweiten grades.

***) beßer: die spur, worauf der lindwurm —.

den ist, z. b. Sag. II, 95 es geschah, daß Dagobert, durch
den stolz eines herzogs beleidigt, ihn — ließ; Andr. u.
El. III daß die nun durch Sie auf den Verceller codex
gewiesene Londoner recordcommission ihn rasch abschreiben
und drucken laße; Kl. schr. II, 62 welche von der grenz-
zeichen lage und beschaffenheit unterrichtet sie sicher
nachzuweisen im stande waren; 99 der die langvermisten
gestirne erblickend sie — bewillkommt; Wtb. I, XIII
warum sollte sich nicht der vater ein paar wörter ausheben
und sie abends mit den knaben durchgehend zugleich ihre
sprachgabe prüfen —? II, 570 nach inwendig geküster
hand sie darreichen. Diesen zunächst steht eine größere
anzahl von beispielen, in welchen jenes verhältnis vielleicht
am meisten auffällt *), obgleich doch innerhalb derselben
unterschiede im einzelnen obwalten: Vuk XXXVII statt
des altslav. inf. — lautet er den Russen —; Edda 180
Sigurdurs vater war vor seiner geburt bereits todt; Myth.
1 fünfhundert jahre nach Christus glaubten an ihn noch
die wenigsten völker Europas; 379 wie in Mimirs abge-
hauenem haupte seine klugheit fortdauerte; 684 Hermes,
beschützer der herde, trägt um sie — den widder; I, XIX
die zartheit und der gehalt des mythus hat ihn in der
volkssage desto länger geschützt; Reinh. II das bei allem
abstand von der seele des menschen ihn in ein so em-
pfindbares verhältnis zu jenen bringt; CXC ein altfranz.
fabliau von dem wolf und der gans läßt ihn von dieser
— angeführt werden; Gr. II, 406 nhd. composita mit -heit
entstellen es oft in -keit; I³, 579 die schrift, gröber als der
laut, vermag ihn —; Gött. anz. 1851 s. 1748 der voran-
stalter des Prager abdrucks, ein entschiedner anhänger der
lachmannischen kritik, ahnt nicht, in welche gefahr
er sie bringt; Kl. schr. I, 160 Schleiermacher, in dessen
letzten lebensjahren er vertraut mit ihm gewesen sein muß;
II, 375 in einem zwiegespräch zwischen Jama und seiner
schwester Jami — sagt sie zuletzt —; 450 beim zug des
volks durch die wüste dürstete es nach waßer; III, 252
außer dieser anrede einzelner personen, die — laßen, erfolgt sie —; Rechtsalt. 262 in dem — testament der edlen

*) s. Götzinger II, 606.

Ermentrud vermacht sie —; 495 aus Tacitus läßt sich
seine ansicht nicht beweisen; Wtb. I, LXV daß ich aus
Meusebachs samlung — seinen durchschoßenen Campe
entleihen und gebrauchen darf; III, 689 Schillers vater
redet ihn in seinen briefen immer „er“ an; 1196 zwar sind
nach dem plan des wörterbuchs eigennamen — davon
ausgeschloßen.

In dem verhältnisse der stellung zwischen haupt- und
nebensatz tritt hervor, daß Grimm nach lat. weise, die im
deutschen nicht etwa nachgeahmt zu werden pflegt*), es
liebt dem an die spitze gestellten subjekt des hauptsatzes
die konjunktion des nebensatzes unmittelbar folgen zu laßen,
z. b. Sag. II, 95 Dagobert, als er noch ein jüngling war,
ritt —; Märch. I, 495 Hans, als er — hatte versinken
sehen, sprang —; II, 463 das mädchen, da es — hatte,
nahm —; Savigny I, 330 die Asen, weil sie — waren und
um — zu retten, musten —; Kl. schr. III, 225 Chryso-
stomus, wenn er, was wir nicht wißen, — herabführte,
hätte —; Pfeiff. I, 129 Junius, als er die silberne handschrift herausgab, wies —; Myth. I, 365 Anchises, nachdem er — hatte, trägt —; Gr. I², 967 Konrad, indem
er die kurzen formen reimte, griff beßer durch; IV, 365
leur, insofern es den plur. leurs bildet, darf —; 486 die
übrigen kasus, da sie — ablegen, bedürfen keiner belege; I³, 19 ungetheöde, wenn es nicht — ist, gleicht
—; Rechtsalt. XVII die praxis, weil sie den vaterländischen stoff zu verachten anfieng, die fremden formen aber
nicht vollständig begreifen konnte, geriet in erschlaffung;
899 Karl, wenn er zürnte und schwur, griff an seinen
bart; Gött. anz. 1829 s. 350 Brëht, es komme zuerst vor
wann es wolle, läßt sich —; vgl. Gr. I², 14. 106. 274. 371.
543. 726. 1002. II, 1. 4. 75. 718. III, 121. 434. IV, 166.
223. 291. 315. 555. I³, 122. Myth. 194. 301. 378. 559.
Rechtsalt. 784. Arm. II. 135. Gesch. 2. 43. 131. 177. 682.
Märch. II, 348. Savigny III, 123. In allen diesen stellen
ist das subj. der beiden sätze dasselbe, verschieden dagegen
bei gleichem anfange in folgenden: Altd. w. III, 47 Berta,
so sehr in den altfranz. sagen ihre schönheit erhoben wird,

---

*) vgl. Krüger s. 956. Götzinger II, 848. Heyse II, 758.

ist dennoch —; Märch. I, 63 hähnchen, da es magere
leute waren, die nicht viel platz einnahmen, ließ —; Gr.
IV, 30 qvitban, sobald der sprechende seine worte an
andre richtet, steht —; 203 der imperativ, weil geheiß
und befehl sich an gegenwärtige richten, auch durch den
ton hervorgehoben werden, entbehrt —; Gesch. 42 die
alten epicoena, sobald — ausstirbt, schränken sich —;
713 Osi, ungeachtet Tacitus — redet, gehn uns also nichts
an; 767 Snorri, wenn es sicher ist, daß er —, war —;
1025 beide völker, als unter ihnen die edeln metalle
gangbar wurden, müßen —; Gött. anz. 1838 s. 1362 der
text, obgleich — sind, behält noch manche schwierigkeit; Urspr. 29 der alte gott, als den menschen ihr erster
wohnsitz zu eng geworden war, beschloß —; Kl. schr. I,
36 mein leben, insoweit seine schicksale — abhängen,
würde —; 88 Wolfram, als der ton einmal angegeben
war, wurde —; II, 421 die Finnen, wenn donner vernommen wird, sagen —; Wtb. I, LXI herausgeber,
wenn ihnen etwas davon abzuhängen scheint, mögen —;
vgl. Gr. I², 102. 278. 505. 696. 1008. II, 91. 441. 835. IV,
441. Rechtsalt. 663. 740. Myth. XI. 14. 228. Kl. schr. I,
164. II, 96. 225. Wtb. I, 1135. Endlich stehen auch andere
satzglieder, ohne daß ein besonderer nachdruck jedesmal
anzunehmen wäre, an der spitze, z. b. Reinh. LXVII den
wolf, wo er schadet, kann man nicht wegschaffen; Myth.
388 dem Romulus und Remus, als der wölfin milch
nicht genügte, trug er andere nahrung herbei; Gesch. 502
über die Baiern, nachdem Zeuß — abgeholfen hat,
kann ich —; Ber. d. ak. 1849 s. 345 misgeburt, weil es
keine wahrhafte adjektivische form erzeugen konnte, blieb
das getadelte adjektivisch gewendete nhd. Pariser.

Eine zweite neigung, welche mit der vorigen genau zusammenhängt, besteht darin, daß in einfachen sätzen objektiv bestimmende oder adverbiale begriffe gewöhnlich
präpositionell umschriebener form gleich hinter das subjekt
gestellt werden und hierauf erst das prädikatsverb folgt*):
Ir. elf. XXXIX die frau aus furcht erfüllte das verlangen; Meisterg. 124 Konr. v. Wirzb. auf einen welt-

---

*) Unbefriedigend urteilt über dies verhältnis Götzinger II, § 112.

lichen leich läßt einen geistlichen folgen; Reinh. LXII
Isengrim bei dem anblick zieht den schwanz unter die
beine; Gr. I², 4 Engländer und Holländer über der
treue, die sie — suchten, vernachläßigten oft die höhere;
1008 Ulphilas ohne reduplikation hat erweislich sáians;
II, 917 untrennbare partikeln zu trennbaren verhalten sich —; IV, 959 zwô seiner natur nach ist —;
Rechtsalt. XV Cicero in der strafe des einsackens
erblickt eine sapientia singularis; 467 Ihre scharfsinni-
ger bezieht arf auf das unbewegliche, urf auf das bewegliche
gut; 621 Morolf beim schachspiel mit der königin
setzt sein haupt; 644 der feige nach dem furchtsam-
sten tier hieß auch hase; Myth. XXIX Adelung und
Rühs durch erneute kaum neues vorbringende be-
kämpfung der Edda versündigten sich —; 97 Wodan
aus seiner himmlischen wohnung schaut durch ein
fenster zur erde nieder; I, 40 die Schweden in großer
hungersnot, nachdem — waren, opferten ihren eignen
könig; 345 Sinfiötli an dem zug, daß er — knetet, läßt
sich zu Hercules stellen; 543 das fahrzeug bis in späte
zeiten lag auf Armeniens gebirge; Urspr. 39 kein buchstab ursprünglich steht bedeutungslos oder überflüßig;
Pfeiffer XI, 382 Mone mit dem besten willen gibt uns
—; Gesch. 467 dieser Eticho in seinen alten tagen
zieht sich —; 1015 die Engländer mit einem wort,
das ich nirgends erklärt finde, nennen —; Kl. schr. II, 358
Ulrich von Lichtenstein auf seinem abenteuer-
lichen zug teilte —; 415 κεραυνός nach solchen vor-
aussetzungen allen müste —; Wtb. I, XII Nessel-
mann und Ettmüller außer der gerügten lautord-
nung versetzen —; LXVIII meine tage nach dem
gemeinen menschlichen loß sind nahe verschließen;
17 Frank nach abbrechen, !se continere, setzt abbruch —; 1290 Fischart unter den spielen nennt eins
—; III, 1864 der dichter auf seiner seereise hatte
diese wörter genug gehört; IV, 63 wer für englisch litte
englösiseh? *); vgl. Altd. w. III, 32. Märch. I, 267. Sag.

**) Von anderer art Kl. schr. III, 172: wer mit einigem sprach-
gefühl kann sich wol entschließen —?

II, 14, 57. 325. Savigny II, 63. Lat. ged. 77. Andr. u. El.
161. 171. Gesch. 731. Gött. anz. 1823 s. 1. 1827 s. 340.
341. 1828 s. 555. 1830 s. 621. Gr. II, 661. 749. 1003. III,
281. 356. 667. IV, 146. 151. 260. 305. 429. 622. I², 11.
163. Myth. IV. 11. 141. 395. 577. 588. Kl. schr. II, 14. 17.
341. Wtb. I, 427. 631. 1052. III, 198. 446. Auch hier
macht unter gleichen verhältnissen häufig ein anderes satzglied den anfang, z. b. Meisterg. 146 den liebeshöfen
bei aller feinheit und gemütlichkeit liegt — bei;
Reinh. CCXCII dem schwein auf vieles bitten gab er
nur das stroh; Abh. d. ak. 1845 s. 214 mir unter dem
gesichtspunkt meiner jetzigen untersuchung muß
—; Myth. I, 41 den königen bei großen opfern war
es geboten von allen speisen zu kosten; 609 im mittelalter bei einweihung einer nonne, zum zeichen daß
sie — entsage, warfen die anverwandten —; Kl. schr. I,
398 vor hundert oder anderthalb hundert jahren
in seinem schulstaub hätte kein klassischer philo-
log —.

Von der gewöhnlichen stellung des subjektspronomens,
sei es in haupt- oder in nebensätzen, wird nicht selten von
Grimm insofern abgewichen, als er ihm den platz hinter
wörtern anweist, denen es vorauszugehen pflegt; gründe
dieser erscheinung sind, wenn man die einzelnen stellen betrachtet, an ihnen selbst nicht sichtbar*). Dahin gehören:
Kl. schr. I, 157 von seinem standpunkt — bin, je länger
ich nachsann, ich meinerseits abgekommen; Gr. III, 440
das in diesem sinn ich nicht kenne; Rechtsalt. 114 welches
in späteren urkunden ich kaum antreffe; Gr. I², 118 daß
nach dem vorhin s. 117 mitgeteilten grundsatz er — hätte;
Kl. schr. I, 160 über deren einzelne die gewisseste, über
andere nur ungenügende auskunft zu erteilen er vermochte;
III, 13 daß nach 1160, wo ihm die quelle versiegt, aus den
25 späteren jahren er nichts weiter hinzuzusetzen hat; Wtb.
I, XII zu dem ausdrucke muß noch es beßere beispiele
geben; Urspr. 13 womit erlittenen schaden sie schnell ver-
wächst; Gesch. 769 setzen in solchen namen sie sie offenbar voraus; Ber. d. ak. 1850 s. 208 daß in erwartung ihres

---

*) Götzinger (II, 246) spricht seine misbilligung aus.

nahenden todes, um nicht unbeerdigt liegen zu bleiben, sie
mit der letzten kraft —; Kl. schr. I, 168 nur muß bei der
kunst man — in augen haben; Gr. II, 9 weil was man
hebt man hält; 1³, 9 hätte von ihnen man wahrscheinlich
gelangen können; Rechtsalt. 109 wofür, wäre er üblicher
und nicht unbequem, wol man den deutschen ausdruck wahrzeichen gebrauchen könnte; Lat. ged. 60 aus dessen lebens-
zeit lediglich man die des Geraldus abzuseln wagte; Myth.
470 hatte auch in sächsischen liedern man —; Urspr. 9 da
um dieselbe zeit man —. Dieselbe stellung wird öfters im
hauptsatze dem sich reflexiver ausdrücke zugewiesen, welches dadurch von dem engverbundnen verb auffallend getrennt erscheint, z. b. Gr. IV, 95 die altn. sprache bedient
für denselben begriff sich —; 242 verhält zu dem ein-
facheren nih niotôt sich —; 244 mehrere dichter bedienen dieser redensart sich nicht; Myth. XVI nicht auf viel
andere weise verhält es im 13. jahrh. sich mit wunsch;
Haupt IV, 191 unser schenk und schenken beziehen höchst
wahrscheinlich sich auf —. Andrerseits tritt einigemal,
ohne daß der zusammenhang einen gegensatz aufwiese, das
persönliche pronomen als acc. oder dat. an die spitze der
konstruktion; vgl. Gr. I¹, 12 mich für die erörterung dieser
übergänge und sonst der bekannten einteilung in tenues (p.
t. k.) mediae (b. d. g.) und aspiratae (ph. th. ch.) zu bedienen nehme ich keinen anstand; 51 sich die laute, die
man für umlaute des ê und û gelten laßen wollte, klar zu
denken wäre auch nicht leicht; Kl. schr. III, 425 mich
aber fühle ich angeregt hier noch einige betrachtungen —
vorzulegen.

    Lediglich zur verhütung eines misverstandes oder nur
der vorübergehenden möglichkeit desselben pflegt man den,
unter umständen angemeßenen, vortritt des objekts vor dem
subjekt, wenn nom. und acc. beider gleich lauten, zu meiden. Diese vorsicht hat Grimm nicht überall angewendet,
ja er scheint im allgemeinen auch nicht einmal von inneren
gründen, welche die voranstellung des objekts unterstützen
könnten, bestimmt gewesen als vielmehr einer bloßen gewohnheit oder eigenheit gefolgt zu sein. Er sagt: März.
1, 10 rief es einmal die jungfrau Maria zu sich; 12 blickte
es die jungfrau an; 75 schloß es die zauberin in einen

turm; 452 wo es eine amme tränken muste; II, 177 trug
sie das männchen wieder in das königliche schloß und in
ihr bett zurück; Gr. I², 16 ohne daß es eine dichtkunst
anwende; II, VII daß die frühere sprache ihre wurzeln be-
kleide, während sie die spätere häufig nackt aufstellt; 966
bevor sie gebrauch und bedürfnis annehmlich machten; III,
714 bis es endlich die schriftsprache nach und nach getilgt
hat; IV, 484 während — die flexion abwirft, behält sie
nom. fem. und plur. neutr. lieber; Misc. crit. I, 3, 581 nun
bestätigen sie aber auch fremde sprachen; Reinh. CLXIV
wahrscheinlich stellten sie die abschreiber meist zusammen;
Rechtsalt. 909 daß sie das christentum und die spätere ge-
setzgebung ihm nur allmählich entreißen konnte. Dem um-
stande, daß in sämtlichen hier verzeichneten beispielen der
voraufgehende objektskasus ein pronominaler ist, liegt weder
absicht noch zufall zu grunde, d. h. die unwillkürliche, wahrscheinlich in verhältnissen der betonung liegende gewohnheit
erstreckt sich eben zunächst auf das pron., an eigentlichen
subst. wird es gebrochen. Noch vergleiche man Märch. I,
84 den im ersten augenblicke verwirrlich klingenden satz:
„packte das böse weib die königin am kopf und ihre tochter
an den füßen" *).

Abweichend von der gewöhnlichen wortfolge umschriebener verbalformen, sei es im haupt- oder im nebensatze,
erscheinen verbindungen wie: Wtb. I, IV doch nicht einmal aus ihrer fülle sehienen alle grammatischen entdeckungen müßen hergeleitet zu werden; Rechtsalt. 65 in
andern fällen muß aber vorwärts sein geworfen worden;
Heidelb. jahrb. 1813 s. 853 weil man — geändert würde
haben; Gr. I³, XVI einen wunsch laut laßen werden;
IV, 475 wird sich hier kaum laßen ausweichen. In
übereinstimmung mit der s. 258 berührten weise trennt sich
bei zusammengesetzten verben daneben zuweilen die präp.
vom verb, z. b. Gr. I³, VI hervor hat gebracht; IV,
VIII ab hätte brechen müßen; 135. 372. 857 nach
laßen weisen, 291 auf laßen weisen, 505 nach laßen
folgen.

An lateinische strenge erinnernd, aber der deutschen

*) Wessen tochter? Des bösen weibes.

sprache, welche sich mit hervorhebung des tones zu be-
gnügen pflegt, großenteils ziemlich ungeläufig heißt es:
Gesch. 292 würde zur ahd. anmut des lants zurückkehren
weder können noch wollen; Gr. I², 19 da sie sich selbst
Deutsche nennen nicht können noch wollen; I², 466 er-
fährt aber verschiedene teils einschränkung teils erweiterung; 541 auf ein ags. teils öo teils ê; Heidelb. j. 1813
s. 852 um ihrer allein willen. Zu andern malen findet sich
die logisch richtige wortstellung, auch wenn ihr der gebrauch
nicht widerstreitet, unberücksichtigt, z. b. Wigand I, 2, 77
nicht bloß der umlaut des a sondern auch des â; Gesch.
151, nicht bloß die gebeine und häupter von menschen,
sondern auch tieren; Gr. III, 284 sowol für den sinn von
si als von num; I², 173 sowol den umlaut von a als von
â; I², 380 die spuren beider lautverbindungen im mhd. sind
daher weder zu verwerfen, noch die gewöhnlichen bt, gt
danach zu ändern; II, 398 da aber teils nomina und partikeln aus der bloßen wurzel, ohne zwischenkraft einer ableitung, teils mittelst einer solchen gebildet werden (vgl.
I², 126. 160. 774. III, 558. IV, 439); Berl. spr. u. sitt.
1817 s. 347ᵃ teils weil die sprache unter der hand der
dichter ungezwungen und natürlich fließt, teils dadurch
einigemal dem metrum geholfen wird. Die negation steht
wo sie nicht stehn soll: Kl. schr. I, 400 daher alles, was
wir in ihnen für unwahr erkennen, ist es nicht; Altd. bl.
I, 288 die übrigen anses sind deshalb keine berggötter,
wenigstens alle nicht; Gr. I², 382 obgleich dieses nicht
sondern a geschrieben wird. Auch andere adv. beobachten
nicht immer die übliche stellung, z. b. Gr. I², VII fast
vor zwei jahren*); III, 225 ganz auf anderm wege; IV,
13 gar noch keine temporalunterschiede; IV, 373 völlig
eine verschiedene erscheinung; IV, 371 die pluralen sämtlich sind verschwunden; II, 583 Ulf. kennt nicht einmal
sie; Ber. d. ak. 1861 s. 840 so ein schöner, beziehungs-
voller ausdruck; Rechtsalt. 905 noch eine härtere (strafe);
Myth. II, 341 viel ein weiteres feld; Kl. schr. I, 382 viel
ein milderes, schöneres maß; Edda 47 mich hat viel zu

---

*) vgl. dagegen Gr. III, 728: „wurde ihrer fast aller überdrüßig",
nach lat. weise.

18*

groß ein elend heimgesucht *); Meisterg. 74 zu hundert
und drüber reimen.

Bekanntlich hat Grimm eine akademische abhandlung
„von vertretung männlicher durch weibliche namensformen"
hinterlaßen. Dieser titel bietet eins der zahllosen beispiele
einer wortstellung, deren er sich lieber als der umgekehr-
ten, welche im ganzen gebräuchlicher sein dürfte, bedient;
vgl. Gr. IV, 256 die motion weiblicher aus solchen männlichen wörtern; Myth. 296 das wort muß selbst in späterer, bis auf die neueste zeit fortgelebt haben; Gr. II,
370 daß jenem kein, diesem aber ein vokal vorherzugehen pflegt; I², IX die schlesischen, welche für väter
der neueren dichter gelten; Abh. d. ak. 1846 s. 14 absichtlich übergeht Jornandes des Totila erhebung und heer-
zug in der gothischen, welchen er in der allgemeinen
geschichte noch berührt; ebenso bei verschiedenem numerus Myth. 601: wurde seit dem 14. 4 jahrhunderte
lang —. Der vorzug dieser stellung steht in deutlichem
zusammenhange mit früher angegebenen verhältnissen, insbesondere mit der neigung den nebensatz, welcher das auf
ein subst. hinweisende pron. enthält, diesem subst. voraufzu-
zuschicken.

Interpunktion.

An den schluß der syntax fügt sich eine besprechung
der interpunktion. Daß sich Grimm ein eigentliches system
der zeichensetzung, deren vorwaltende unregelmäßigkeit und
verworrenheit ihm nicht verborgen sein konnte, geschaffen
habe, kann weder mit bestimmtheit nachgewiesen noch grundsätzlich vorausgesetzt werden; aus seiner praxis, auf welche
daher die untersuchung angewiesen ist, wird sehr bald jene
hauptrichtung erkannt, der er auch in allen andern verhältnissen der schreibung gefolgt ist, einfachheit und beschränkung. Zwar läßt sich ein beträchtlicher unterschied zwischen früheren und späteren zeiten entnehmen. Denn wenn
auch den älteren schriften kein auffallendes übermaß der
interpunktionszeichen vorzuwerfen ist, so findet sich doch

*) wie im englischen.

hier im allgemeinen alles dasjenige beobachtet, was dem herschenden gebrauche genehm ist; im verlaufe aber begegnet der gewöhnlichen und unvorbereiteten auffaßung eine sparsamkeit, wie sie andern schriftstellern nicht leicht eigen sein mag.

Die an und für sich empfehlenswerte, nirgends übersicht und verständnis wesentlich hemmende weise, bloße satzteile und selbst solche verhältnisse, die man verkürzte sätze zu nennen pflegt, als solche zu nehmen und nicht in sätze aufgelöst zu denken, ist durch sehr viele und mannigfache beispiele vertreten, von denen nur etwa einige der letzteren gattung, weil vorzüglich hier der gebrauch nicht übereinstimmt, genannt werden mögen, wie: Reinh. CXXX Lietart erschrocken bittet um aufschub; Ber. d. ak. 1859 s. 420 namenlos unglücklich machte sie der verlust des schmuokes erst recht in liebe zu Woud entbrennen; Kl. schr. I, 129 das wahrgenommen tue ich kühnen seitenschritt; 153 fragte Lachmann ohne es nachzuweisen; II, 327 wie gesagt erscheint nun Wunsch. Schwerer wiegt, daß auch vollständige sätze mit durchweg getrennten gliedern, ohne durch zeichen von dem benachbarten satze abgesondert zu sein, in großer menge begegnen, z. b. Gesch. 2. aufl. VI Sobald Deutschland sich umgestaltet kann Dänemark unmöglich wie vorher bestehn. VIII Wer nichts wagt gewinnt nichts und man darf mitten unter dem greifen nach der neuen frucht auch den mut des fehlens haben. Rechtsalt. 498 Oft ist die grenze zwischen mark und acker streitig und was bald dahin bald dorthin gerechnet werden sollte war ohne zweifel in verschiednen gegenden sehr abweichend bestimmt. 501 Erst als das mittelalter vorüber war wurden markweistümer aufgeschrieben und von ihnen ist wahrscheinlich nur ein geringer teil erhalten und bekannt gemacht. Schulze XVII Was ich meine sollen einige beispiele darlegen. Kl. schr. I, 74 Magdalena kann so reizend gemalt sein als Venus ausgchauen ist und die zusammensetzung einer grablegung von Rafaels hand so glücklich und gewählt sein als irgend ein altes werk. 163 Da hält ein kind den kopf oder dreht die achsel genau wie es der vater oder der großvater getan hatte und aus seiner kehle erschallen bestimmte laute mit derselben modulation. 247 Bei jedem

wißenschaftlich arbeitenden soll sich aber ein untrügliches
gefühl einfinden für die unterscheidung dessen was abgetan
und erledigt sei von dem was sich vorbereitet habe und in
raschen angriff genommen werden müße. II, 15 Welche
feste in ganz Deutschland auf den 1. mai fielen ist bekannt
und der heil. Waldburg zu ehren wäre Phol um einen tag
fortgeschoben worden. 83 Am sichersten einführen in das
finnische epos selbst wird uns eine betrachtung · der örter
und länder in welchen es spielt und hier stoßen wir durchweg auf einen gegensatz zwischen heimat und fremde. 120
Ich weiß nicht welchen von beiden Marcellus meint. 146
Alles ist voll geheimer sympathie und wie die spinne an
ihren fäden aufsteigt soll die geschwulst aufgehn. 366 Was
von dieser regel auszunehmen ist dient sie desto mehr zu
bestätigen. Haupt I, 2 Wie tief in unsern volkssagen die
geheimnisvolle beziehung des menschlichen leibs auf die erde
und welt überhaupt noch wurzele ergibt sich aus den oft
wiederholten erzählungen von felsen die ein abgehaunes stück
von dem riesen oder von seen die sein entströmendes blut
hervorbringt (vgl. IV, 501. 507. VI, 1). An dergleichen beispielen, welche sich fast überall wohin man seine blicke wirft
vermehren laßen, kann der setzer, dem eine solche
beschränkung gegen alle und also auch seine eigne gewohnheit nicht in den sinn fallen wird, keinen anteil haben.
Unterdessen kommen auch proben mehr oder weniger bedeutender abweichungen von dieser auffallenden sparsamkeit
vor. Hin und wieder wird ein komma, ohne daß sich gerade vollständige sätze berührten, nicht minder ungerne ver-
mißt, z. b. Kl. sehr. I, 26 Einigemal jener war ich dieser
nie bedürftig. Gr. I², 121 Nur ist jenes isila ausnahme
nicht regel.

In einem sehr merkwürdigen gegensatze, ja wider-
spruche zu der bisher wahrgenommenen großen beschränkung
steht nun aber die tatsache, daß Grimm, und zwar noch
häufiger als es gestattet zu sein pflegt, adverbialausdrücke
nicht selten der einfachsten und gewöhnlichsten art abtrennt,
z. b. Gr. II, 404 der, möglicherweise, flexivische ursprung;
I³, 2 daß ihre dichter, nach der bekehrung, — hätten;
Reinh. 274 wenn nicht, auffallend, einzelne —; Gesch. 801
ebensowenig darf, drittens, die historische betrachtung —;

Myth. I, 417 Laurin war, nach den gedichten, über 400
jahre alt; Abh. d. ak. 1845 s. 205 schon die Gothen werden, mit der sache, den ausdruck gehabt haben; Gött. anz.
1836 s. 324 gewinnen dadurch slavische paläographie, geschichte und grammatik, in wesentlichen dingen, ein verändertes ansehen; Pfeiffers Germ. neue reihe 1868. jahrg. I
s. 381 unser schicksal, in dem kreis, den, mit gewalt eines
zauberbannes, die regierungen gezogen haben, liegt noch
dunkel (briefl. v. j. 1838); Rechtsalt. 103 die bestimmung
auf das leibliche zu beziehen und ihr, eben durch das un-
aussprechenbare ungewisse, in den augen sinnlich stärker
fühlender menschen, würde und haltung zu verleihen; Wtb.
III, 1545 sieht darin, mit recht, verachtung ausgedrückt;
Kl. schr. I, 252 die wichtigste angelegenheit der akademie,
ohne rückhalt, zur sprache zu bringen; II, 22 zu lange
schon säume ich, über grammatischen kleinigkeiten, die
dringendere frage zu erledigen; 340 der zwiespalt zwischen
kaiser und pabst, um diese zeit, muste —; 359 wer den,
nicht von ungefähr, nach den ständen abweichenden widerschein — verfolgen wollte —. Muß es überhaupt schwer
fallen diese interpunktion auf einen annehmlichen grund
zurückzuführen, so erregt sie verglichen mit dem eben ge-
zeigten vollkommenen mangel in der verbindung zweier und
mehrerer sätze nur eine desto stärkere verwunderung. Von
anderer seite und für sich betrachtet noch viel weniger begreiflich ist das komma in folgenden sätzen: Gr. I², 115 eine
historische entwickelung der romanischen mundarten, würde
viele dabei waltenden regeln und ausnahmen anschaulich
machen; II, 358 endlich ist, das ahd. -ingun weder ein gen.
pl. —; 661 viele der gegebnen belege, liefern das adv. (vgl.
824. III, 58. 104. IV, 911); Kl. schr. II, 7 in einem denk-
mal voll altertümlicher formen, darf auch ein dunkles adv.
noch unangetastet stehn bleiben; 320 auf diesem punkt, rinnen mutter und sohn ganz in einander; 385 die meisten
apsarasennamen, deuten auf wolken. Eine erklärung dieser
zeichen würde vom setzer absehen, vielmehr im gegensatze
zu sonst bestimmenden logischen verhältnissen die redepau-
sen berücksichtigen müßen.

Dem allgemeinen brauch einander ohne konjunktion
beigeordnete würter durch ein komma zu sondern unterwirft

sich Grimm sehr häufig nicht, z. b. Gesch. 1 ein goldenes
silbernes ehernes eisernes zeitalter; 16 samt frauen kindern
verwandten freunden; 163 im äolischen jonischen dorischen
dialekt; 275 mit offnem vollem mund; Reinh. LXI esel bock
und widder; Merkel LXXX sperber hahn henne kranich
schwan ente taube; Urspr. 25 mit Adam Eva Noah Abra-
ham Moses; Kl. schr. II, 212 nur die rohsten grausamsten
menschen*). Bei der apposition fehlt die interpunktion in
der regel nicht; doch vgl. verbindungen wie: Reinh.
LXXXIII Walther abt von Egmond und Balduin abt von
Lisborn; Myth. I, XXXIX Hartmann ein sanct Galler mönch
sang —; Rechtsalt. 146 adoptierte Alarich der Gothen könig
den Chlodowig Franken könig; Kl. schr. I, 278 Psammetich
der Aegypter könig um zu versuchen —; II, 441 Arnuphis ein
ägyptischer magier in des kaisers gefolge; III, 218 beider
volksnamen Getae und Daci anlanto. Häufiger ist die apposition, was schwerer zu rechtfertigen scheint, von dem
übrigen inhalt der rede nur an der einen statt an beiden
seiten getrennt, z. b. Kl. schr. II, 315 Plato hat in einem
seiner dialoge, im symposium das wesen des Eros besprochen; 328 daß Ilnikar, eine andere personifikation Odins
den segelnden — allen meeressturm stillt; — allen solchen
vorstellungen schließt sich Hermeswuotan, der psychopomp
und götterbote an; 371 eine der zartesten blumen, die mai-
blume mit duftenden glöcklein führt —; 450 soll Balder,
der göttliche held seinem heer — (vgl. 90. 95. 338. 342.
381). In einem und demselben satze (Kl. schr. II, 109)
wechseln durch eigentümlichen zufall alle drei verschiedenen
weisen: „Ahava, der westwind, zengt mit Penitar (der
welpin), einer blinden frau in Pohja die hunde wie Achills
rosse Xanthos und Balios von Zephyros mit der harpye
Podarge gezeugt werden“. Appositionelle konstruktionen
mit dem adjektiv oder partizip verhalten sich wie die apposition selbst, daher auch hier ein einziges komma auffallender ist als keins, z. b. Kl. schr. II, 11 das zweite ge-

---

*) Flüchtiger wechsel in demselben satze Gesch. 108: „scheinen
außer den griech. monaten zunächst die keltischen baskischen und
deutschen kundzugeben, minder die slavischen, litthauischen und finnischen“.

dicht doppelt so lang als das erste, unterliegt —; 212 das
menschengeschlecht, durch vielfache bande an einander
hängend würde —; 367 jene schaltiere, am gestade des
meers klebend und verschlammt nehmen —; III, 424 könig
Guntram, von der jagd ermüdet war — eingeschlafen. Endlich zeigt sich dasselbe bei vollständigen nebensätzen; vgl.
Kl. schr. I, 159 ihm lagen zu jedem altdeutschen dichter,
den er vornahm bald die mühsamsten reimregister zur hand;
173 mit dem Rolandslied und allen gestaltungen des Rosen-
garten, so viel er ihrer habhaft werden konnte war er höchst
vertraut; 274 die heilige schrift die wir gottes wort nennen,
ist uns ehrwürdig; II, 322 des Eros anschluß an Hermes,
der die seelen geleitet findet sich —; 366 alle pflanzen sind
gefeßelt an den boden, in dem sie wurzel schlagen und
dürfen —.

Daß auch der gebrauch des semikolon sich mindere,
folgt aus der beschränkung des komma. Alle schriften
Grimms, vorab seine grammatik, weisen die umfangreichste
verwendung des komma für das gebräuchlichere semikolon
oder gar, wofür man sich bisweilen noch lieber entscheiden
dürfte, den punkt. Die beiden folgenden stellen können
als hervorragende proben gelten: „Ein merkwürdiges datum
enthält die siebente inschrift in welcher man liest conung
chludonig consul, könig Chlodowig hatte im jahr 510 von
kaiser Anastasius die insignien des consulats empfangen,
die formel scheint der in lat. urkunden regnante rege Chlo-
doveo vergleichbar, wozu hier consule tritt, der vorausgehende, Ingomer benannte mann, der hier begraben zu
liegen scheint, muß kurz nach 510, noch unter Chlodowigs
regierung gestorben sein" (Ber. d. ak. 1854 s. 528). „Bei
geschenk denken wir heutzutage ebensowenig an fusio, bei
schenken nicht an fundere, sondern haben den alten begriff
auf das zusammengesetzte einschenken infundere beschränkt,
schenken, ohne ein zugefügtes wein bier milch u. s. w.
drückt uns überall donare aus, bin ich aber auf rechter
fährte und lag auch in geben ursprünglich die vorstellung
des eingießens, so lehren beide verba geben und schenken
einstimmig, daß unsre gastfreien vorfahren aus dem darreichen des trunks den abstrakten begriff des gebens überhaupt ableiteten" (Kl. schr. II, 205).

Es begreift sich, daß die bisher an Grimms interpunktion erkannten merkmale, so eigentümlich sie sich im ganzen
erwiesen haben, doch nicht geradezu als feststehend charakteristische eigenschaften betrachtet werden dürfen; sie treten
vielmehr, was sich in mehreren fällen auch gezeigt hat, wie
so manches auf dem gebiete seiner sprache und schreibung,
nicht überall und zu jeder zeit gleich auf, so daß auch sie
auf individuelle stimmungen zu deuten scheinen. Namentlich in seiner frühsten periode pflegte Grimm, wie schon
gesagt, die zeichen weit mehr dem herkommen gemäß zu
setzen, ungefähr dieselbe weise zu befolgen, deren grundcharakter sich seit jener zeit bis auf den gegenwärtigen tag
bekannt und geltend gemacht hat. Man vgl. Hall. l. z.
1812 s. 250: weil sie nicht weniger noch besonders, so gut
wie andere, den, erst bestimmenden, artikel annehmen;
Irmenstr. 5 in welchen, wie in der natur insgemein, bis in
ihre kleinsten teile, ein lebendiges geschäft wacht; Ir. elf.
CXIII den hauswichtlein werden, da sie klein sind, kinder-
spielsachen, in den keller oder die scheune, ihren gewöhnlichen aufenthaltsort gelegt; 65 eben, als ich, wie gesagt,
im begriffe war, aufzustehen; Sag. I, IX eine notwendigkeit
scheinen, die mit ins haus gehört, sich von selbst versteht,
und nicht anders, als mit einer gewissen, zu allen recht-
schaffenen dingen nötigen andacht, bei dem rechten anlaß,
zur sprache kommt. Betrachtet man dergleichen beispiele,
so scheint es beinahe, daß die zahl der zeichen noch über
den gebrauch hinausgeht. Zu andern malen begegnet auch
eine sehr beträchtlich abweichende weise, z. b. Ir. elf. 64
gegen mitternacht glaubte ich sein ende sei gekommen und
ich stand auf, den mann zu holen; Irmenstr. 59 die von
Amphion dem saitenspieler gebaute stadt, hatte wie Bavais
und Rostok, sieben tore; Gr. I¹, 621 können fast nicht mehr
entbehrt werden, aber doch manchmal und es dauern verschiedene endungen mit und neben dem was sie ersetzen
soll fort; Schlegel I, 413 fuchs und sperling schleppten den
gevatter heim, wie ihn der herr sah, sprach er, der ist ja
todt, und gab ihn dem fuhrmann, der soll ihn begraben.

Beim fragezeichen stößt man auf eine merkwürdige
neigung Grimms, die ihm früh nachgewiesen werden kann
und bis zuletzt verblieben ist: er setzt nemlich das zeichen

auch nach der indirekten frage, z. b. Sag. II, 176 da be-
schwor sie der gute mann, daß sie ihm hinterbrächten, was
sie geworben hätten? Kl. schr. III, 416 schlug ich auf der
stelle nach, was er darüber beigebracht haben möge?*)
Hierbei ereignet es sich auch, daß bei voraufgehender frage
das zeichen in die mitte des satzes gerät; vgl. Gr. I², XV
es liegt oft mehr daran zu wißen, ob — gebreche? als —
kunde zu erlangen; I³, 34 ob triphthonge statt finden und
mit welcher länge? läßt sich im allgemeinen nicht erörtern;
Wien. jahrb. 70, 41 aus welcher sprache nun die Gothen
klismô entlehnten, von woher ihnen das instrument zugeführt wurde? das muß künftigen entdeckungen vorbehalten
bleiben; Wtb. III, 1212 wie man die russischen namen —
darzustellen habe, ob — ? weiß zur stunde niemand; Merkel
LXXII fragt sich, ob — ein schwacher acc. von cheristada
sei? der ganz zu jenem tuggône stimmte. Ja, was höchst
sonderbar aussieht, aus rücksicht auf den folgenden relativsatz befindet sich Wtb. I, VII neben dem fragezeichen ein
komma: „wozu ihm noch immer handbücher und auszüge
unseres gewaltigen sprachhortes und alten erbes vorlegen?,
die statt dafür einzunehmen davon ableiten"; ferner aus
anderer ursache dieselben zeichen Candid. VI: „beginnt,
wer wollte es sich verbergen?, ungelesen zu sein und zu
versinken". Nicht selten steht das fragezeichen hinter einem
satze, der überhaupt kein grammatischer fragesatz ist, z. b.
Wien. jahrb. 70, 37 das izu ist aus versehen stehen geblieben? sollte man glauben; Vuk XII das übrige Europa
wird, wenn es aufmerken will, nach den ursachen fragen,
die hier im wege stehen, nach den gründen, die eine von
millionen menschen geredete sprache schriftunfähig machen?
Kl. schr. II, 13 Balder braucht nicht gerade vorher genannt
zu sein, wenn er sich als im gefolge Wuotans vielleicht von
selbst versteht?**) Ber. d. ak. 1859 s. 521 wichtiger schiene
schon die thrakische kürzung Bendis für Benedis? aus dem
dreisilbigen wort könnten die Griechen ein zweisilbiges
Bendis gemacht haben? — Dem fragezeichen bei indirekten fragen steht der mangel desselben bei direkten gegen-

---

*) Mehr beispiele in d. schrift üb. deutsche orthographie s. 185.
**) dem worte „vielleicht" zu gefallen, ebenso Altd. bl. I, 418.

über; vgl. Sag. II, 106 weist du nicht, Gott kann tun,
was er will. Gr. I³, 556 wie dürfte er als ihre wesent-
lichste lebendigste kraft verkannt werden. Kl. schr. I,
169 hat nicht Vossens Homer, soweit er —, dennoch —
erfaßt und nachgebildet, dadurch — tiefer aufgetan. Merkel
LXVII wer wollte zweifeln, daß —. Liebrecht IX denn
was könnte —. Dergleichen fragen sind formell und laßen
sich mit behauptungen vertauschen.

Den vokativ sondert auch Grimm fast regelmäßig von
dem inhalt der rede ab*); der wechsel in Schlegels mus.
I, 413 und 414, wo sich hinter der anrede „fuhrmann" teils
gar kein zeichen, teils ein komma, teils ein ausrufungszeichen mit jedesmal gleich lautender aussage geschrieben
findet, gehört zu jenen ungenauigkeiten und schwankungen,
welche so oft zu tage treten. In briefen pflegte Grimm, wofern man von mehreren auf die meisten schließen darf, die
überschriftliche anrede mit einem komma, nicht mit einem
ausrufungszeichen zu begleiten.

Der vorteil und die relative notwendigkeit der häkchen
oder anführungszeichen wird Kl. schr. III, 281 für gewisse
fälle der wechselrede angedeutet. Bei der einführung wirklich fremder äußerungen in den text finden sich diese zeichen oft angewendet, z. b. Kl. schr. II, 291. 292. III, 228.
Wtb. I, LXIV. Dagegen hat es Grimm insgemein als
überflüßig betrachtet sie für die bloße leitung des ver-
ständnisses bei den unzähligen wörtern, namen, ausdrücken,
redensarten, überschriften, beweisstellen u. d. gl., welche in
der rede angeführt werden, zu setzen; vgl. Kl. schr. I,
244 das lectio lecta placet, decies repetita placebit ist auf
ihn gereizt; 392 einmal im gedicht auch ich war in Arkadien geboren überwältigt ihn die klage; III, 100 es
kommt hinzu, daß seine bescheidenheit**) nicht in ihrer
echten gestalt aufbewahrt ist; Haupt I, 2 der heutige kin-
derglaube nach den sternen deuten engeln in die augen
greifen heißt —; VII, 466 wie aus ich habe gesehen die
vorstellung ich weiß, entspringt aus der ich habe bei mir

_____

*) ausgenommen z. b. Audr. u. El. III: „was Ihnen lieber Blume
gehört".

**) Freidanks gedicht dieses namens.

aufgenommen die abstraktion ich bin hold oder ich liebe.
In der abh. üb. die namen des donners (Kl. schr. II, 421 fg.),
wo nachgewiesen wird, was einzelne völker sagen, wenn
donner vernommen wird, steht teils gar kein zeichen teils
ein komma teils ein kolon, aber häkchen kommen nicht zum
vorschein. Einen älteren gebrauch des kolon in beispielen
wie Gr. I¹, 641 „durch: gehalten sondert sich die partizi-
piale form", Pfeiffer XI 379 „bruchstück eines altholländi-
schen lieber: flamländischen gedichts" hat Grimm mit recht
bald wieder aufgegeben. Wtb. II, III spricht er davon,
daß die fortlaufende reihe gleichartiger belege von ihm durch
ein semikolon, von seinem bruder durch einen punkt bezeichnet worden sei; damit verbindet er noch einige andere
bemerkungen über die interpunktion bei beweisstellen.

Selten wird sich ein schriftsteller so oft der klammern
bedient haben als Grimm; zumal bei der knappen und eigentümlichen darstellung in der grammatik leisten sie ganz beträchtliche und kaum entbehrliche dienste.

Bemerkenswerte wörter und ausdrücke.

Die bisherige darlegung der einzelnen charakteristischen und besonderen erscheinungen in der sprache J. Grimms hat darauf geachtet, überall wo ein günstiger anlaß geboten zu sein schien und zumal wo unter einer größeren menge bereit liegender beweise gewählt werden durfte, neben der behandlung des jedesmal an die spitze gestellten eigentlichen hauptgegenstandes auch eine menge bemerkenswerter wörter und ausdrücke zu verzeichnen, welche entweder durch ihr hohes und ehrwürdiges alter im gegensatze zu heutiger verschollenheit, oder vermöge ihres ursprunges aus dem innern des geist- und gemütvollen schriftstellers, oder endlich wegen anderer teils auf regel und gebrauch teils auf andere verhältnisse bezüglichen eigenschaften aufmerksamkeit und teilnahme verdienen; vorzüglich in den abschnitt von der wortbildung sind dergleichen ausdrücke aufgenommen worden, an deren voraussetzung sich die folgenden erörterungen anschließen.

Zuvörderst werde einiger mhd. verben gedacht, unter denen zwei ausnahmsweise rechtfertigend von einer auf das alter hinweisenden bemerkung begleitet auftreten: Gr. I³, XV wurzeln telben (wie sich unsre alte sprache ausdrückt); Wtb. I, LIX lautet gedämpft und dießend, wenn ich des alten wortes mich bedienen darf; Sag. II, 36 wolle zeisen*); Savigny II, 80. Rechtsalt. 144 in die ohrlappen pfetzen; Kl. schr. III, 11 bannen (in bann tun); Meisterg. 157 halten (meinen, dafürhalten); Schlegel I, 403 ärger gewinnen (vgl. Gr. IV, 606); Gr. III, 361 die großen (vögel), die krallenden, krimmenden**). — Vieler verben und verbalausdrücke, die heute zwar nicht gerade unbekannt sind aber doch keineswegs einer eigentlichen geläufigkeit sich erfreuen, hat sich Grimm in dem weitesten umfange und mit der sichtbarsten vorliebe bedient, z. b. antworten f. entsprechen, einfließen (einfluß haben),

---

*) vgl. Vilmar Idiot. 466.

**) mhd. krellen und krimmen (kratzen); vgl. Savigny II, 54. Myth. II, 1082. Gesch. 50.

entraton, gebrechen als intrans. (mangeln), gemahnen,
kiesen, meinen f. bedeuten, mögen f. können, meldung
tun, im spiel sein, aus dem spiel bleiben und laßen,
spreiten, streiten für (sprechen für; vgl. streiten gegen),
umgreifen (um sich greifen), unterliegen (zu grunde
liegen). Zum beweise des hervorragenden gebrauches mag
unter den eben genannten verben nur einem, das im ganzen
vielleicht am seltensten bei andern schriftstellern angetroffen
wird, bloß aus Wtb. I eine reihe von belegstellen hinzugefügt werden, nemlich meinen: s. 74. 209. 213. 539. 551.
573. 742. 789. 841. 891. 939. 974. 1135. 1143. Sehr eigen
ist der gebrauch von vermögen mit dem acc. des obj.,
z. b. Gesch. 927 unsre sprache vermag gleich der griech.
nicht mehr als vier kasus; Merkel LXXVII unter
sämtlichen handschriften, die wir noch vermögen; Wtb.
I, 790 den dualis, wie ihn das sanskrit vermag; Kl. schr.
II, 454 sprachen —, welche nichts als präs. und prät.,
weder fut. noch aorist vermögen: persönlich ist der
acc. Reinh. CXXXI „wie R. den einfältigen bauer endlich zu den schwersten bedingungen vermag". Auch die
konstruktion dieses verbs mit dem präp. inf., so geläufig
sie an sich ist, wird auffallen in sätzen wie: Andr. u. El.
134 scerpen vermag jedoch kaum partizip zu sein; Gr.
IV, 2 nie vermag im nomen die aussage zu stecken; 50
das medium vermag — ausgedrückt zu werden; III,
564 wiederum aber vermag es nichts zu geben, was
— hinausreichte; vgl. Gr. I², 438. 823. 917. I³, 558. IV,
51. Wtb. I, XXXIX. Mit meldung tun vereinigt sich
das sonst noch weniger übliche meldung geschieht Gr.
I³, 342. 366. 491. III, 100. IV, 81. 464. Außerordentlich
oft findet sich die umschreibende verbindung von lieben
mit dem präp. inf., welche man ohne ausreichenden beweis
unter die galliciemen gerechnet hat, z. b. Andr. u. El.
I.VIII. D. beid. ält. d. ged. 64. 75. Myth. I, 367. II, 835.
Gr. I³, 263. 570. III, 695. IV, 183. 257. 339. 400. 410.
438. 564. 590. Kl. schr. I, 160. 192. Gesch. 291. 305. 325.
333. Abh. d. ak. 1845 s. 237; haben mit demselben inf.
wird, ähnlich wie vorhin vermögen, in sonst ungewöhnlichen beziehungen gebraucht, z. b. Gr. III, 554 hätte das
genus abzuweichen, Urspr. 10 hätten unsre sprachen

weiter zurückzureichen (vgl. Gr. I², 106. 315. II, 50.
347. 396. 417. 497. 748. 783. III, 199. 585. 692. IV, 274.
744). Alt ist der ausdruck „eine sprache mit einem halten" (Sag. II, 349), wenig üblich „die sprache auf etwas
bringen" (Savigny III, 125); landschaftlichen und volkstümlichen anstrich hat: „sich lustig machen" f. sich
belustigen (Ir. elf. 200. Sag. I, 6. 72. 102. Wtb. III, 910),
„sich die haut voll schlafen" (Märch.), „einander
die zeit bieten" (Märch. I, 492); „sich auf etwas
faßen" steht Wtb. I, LV, „sturm steigen" Haupt IV,
509, „honig wirken" Wtb. I, 1161. 1367, „einem gar-
tenden landsknecht" Myth. I, XXXVI, „es fällt unmöglich Ber. d. ak. 1859 s. 257. Kl. schr. I, 376, „in
einen engen riß eine borste stechen" das. 417, „biber
und otter haben keine hege" (sind meist ausgerottet)
Wtb. I, 1807, „nachsehen" ohne pers. dat. (nachsicht
haben) Reinh. XVI. LXI, „damit die leere spalte nicht
gähne" Weist. II, 836. Während unschlüßig sein nach
dem sprachgebrauche insgemein wol nur auf handlungen bezogen zu werden pflegt, geht es bei Grimm häufig auf unsicherheit des urteils und drückt zweifel und ungewisheit
aus, z. b. Gr. I³, 88 ob — sind, bin ich unschlüßig, ferner das. 344. 405. Wtb. III, 1535; vgl. ich
trage bedenken, ob — geleistet habe Wtb. I, XXVI,
unsicher schwebe ich, ob — sind Kl. schr. III, 410.
Wie man durch den zuletzt genannten ausdruck zugleich
unwillkürlich ans latein erinnert wird, ebenso wenn es heißt:
„den atem ziehen" Kl. schr. I, 52; „den wuchs der locken,
das haar nähren" Rechtsalt. 239. 285, „den bart nähren"
Kl. schr. III, 205; „wie geschieht es, daß —?" I, 235,
„mit gutem fug scheine ich mir — angenommen zu
haben" Gr. II, VII, „ich scheine mir also nicht unbe-
fugt die stelle beizubringen" Myth. 75; „habe dir*) das
untere" Reinh. CCLXXXIX; „auf brennender tat"
Pfeiffer III, 1.

Von substantiven aus der alten sprache sind zu nennen: ferge (führmann) Lat. ged. 81. Andr. u. El. XXV.
Kl. schr. II, 200, magen (verwandte) Sag. II, 301, welf

---

*) auch mhd., z. b. nu habe dir daz dîn, ich wil behalten daz
mîn (Gr. IV, 363).

(junger hund) plur. welfer*) Kl. schr. II, 146. Gesch. 568, holze (schwertgriff) Edda 35, bruch (hose) Sag. II, 138, land und eigen Rechtsalt. 112. 491 fg., ehe f. bund Savigny II, 78, miete f. lohn Sag. II, 108, das gezwerg (mhd. getwerc, zwerg) Sag. I, 36, gewild März. I, 37, den singos (die glocke) im dom läuten Sag. II, 108, ein sterben unter den rossen und rindern Ber. d. ak. 1857 s. 154, nicht bloß scharfe sondern — schillinge Gött. anz. 1833 s. 473. Außerdem vgl. als mehr oder weniger ungewöhnlich: getier (teils kollektiv teils individuell) März. I, 382. II, 101. 102. 109. 153. 202, gebund Gr. IV, 722. Myth. 352. 529. Wtb. I, 1198, gefach Gr. II, IX. Myth. 576. Wtb. I, VII. 1321, pilgram Sag. II, 304, gansert (gänserich) Reinh. LXXIII. LXXIV, mammen (zitzen) Sag. II, 293, kirb (kirchweihe, kirmes) Haupt IV, 512, laiberchen brot März. II, 73 (vgl. Gr. III, 680), schuat (ackergrenze) Kl. schr. II, (36). 60. 64, wißenschaft (kenntnis) von etwas**) N. lit. anz. 1807 s. 353, wahne (im eis) Reinh. LXXI, bis auf die letzte zaser (faser) Gr. I¹, XIII, eine fröhliche oder höhnische lache Myth. 285, leere halmdrescherei Berl. sprach- u. sittennz. 1817 s. 303², toffel März. II, 44. 133 (pantoffel 149).

Unter den adjektiven, adverbien und partikeln befinden sich gleichfalls mehrere, deren zwar insgemein nicht unbekannter gebrauch in Grimms schriften dermaßen gesteigert auftritt, daß man genötigt ist seine neigung in einen gewissen gegensatz zu anderen gewöhnlicheren ausdrücken desselben sinnes zu stellen. So sagt er für und neben umgekehrt in sprachlicher beziehung unzählige male umgedreht; von äußeren verhältnissen der form und der darstellung gelten ihm die wörter rein, reinlich an vielen stellen***), Kl. schr. I, 232 von der lat. sprache sogar reingewaschen; gerecht und rechtfertig werden sehr oft ungefähr wie recht, richtig auf grammatische dinge bezogen. Als beliebte adverbien und partikeln können beispielsweise heutzutage, vorhin, vorab, vorerst, zumeist, nur daß angeführt werden.

*) vgl. Vilmar Idiot. 446.
**) Vilmar 457. Schambach 296.
***) schwerlich jemals „unrein, unreinlich".

Bilder und vergleiche.

Wie reich die sprache Grimms an poetischer empfindung ist; welche fülle der treffendsten bilder und vergleiche, dergleichen nur dichtern eigen zu sein pflegen, in ansprechender natürlichkeit der lebhaftigkeit seines geistes und gemütes entsprang; wie sie sich ihm bei jedem gegenstande, den er seiner liebenden betrachtung unterzog, in oft so überraschender weise zur verfügung stellten: das wißen und fühlen alle, die an den mächtigen eindruck seiner außerordentlichen schriften sich für immer gebunden erachten und der schönen mittel zur festigung dieses bandes stets von neuem und mit erneuter lust zu pflegen wünschen und verstehen.

Welcher forscher vor oder nach ihm hat die sprache, diesen gegenstand herkömmlich verschriener trockenheit und verstandesmäßiger konstruktionsbegier, mit so feinem naturpoetischen sinne aufzufaßen, in so ansprechend konkreter und sinnlicher weise darzustellen gewust? Als ein leibhaftiges wesen, dem alle eigenschaften und bedingungen des lebens und die ganze geordnete gliederung eines lebendigen organismus innewohnt, ist sie seiner betrachtung und behandlung erschienen. Die sprache hat „gestalt und gebärde und bewegt ihre gelenke in natürlicher freiheit" (Gr. I³, XII. XIII); sie hat „knochen und muskeln, blut und atem" (I³, 30). „Oft birgt unsere deutsche sprache ihren schmuck, niemals ihre flecken und narben" (IV, V), „an denen sich unser volkstamm vertraulich erkennt" (Kl. schr. I, 409). „Ehmals erhob sie sich auf flügeln in die luft; nachdem sie ihr gestutzt sind, muß sie ihren gang auf dem boden abmeßen, regeln und festigen" (Gr. IV, VII). „Die alte sprache ist einem kinde vergleichbar, das mit wunderbaren talenten geboren ist, sie aber nicht alle entwickelt hat; die neuere sprache ist ein mann, der bei mäßigen geistesgaben durch verständige haushaltung allen ansprüchen gewachsen ist". „Die innere, leibliche stärke der alten sprache gleicht dem scharfen gesicht, gehör, geruch der wilden, die einfach in der natur leben und sich gesunder, behender gliedmaßen erfreuen; in der neuen rinnt das blut schwerer" (I³, 21; vgl. I¹, XXVII). „Dem leisen atemzug der sprache wird gelauscht, oft aber auch in ihren leib eingeschnitten, dessen knochen und sehnen zu ernsterer besichtigung einladen" (I³, XIII). „Die sprache ist ein feld, ein acker, auf dem gepflügt wird, schollen umgerißen, furchen gekehrt werden; bald dringt die schar tiefer in den boden, bald fühlt sie sich von gestein und ranken gehemmt" (I³, XI); „der pflug darf ohne not nicht zu tief eingehn bis auf stellen, wo kies und lehm mächtig werden; die ergibigste ernte auf diesem unabsehbaren blachfeld dringt nicht in ihr unermeßliches innerstes, und auch zu schachte fahren lohnt, wenn immer mit anderen gewinsten" (Kl. schr. III, 170). „Unserer sprache sind alle gewächse und wurzeln in ihrem garten aus der langen pflege her bekannt und lieb; eine fremde hand, die sich darein mischen wollte, würde plump mehr gute kräuter zerdrücken und mitreißen als schädliche ausrotten, oder würde mit stiefmütterlicher vorliebe gewisse pflanzen hervorziehen und andere versäumen" (Gr. I¹, XIV). „Wie ein schönes gefieder nicht immer die vögel anzeigt, welche am reinsten und süßesten singen, scheint aus ärmeren sprachen gleichsam zum ersatz für ein ihnen versagtes reichgeschmücktes gewand die fülle der poesie desto lauterer vorzubrechen" (Kl. schr. I, 64). „Fällt von ungefähr ein fremdes wort in den brunnen einer sprache, so wird es so lange darin umgetrieben, bis es ihre farbe annimmt" (Wtb. I, XXVI). „Der sprachgeist brütet wie ein nistender vogel von neuem, nachdem ihm die eier weggetan worden" (Gr. I¹, XV). „Wie es den bäumen des waldes versagt ist alle äste, dem ast alle zweige in gleicher reihe zu treiben, so werden auch sprachen, dialekte, mundarten neben und durcheinander gehindert und zugleich gefördert: zwischen zurückbleibenden ragen erblühende desto herlicher vor" (Gesch. 833). „Die mundart ist dem bequemen hauskleid, in welchem nicht ausgegangen wird, ähnlich" (828).

19*

„Eine sprache, die außer ihrem baren vorrat, der in umlauf ist, keine sparpfennige und seltne münzen aufzuweisen hätte, wäre armgeschaffen; diese schätze hervorzuziehen ist das amt des wörterbuchs" (Wtb. I, XIX). „Das wörterbuch gleicht einem gerüsteten schlagfertigen heer, mit welchem wunder ausgerichtet werden und wogegen die ausgesuchteste streitkraft im einzelnen nichts vermag" (XIII). „Als es ans treffen gehn sollte, empfieng das ausrückende, noch immer nicht vollgerüstete wortheer, in dessen reihen manche lücken sichtbar wurden, keine zuzüge von woher es sich allermeist auf sie vertröstet hatte" (LXV). „Einem uhrwerke gleich läßt sich das wörterbuch für den gebrauch des gemeinen mannes nur mit derselben genauigkeit einrichten, die auch der astronom begehrt" (XIV). Manche unter den neueren deutschen wörterbüchern „finden den eingang zum schacht nicht oder laßen ihn versanden: eine weile brach zu liegen hätte dem großen wortacker beßer getan, als daß, während die pflüger ausblieben, viele füße auf seiner oberfläche sich tummelten und sie fest traten" (XXVI). „Ein wörterbuch steht auf dem allgemeinen heerweg der sprache, wo sich die unendliche menge des volks versammelt: vor dem an offner straße aufgerichteten hause bleiben die leute stehn und begaffen es; jener hat am tor und dieser am giebel etwas auszusetzen, der eine lobt die zierraten, der andere den anstrich" (LXVII. LXVIII).

„Etymologie ist das salz oder die würze des wörterbuchs, ohne deren zutat seine speise noch ungeschmackt bliebe: man mag auch manches gern roh genießen und lieber als versalzen" (Wtb. I, XLVII). „Etymologien gleichen einer ausreise auf offne see: unablaßig wie welle an welle schlagen die worte ihrer form und bedeutung nach aneinander; wer ein zuschauer am ufer stehn bleiben will, leidet weder schiffbruch noch befällt ihn schwindel wie vielleicht die ins boot gestiegnen" (Kl. schr. III, 170). „Die besten etymologien sollen baar und klingend in landesmünze gezahlt werden, und alle exotischen scheinen etwas vom papiergeld an sich zu haben, das sich allerdings leichter versendet" (Schulze V).

„Pedanten und puristen, was eigentlich eine brut ist, sind mir oft so vorgekommen wie maulwürfe, die dem land-

manne zu ärger auf feld und wiese ihre hügel aufwerfen
und blind in der oberfläche der sprache herum reuten und
wühlen" (Haupt VI, 545). „Deutschland pflegt einen schwarm
von puristen zu erzeugen, die sich gleich fliegen an den
rand unsrer sprache setzen und mit dünnen fühlhörnern sie
betasten" (Kl. schr. I, 347). „Die wortreiniger verfahren
beinahe wie die politischen schreckensmänner; sie faßen
einen punkt starr ins gesicht und zerstören, wenn einzelne
arme wörter nicht damit versehen sind, ohn erbarmen edele
und alte geschlechter, die sich nicht bequemen wollen die
neue farbe anzuerkennen" (408). „Wollte man ihrem grundsatze raum geben, so würde unsere mit ehren zum mannes-
alter heranreifende sprache einer verlobten schönheit gleichen, die sich durch falsche künste jugendlich, durch flitter-
staat ansehnlich machen möchte und in welcher bald unser
eigenes bild nicht mehr zu erkennen wäre" (Gr. I', XIV).
„Eine sprache mit einförmigen gliedern und regeln würde
so wenig wie der anblick einer stadt mit schnurgeraden
gaßen und häusern einer höhe auf die länge befriedigen".
„Der purismus sucht mittel und wege das von ihm ver-
fertigte papiergeld anstatt der alten münze in umlauf zu
setzen" (Kl. schr. I, 409); „er strebt das fremde, wo er
seiner nur gewahren kann, feindlich zu verfolgen und zu
tilgen, mit plumpem hammerschlag schmiedet er seine un-
tauglichen waffen" (Wtb. I, XXVIII).

„Die geschichte unsrer poesie und sprache mag eines
langsamen, bedächtigen gangs immer bleiben. Bisher hat
sie mehr einem wolgelegnen haus geglichen, dessen fenster
zu schönen aussichten einladen, in welchem aber noch tisch
und stühle mangeln sich bequem und wohnlich niederzu-
laßen" (Gr. I', V. I³, VI). „Die rechte poesie gleicht
einem menschen, der sich tausendfältig freuen kann, wo er
laub und gras wachsen, die sonne auf und nieder gehen
sieht; die falsche einem, der in fremde länder fährt und
sich an den bergen der Schweiz, dem himmel und meer
Italiens zu erheben wähnt: steht er nun mitten darin, so
wird sein vergnügen vielleicht lange nicht reichen an das
maß des daheimgebliebnen, dem sein apfelbaum im haus-
garten jährlich blüht und die finken darauf schlagen" (I',
VII. I³, IX). „Wie man andere gedichte oft schon einem

bach, einem strom verglichen hat, das epos ist ein wogendes meer, das sich an den küsten bricht und bald hier bald dort schöner spiegelt" (Kl. schr. I, 155). „Die volksage will mit keuscher hand gelesen und gebrochen sein; wer sie hart angreift, dem wird sie die blätter krümmen und ihren eigensten duft vorenthalten" (Myth. I, XII). „In wunderbarer einstimmung und dennoch unermüdlicher besonderheit dehnen 'sich volksagen über länder und landstriche aus, kräutern und blumen gleich, die bald hier bald dort dem boden unter verschiedener luft und sonne anders und immer ähnlich entsprießen" (Kl. schr. III, 425). „Gehemmte ausbildung bringt solchen stoffen schutz und hegung, dichtes gras und wiesenblumen verkommen auf gartenbeeten" (428). „Haben zahlreiche schriftliche denkmale gleichsam einzelne knochen und gelenke der alten mythologie übrig gelaßen, so rührt uns noch ihr eigner atemzug an aus einer menge von sagen und gebräuchen" (Myth. I, XII). „Das heidentum ist einer seltsamen pflanze zu vergleichen, deren farbige duftende blüte wir mit verwunderung betrachten, das christentum der weite strecken einnehmenden aussaat des nährenden getreides" (I, 6). „Die christliche lehre gestattete oder trachtete selbst ihren milden sinn, ihr innigeres gefühl der rauhen rinde des frischkräftigen holzes heidnischer anschauungen einzuimpfen, woraus zweige trieben und früchte entsproßen, deren künstlicher wachstum etwas gestörtes verrät, noch nicht alle gesunde derbheit der alten säfte verleugnet" (Andr. u. El. V). „Deutsche götter, um sie nur schnell zu beseitigen, wurden für gallische oder slavische erklärt, wie man landstreicher auf schub sich vom halse schafft, mag der nachbar zusehen, ob er mit dem gesindel fertig werde" (Gött. anz. 1835 s. 1667. Myth. I, V). „Wie das meßer in leichname schneidet, um den menschlichen leib innerst zu ergründen, ist in verwitterte erdhügel eingedrungen und die lange ruhe der gräber gestört worden". „Samenkörnern, die unsere geschichte befruchten, gleicht das in unendlicher menge durch alle europäischen felder und hügel zerstreute römische geld" (Gesch. 3). „Es ist recht, daß durch die wieder aufgetanen schleusen die flut des altertums, so weit sie reiche, bis hin an die gegenwart spüle" (Wtb. I, VII).

„Der echte wollaut kommt mir vor wie ein unbewustes
erröten, wie ein durchscheinen gesunder farbe; der falsche,
aufgedrungene wollaut wirkt gleich einer verderblichen
schminke, statt dessen die natürliche blässe, bräune und
magerkeit zehnmal beßer stünde" (Kl. schr. I, 407). —
„Das ist der auf allem vaterländischen ruhende segen, daß
man mit ihm großes ausrichten kann, wie beschränkt seine
mittel scheinen oder gar seien; ein stück hausbacknen brotes
ist uns gesünder als der fremde fladen" (I, 233). — „Wenn
im frühling die höher steigende sonne aus der winterkalten
erde gräser, halme, blüten treibt, so hegt im herbst der
boden zwar noch wärme des sommers, aber spitzen und
wipfel beginnen erkaltend abzuwelken. Dann geschieht es,
daß das grüne laub einiger bäume vor dem letzten falben
seine farbe wechselt und in röte übergeht. Solch ein herbstes
aussehn hat mir die im heidentum wurzelnde angelsächsi-
sche dichtung: nicht ohne matten widerschein setzt sie ihre
säfte noch einmal um und verkündet ihren nahen tod"
(Andr. u. El. LVIII). — „Jeder neue funke des erkennt-
nisses taugt und gilt auch mehr als alle löschanstalten einer
sich dawider sträubenden verneinenden kritik" (Ber. d. ak.
1859 s. 524). — „Unbelegte citate sind unordentlich zu-
sammengeraffte, unbeglaubigte, unbeeidete zeugen" (Wtb.
I, XXXVI). — „Denken ist leuchten, reden ist tönen; nach
dem blitz des gedankens kommt der donner des worts"
(Kl. schr. III, 299). — „Der natürliche mensch hat, wie
ein doppeltes blut, adern des glaubens und des zweifels in
sich, die heute oder morgen bald stärker bald schwächer
schlagen. Wenn glaubensfähigkeit eine leiter ist, auf deren
sproßen empor und hinunter, zum himmel oder zur erde
gestiegen wird, so kann und darf die menschliche seele auf
jeder dieser staffeln rasten" (I, 386). — „Laßen wir doch
an den häusern die giebel, die vorsprünge der balken, aus
den haaren das puder*) weg; warum soll in der schrift
aller unrat bleiben?" (Wtb. I, LIV). — „Attraktionen sind
bächen, ja waßertropfen ähnlich, die wo sie sich nähern in
einander rinnen" (Kl. schr. III, 314). — „Die welt ist voll

*) vgl. „zopf und haarbeutel" bei Pfeiffer XII, 122, ähnlich Kl.
schr. I, 351.

von männern, die das rechte denken und lehren, sobald sie
aber handeln sollen, von zweifel und kleinmut angefochten
werden und zurückweichen: ihr zweifel gleicht dem un-
kraut, das auf den straßen durch das pflaster bricht, manche
rotten es aus, doch nicht lange so hat es wieder ganze stellen überzogen" (Kl. schr. I, 27). — „Wie eines weibes
edler wuchs in vollem ebenmaß seiner teile angekündigt
und von dem ganzen leib auf die züge des gesichts bis zu
den im lächelnden munde bleckenden zähnen geschloßen
wird; so ist auch den italienischen gegenden bei ihrem allgemeinen reiz eine nie ausbleibende fülle von einzelnheiten
eingeprägt, die ihren großartigen eindruck bewähren" (I,
59). — „Vergleichen wir die deutsche literatur einem kleinen ort, der nur zwei enge ausgänge hat, die klassische
einer großen stadt, von der sich aus zehn prächtigen toren
nach allen seiten vordringen läßt; über ein gewisses ziel
fort wird in die kunstreich gelegte heerstraße der schmale
steig einlaufen und dann von beiden aus der menschliche
geist in gleich ungemeßene weite geführt werden" (I, 149).
— „Alles wißen hat eine elementarische kraft und gleicht
dem entsprungnen waßer, das unabläßig fortrinnt, der
flamme, die einmal geweckt ströme von licht und wärme
aus sich ergießt" (I, 214). — „Wie gewisse pflanzen und
bäume nur unter bestimmtem himmelsstrich gedeihen und
zu ihrer vollen macht kommen, über ihn hinaus verküm-
mern und zu grunde gehen; so hat auch die tierfabel die
grenze einiger länder nicht überschritten (Reinh. XVI). —

Die reihe und folge dieser bilder und vergleiche zeigt,
wie man sieht, unterschiede: zuerst treten einige hervorragende und bedeutsame gegenstände, unter denen die
sprache selbst den wolverdienten obersten platz behauptet,
für sich auf; dann folgen verschiedene andre, welche den
gemeinsamen grund des altertums bekennen, in einer gewissen verbindung auf einander; zuletzt kommt eine anzahl
einzeln wahrzunehmender, von einander ziemlich unab-
hängiger vergleiche, deren einige vielleicht schon vorher
hätten eingereiht sein können, in betracht. Wollte man allen
bloß bildlichen ausdrücken, die sich oft auf ein oder ein
paar wörter beschränken, in den schriften Grimms nach-
spüren, es würde sich kaum ein ende finden; gefolgert wer-

den muß ihr reichtum aus dem zusammenhange. Namentliche hervorhebung verdienen aber noch einige bilder und gleichnisse, die sich auf persönliche verhältnisse beziehen, auf das vorzüglich, was er über seine eignen arbeiten mitzuteilen sich gedrungen fühlte, zum teil auch die person anderer schriftsteller betreffen.

Die vorrede zur 2. ausg. des 1. teiles der grammatik beginnt damit, daß es kein langes besinnen gekostet habe den ersten aufschuß mit stumpf und stiel niederzumähen, ein zweites kraut, dichter und feiner, sei schnell nachgewachsen, blüten und reifende früchte laße es vielleicht hoffen. In der vorrede zum 4. teile wird das kühlende behagen, in welchem epiloge niedergeschrieben werden, mit diesen schönen anfangsworten geschildert: „Wenn ein wandersmann über öde heiden sonne und last des tages getragen hat und in der dämmerung durch enggewundne gartenpfade heimzieht, legt er an ihres grases tau den staub seiner füße abstreifend mit schon erfrischten gliedern und sorgenfreier die letzten schritte zurück". Am schluße derselben vorrede heißt es aber in einem neuen bilde: „Da ich die ersten reiser im wald unserer sprache zu lesen und flechten begann, war ich des erfolgs froher und gewisser als jetzt, wo ich ein schiff halb aufgezimmert habe, dessen last noch nicht flott werden kann sondern eine zeitlang mit seilen zu land sich fortschleppen muß". Nicht lange zeit darauf wurde des meisters stilles haus von einem plötzlichen wetterstrahl getroffen, und „wie ein ruhig wandelnder mann in ein handgemenge gerät, aus dem ein ruf erschallt, dem er auf der stelle gehorchen muß", sah er sich in eine öffentliche angelegenheit verflochten, der er keinen fußbreit ausweichen durfte (Kl. schr. I, 29). — In der vorrede zur geschichte der deutschen sprache läßt Grimm auf die erklärung, daß er ungeachtet seiner vorwiegenden neigung zur sprachforschung doch immer gern von den wörtern zu den sachen gelangt sei, das bild folgen: er habe nicht bloß häuser bauen sondern auch darin wohnen wollen und den versuch gemacht der geschichte unsers volks das bett von der sprache her stärker aufzuschütteln. Und nachdem er in diesem aufschlußreichen werke der deutschen sprache ihren tieferen hintergrund mühsam bereitet und nachgewiesen hat,

hält er zu anfang des 30. kapitels seinen lauf inne und
„verschnaubt sich einmal, wie die alten kämpfer den helm
abbindend und an die luft stehend sich in den ringen kühl-
ten". — Die vorrede oder einleitung zum wörterbuche, sowol
dem inhalte als der form nach ein bewundrungswürdiges
und unnachahmliches erzeugnis der edelsten stimmung einer
hochbegabten genialität, wie sie in beziehung auf sprache,
etymologie, purismus und anderes eine anzahl treffender bilder und vergleiche zeigt, läßt in dieselben ansprechenden
formen gekleidet und zum teil in noch ausgeprägterer weise
mitteilungen über persönliche verhältnisse an den leser gelangen. Gleich s. I mit rücksicht auf die erwägung, ob
von den brüdern der an sie gerichtete antrag anzunehmen
sei, lautet es: „Beinahe hieß es alte warmgepflegte arbeiten
aus dem nest stoßen, eine neue ungewohnte —, ihren fittich
heftiger schlagende darin aufnehmen"; dann s. II: „Wie
wenn tagelang feine, dichte flocken vom himmel niederfallen,
bald die ganze gegend in unermeßlichem schnee zugedeckt
liegt, werde ich von der masse aus allen ecken und ritzen
auf mich andringender wörter gleichsam eingeschneit"; weiter s. LXIII in großer ausführlichkeit: „Wenn zwei maurer
zusammen ihr gerüst besteigen und der eine rechts, der andere links auferbaut, so heben sich wände, pfeiler, fenster
und gesimse des hauses vollkommen gleichförmig zu beiden
seiten, weil alles entworfen ist und nach der schnur gemeßen wird; es kommt auch vor, daß an einem aufgespann-
ten bilde zwei maler arbeiten, der eine die landschaft, der
andere die figuren übernimmt, und jener diesem um sie aufzustellen und bequem zu entfalten genug grundes läßt: so
ließe sich denken, daß auch am wörterbuch zwei nebeneinander stünden, nach festem entwurf die wörter schichteten
und einfügten, auch sich wechselsweise die bausteine zu-
reichten und ihr gerät und werkzeug aus des einen hand in
die des andern gienge, daß von einem die etymologie und
form, von dem andern die bedeutung ergriffen und erörtert
würde"; endlich s. LXIV von denselben beiden arbeitern,
Jacob und Wilhelm: „Sie sind zwei köche, die nach wochen
sich ablösend vor den nemlichen herd treten und gleiche
speise in gleichem geschirr zubereiten; mag das publikum
selbst merken, wo manchmal der eine zu leise salze, der

andre zu scharf, ich hoffe daß keiner anbrennen laße". Auf
der letzten seite wird schließlich der beiden „gesellen",
welche sich unterfangen haben solchen arbeitern am zeug
zu flicken, mit den anfangsworten gedacht: „Zwei spinnen
sind auf die kräuter dieses wortgartens gekrochen und haben
ihr gift ausgelaßen". — Ueber E. Schulzes und L. Diefen-
bachs gothische wörterbücher, „reinlich und ruhig abge-
steckte anlagen" des einen, das „kühne gerüste" des andern,
verbreitet sich das nähere gleichnis: „In freier luft hat
Schulze eine gothische baumschule, wo reis an reis dicht-
gedrängt stehn, gehegt, Diefenbach über den ganzen gothischen wachstum ein treibhaus voll exotischer pflanzen ge-
stürzt, die sich nun in verschiedener wärmestufe und be-
leuchtung unter unsere einheimischen mengen" (Schulze I).